YSBRYD
SABRINA

MARTIN DAVIS

Hoffwn ddiolch i holl staff y Lolfa am eu cymorth gyda'r nofel hon
a'm holl waith dros y blynyddoedd; i'm gwraig, Siân Saunders,
am ei chefnogaeth anhepgor a di-feth; i'm chwaer-yng-nghyfraith
Dr Chloë Hughes a'r drymiwr anhysbys ar Bont y Saeson am
sbarduno'r holl antur, ac i Sonia Taplin, Castlecote,
Amwythig, am ei lletygarwch dihafal.

Ysgrifennwyd y nofel hon gyda chymorth gan
Ysgoloriaeth Awdur Llenyddiaeth Cymru a gefnogir gan
Y Loteri Genedlaethol trwy Gyngor Celfyddydau Cymru.

Argraffiad cyntaf: 2021

Cynllun y clawr: Sion Ilar

Rhif Llyfr Rhyngwladol: 978 1 80099 025 8

Dymuna'r cyhoeddwyr gydnabod cymorth ariannol
Cyngor Llyfrau Cymru

Cyhoeddwyd ac argraffwyd yng Nghymru
ar bapur o goedwigoedd cynaliadwy gan
Y Lolfa Cyf., Talybont, Ceredigion SY24 5HE
e-bost ylolfa@ylolfa.com
gwefan www.ylolfa.com
ffôn 01970 832 304
ffacs 01970 832 782

Stafell Gynddylan ys tywyll heno
Heb dân, heb oleuni;
Hiraeth ddaw im amdanat.

Canu Heledd

1

WRTH IDDI NESÁU at Bont y Saeson cyflymu wnaeth curiad y drwm. Cyflymu hefyd wnaeth ei chamau hithau wrth i darddiad y sŵn ddod i'r fei. Y tu ôl iddi roedd olwynion ei chês mawr yn rymblo a chlecian yn gysurus braf ar y pafin. Roedd yna ryw gyffro yng nghuriad y drwm ar y bont ond roedd hefyd yn peri anesmwythyd iddi, gan ei hatgoffa o ansicrwydd ei chwest.

Gallai weld y drymiwr erbyn hyn yng ngolau'r stryd tua hanner ffordd ar draws y bont lydan, yn fwbach blêr yn ei gwman dros ei offeryn a chi nychlyd yn dorch dynn wrth ei draed. Oedodd Hayley Havard a symud y bag trwm arall oedd ganddi o'r naill ysgwydd i'r llall.

Ymlaen â hi eto, ond yn ddisymwth, a hithau'n mynd heibio i le safai'r drymiwr, dyma olwynion y cês yn stopio troi a daeth sŵn crafu annifyr yn lle'r powlio cartrefol a dechreuodd y cês sgiwio i bob cyfeiriad.

Stopiodd Hayley a phlygu i weld beth oedd o'i le ac wrth iddi wneud, llithrodd y bag o'i hysgwydd gan daro'n glewt ar y pafin.

'O, shit!'

Cododd y bag a cheisio symud yn ei blaen eto, ond roedd un o olwynion y cês yn amlwg wedi'i chloi – rhaid bod carreg fach wedi mynd yn sownd yn rhywle. Ymbalfalodd yn ofer â'r ddisg blastig, ei bysedd rhynllyd yn colli teimlad wrth boitsian yn y rhigol gul rhwng yr olwyn a'r cês.

Roedd y naill olwyn yn dal i droi'n iawn ond doedd dim modd symud y llall.

Roedd y drymiwr wedi stopio hefyd ac erbyn hyn yn syllu arni. Wrth ei draed dyma'r sgrepyn mwngrel yn codi'i ben ac yn cyfarth yn siarp. Swatiai Hayley ar bwys ei chês ychydig lathenni'n unig oddi wrthyn nhw. Roedd y traffig hefyd wedi peidio am y tro, a'r bont yn hollol dawel fel pe bai wedi'i hynysu o'r byd mawr y tu allan. Roedd aer y nos yn fregus, yr oerni'n treiddio, yn deifio'r llwnc ac yn cipio'r anadl...

Ai noson fel hon oedd hi ar y noson y diflannodd Dylan, meddyliodd Hayley.

Rhoddodd gynnig arall ar symud yn ei blaen – ond, na, dyma sŵn crafu cras unwaith eto. Chwarddodd y drymiwr a dywedodd rywbeth aneglur mewn llais cryg a chwerthin drachefn. Cododd y ci ar ei draed a chyfarth ddwywaith eto.

Gwasgodd Hayley yr handlen dowio i mewn i'r cês a'i godi a cherdded yn fân ac yn fuan ar ei sodlau – pam ddiawl wisgodd hi'r rhain? – tuag at ben arall y bont, a phwysau'r cês yn brathu i'w llaw bob cam.

Gwaeddodd y drymiwr rywbeth arall a swniai fel 'Sdim troi'n ôl' – ond allai hi fyth bod yn siŵr.

Drwy hanner lleuadau bwâu'r bont dan gysgod hen furiau rhithiol Pengwern, ymestynnai cyhyr du afon Hafren, yn feichiog â glawogydd y gaeaf, ar ei hirdaith o Bumlumon bell i'r môr – afon y dduwies Geltaidd, Sabrina, a foddodd yn llif tragwyddol ei dyfroedd.

Ailgydiodd curiad y drwm wrth i Hayley wegian ar ei hynt i'r gwyll...

2

A M Y CANFED tro craffodd Hayley ar y ddelwedd fach ar ei
ffôn.

Ai Dylan oedd hwn?

Gallai fod – yr un proffil, yr un osgo… yn dal ei ben ychydig
yn gam fel a wnâi pan oedd yn fachgen bach; blaenau'i fysedd
main a arferai wibio fel corryn ar hyd tannau ei gitâr wedi'u
stwffio i bocedi tin ei drowsus bwgan brain – yn union fel y
byddai'r hen Dyl yn ei wneud. Ond wedyn roedd yr het Jim
Cro dwp 'na â'i phluen wen yn bwrw gormod o gysgod dros
ei wyneb iddi fod yn siŵr, ac a dweud y gwir roedd yr holl
ddelwedd yn dywyll iawn.

Roedd yn wahanol iawn i'r llun CCTV a dynnwyd yng
ngorsaf Amwythig bymtheng mlynedd yn ôl. Yn hwnnw
edrychai Dylan yn syth i'r camera fel pe bai'n ymwybodol o
arwyddocâd yr ennyd honno yn ei fywyd fel y cipolwg olaf a
gâi ei anwyliaid arno…

Roedd gan Hayley gopi o hwnnw ar ei ffôn hefyd. Llithrodd
ei bys ar draws y sgrin ac fe ddaeth i'r golwg. Roedd pob
manylyn o'r llun yma wedi'i serio ar ei chof ac er iddi fyfyrio
am hydoedd drosto doedd dim byd gwahanol i'w weld yno,
dim byd arbennig i'w ddehongli; y cwbl a welai oedd llygaid
glaslanc o deithiwr a ddigwyddai fod yn frawd iddi yn taro ar
lens y camera cylch cyfyng ar hap – dyna'r cwbl.

Aeth yn ôl at y ddelwedd arall. Deuai honno o bwt o

fideo roedd Hayley ei hun wedi'i saethu pan oedd hi'n ymweld â gŵyl werin Amwythig y flwyddyn gynt. Ers diflaniad ei brawd, byddai Hayley yn mynd ar bererindod i Amwythig ar ryw adeg bob blwyddyn... jyst rhag ofn. Er tristed y teimlai yno weithiau, roedd hi wedi dod i hoffi'r dre'n fawr, nes ei gweld fel rhyw fath o gysegrfan enfawr er cof amdano.

Fin nos oedd hi pan dynnodd y fideo bach yn y brif babell, a grŵp gwerin roc egnïol yn cynhyrfu'r dorf. Ar y pryd, doedd hi ddim wedi sylwi ar y ffigwr a safai ychydig ar wahân i'r môr o ddawnswyr llawen; dim ond pan wyliodd y clip ar sgrin fwy o faint sawl mis yn ddiweddarach roedd wedi hoelio'i sylw.

Dylan?

Aeth arswyd a chyffro drwyddi. Dylan! Does bosib iddyn nhw fod mor agos i'w gilydd heb sylweddoli... bod lens ei chamera wedi'i ddal heb iddi deimlo rhywbeth, a hithau ar wyliadwriaeth barhaus amdano... a'i fod yntau heb deimlo dim byd chwaith...

Roedd hi wedi rhuthro i lawr stâr at ei thad.

'Dad – 'wy wedi gweld Dyl.'

Roedd ei thad yn y stafell fyw yn darllen y *Racing Times* wrth y tân pitw braidd yn y grât bychan. Noson o dywydd mawr oedd hi ac roedd oglau mwg yn taro'n drwch drwy'r lle.

Wnaeth ei thad ddim codi'i ben hyd yn oed, a phan ymostyngodd o'r diwedd i edrych ar sgrin y gliniadur, rhyw wfftio'r cwbwl a wnaeth.

'Dwli-dwl, ferch. Ti'n ffaelu'i weld e'n iawn yn y llun 'ma. Ti'n ffaelu gweld ei wyneb e'n iawn hyd yn oed ac ma fe'n rhy dal.'

Ac erbyn hyn, a hithau wedi symud i fyw i Amwythig,

yn grediniol bod ei brawd yn dal ar dir y byw rywle yn yr ardal, doedd hi chwaith ddim mor siŵr. Ochneidiodd Hayley a gorwedd yn ôl ar y gwely cul a'i sbwng o fatres.

Y tu allan, clywai dwrw traffig a gweiddi meddw yn dod o gyffiniau'r dafarn rownd y gornel. Tybiai y gallai glywed curiad y drwm o hyd, ond na. Penderfynodd mai blinder a'i dychymyg yn unig oedd ar waith.

Mor wahanol i synau'r nos gartre – gwdihŵs, defaid, cadnoid, y gwynt a'r glaw a rhu'r nant, ei thad yn rhoi glo ar y tân... dyna oedd y cyfeiliant arferol i'w nosweithiau yno.

Roedd y stafell yn oer iawn. Roedd hi wedi tynnu ei menig i edrych ar y ffôn a'i bysedd yn dechrau cwyno.

Pengwern Villa oedd enw'r llety. Doedd Hayley ddim yn gwybod dim am arwyddocâd enw o'r fath, heblaw ei fod yn swnio'n Gymraeg. Tŷ mawr aml-lofft oedd o, a safai ar un o'r priffyrdd i mewn i'r dre. Gwâl gwningod o le, gyda lloriau ar wahanol lefelau anesboniadwy, cilfachau tywyll, coridorau'n arwain i unman, parwydydd a drysau annisgwyl a naws y gorffennol i'w chlywed drwy'r lle.

Roedd yr ardd o'i flaen wedi tyfu'n wyllt, a brigau'r llwyni noeth wedi crafu yn erbyn cês Hayley wrth iddi gamu'n lluddedig tuag at y drws.

Roedd golwg hollol wag ar yr adeilad a dechreuodd Hayley deimlo rhyw anesmwythyd cynyddol am ei diogelwch personol. Wrth gnocio – doedd dim arwydd bod y gloch yn gweithio – teimlai ychydig o banig yn dechrau corddi yn ei bola. Ddylai ei throi hi? Anghofio'i chynlluniau gwirion a mynd yn ôl bob cam i'r Fenni?

Yn sydyn, roedd golau wedi cynnau a'r drws yn agor.

'Helô.'

O'i blaen safai pwtyn o ddyn du mewn siaced bwffa oedd

tua thri seis yn rhy fawr iddo. Roedd yn anodd dyfalu ei oedran – tua'i hoedran hi falle, ar ganol ei dri degau, ond eto roedd y llygaid wedi'u gosod yn ddwfn fel rhai rhywun hŷn sydd wedi gweld gormod yn ei fywyd.

'O, helô... mm... fi yw Hayley. Fe fues i'n siarad â Mr Wray... Jamie... ar Skype pwy nosweth. Ma fe'n gwbod bo' fi'n dod... Dwi'n mynd i weitho yn y siop, Sabrina's Cave?'

Edrychodd y dyn arni am yn hir, ei ben yn fach yn erbyn y glustog o siaced, gyda rhyw olwg ychydig yn ymbilgar ar ei wyneb. Wedyn safodd yn ôl gan ddal y drws yn agored iddi.

'Diolch. Ma hi wedi oeri, on'd yw hi?'

Gwenodd y dyn ond ni ddywedodd yr un gair.

'Hayley dwi,' cyhoeddodd eto.

Nodiodd y dyn ei ben yn ara ond dal heb yngan gair.

'Pwy y'ch chi 'te?' Wel, os nad oedd hi'n gofyn...

'Nahom.'

'Nahom?'

Gwenodd eto ac yna sefyll fel pe bai'n aros iddi ddweud wrtho beth i'w wneud.

'Yw Jamie... Mr Wray, o gwmpas?'

Ystyriodd Nahom ac yna ysgwyd ei ben.

'O... y'ch chi'n gallu dangos i fi lle dwi i fod i fynd? Ma stafell i fi fan hyn rywle... wedodd e,' arafai ei llais gyda phob gair.

Aeth Nahom at waelod y grisiau a phwyntio i fyny.

'Lan fan'na, ife?'

'Lan, lan, lan i'r top,' meddai mewn llais syndod o ddwfn a gwenu eto.

'Oes allweddi?'

'Yn y drws,' meddai Nahom yn dawel – bron ei fod yn sibrwd y tro yma.

Camodd Hayley i fyny gris neu ddwy. Roedd ei chês wedi

mynd yn dipyn o fwrn erbyn hyn ond teimlai'n lletchwith braidd i ofyn i'r dyn du ei helpu i'w gario – ond roedd yn gobeithio y byddai'n cynnig.

Cam neu ddau arall a dyma Hayley'n hanner troi i weld a oedd Nahom yn debygol o gynnig help. Ond doedd dim sôn amdano. Roedd wedi diflannu ac roedd y cyntedd bellach yn wag.

Wedyn aeth popeth yn dywyll wrth i'r golau ddiffodd ar ôl i'r amserydd gyrraedd pen ei gyfnod gosodedig. Bu bron i Hayley faglu yn y tywyllwch ond llwyddodd i'w sadio ei hun ac ar ben y landin nesa, ymbalfalodd am switsh a thanio'r golau o'r newydd.

Ar ben dwy set arall o risiau cyrhaeddodd landin ehangach gyda dau ddrws gyferbyn â'i gilydd a drws yn y pen i'r stafell molchi a thŷ bach. I'r cyfeiriad arall roedd drws cegin fach gyfyng yn gilagored a sylwodd Hayley ar oergell a bin sbwriel gorlawn yn ogystal â sawl potel win wag ar y llawr wrth ei ymyl.

Roedd gweld y stafell molchi wedi rhoi proc i'r bledren gan ei hatgoffa ei bod heb fynd i'r tŷ bach ers sbel go hir. I mewn â hi i'r bathrwm bach. Roedd golwg eitha glân ar bethau, meddyliodd wrth edrych o'i chwmpas. Dipyn bach o lwydni ar odre llen y gawod ond fel arall, doedd hi ddim yn rhy ddrwg. Roedd sêt y tŷ bach wedi'i chodi felly mae'n rhaid bod yna ddyn yn ei ddefnyddio. 'Na fe, go brin y gallai hwnnw fod yn waeth na'i thad o ran ei arferion yn y stafell molchi.

Wrth olchi ei dwylo clywodd sŵn rhywun ar y landin ac yna'r drws yn cael ei ratlo'n nerthol a rhegfeydd (o bosib) mewn iaith ddiarth iddi, ac wedyn camau'n cilio a drws yn cau.

Mor dawel ag y gallai, a hithau'n dal i ddelio â'r cês a'r bag ysgwydd, gadawodd Hayley'r stafell molchi a llithro i'r landin eto gan fynd at y drws lle gallai weld bod yna allweddi yn y clo. Agorodd y drws, tynnu'r allweddi'n rhydd a chynnau'r golau i gael gweld sut olwg oedd ar ei chartre newydd.

3

PWT BACH O 'Nessun dorma' a ddihunodd Aneirin Havard o'i bendwmpian ger y tân. Rhochiodd yn ddryslyd nes cofio lle'r oedd o a beth oedd yr holl ganu operatig wrth ei ymyl.

Ymbalfalodd am y ffôn a'i sbectol ac o'r diwedd llwyddodd i gael gafael ynddyn nhw a gwasgu'r botwm iawn i weld y neges destun oddi wrth ei ferch.

Hi Dad. Fi'n iawn. Y lle yn OK. Ond ma hi'n oe-oe-oe-rrrr iawn. Heb weld Jamie Wray eto. Tecstia os ti'n unig. Hayls xxx

Syllodd Aneirin ar y geiriau am sbel.

Sifftiodd y glo yn y tân a sleifiodd sgrepen o gwrcath llwydwyn o'r stafell ac i fyny'r grisiau cul lle byddai Aneirin yn siŵr o gael hyd iddo ar ei wely yn nes ymlaen. Edrychodd draw ar y lluniau o'r teulu ar y ddresel a hisian yn rhwystredig drwy'i ddannedd.

Ergyd drom iddo oedd penderfyniad Hayley i symud i Amwythig. Er na fuodd hi'n byw yn Nhŷ Tyrpeg ers blynyddoedd tan ryw ddeg mis yn ôl pan chwalodd ei pherthynas â'i sboner Eddie Hewitt, roedd hi wedi bod wrth law. Roedd hi'n byw gydag Eddie mewn tŷ mawr posh yn y Fenni ac o fewn cyrraedd i'w thad pe bai angen neu awydd yn codi i weld ei gilydd. Roedd Hayley a'i thad yn dipyn o ffrindiau ar ryw lefel ac, i'w dyb yntau, roedd hwn yn drefniad delfrydol.

Ond ar ôl i Hayley symud yn ôl i'w hen gartre i fyw, roedd pethau wedi newid, gydag Aneirin yn mynd yn rhy ddibynnol arni a Hayley'n dechrau danto ar ei gwmni braidd. Roedd Aneirin ei hun yn gallu gweld nad oedd byw dan yr unto yn eu siwtio a byddai wedi deall pe bai Hayley wedi ceisio cael lle bach iddi'i hun, er mor gysurus oedd ei chael hi o gwmpas y lle ac yntau'n aml yn stryglo braidd i ddod i ben â phopeth y dyddiau hyn.

Ond wedyn roedd hi wedi cael hyd i'r blincin ffilm 'na ar ei ffôn. Roedd hi wir yn credu taw Dylan oedd e – doedd dim byd gallai ei thad ei ddweud i'w darbwyllo fel arall. A dweud y gwir, hyd yn oed gyda'i sbectol roedd Aneirin yn methu gweld fawr o debygrwydd rhwng y bachan yma a'i fab colledig – ond roedd Hayley'n gweld hyn, llall ac arall. Iawn. Falle, falle roedd yna rywbeth amdano a'r ffordd oedd yn sefyll... ond fydde fe ddim yn edrych yr un peth ar ôl pymtheng mlynedd, na fydde? Byddai Dylan dros ei dri deg erbyn hyn. Boi iau o dipyn oedd hwn yn y llun.

Ond 'na fe, Hayley oedd wedi'i chael hi'n anoddach symud ymlaen a derbyn pethau. Er, wrth reswm, roedd colli'i fab yn dal yn graith amrwd ac annileadwy ar ei galon yntau hefyd, ochr yn ochr â'r graith o golli Sabrina dros bymtheng mlynedd cyn hynny yng nghanol yr wythdegau.

'Fi ddyle wbod taw fe yw e,' taerai ei ferch. 'O'n i a Dyl 'da'n gilydd drwy'r amser pan o'n ni'n fach ac yn tyfu lan. Fi o'dd yn gofod ei garco, ti'n cofio?'

Calon y gwir. Heb Sabrina o gwmpas y lle ac Aneirin yn eitha methedig ar ôl y ddamwain roedd Hayley wedi bod yn dipyn o fam i'r un bach.

Ac yn ei dro, tueddai Dylan i'w chanlyn o gwmpas y lle am flynyddoedd wedyn – wel, nes bod Hayley yn ddigon hen i ddechrau eisiau mynd mas 'da'i ffrindiau yn hytrach na mamïo rhyw gaglyn bach bedair blynedd yn iau na hi drwy'r amser.

'Na pryd dechreuodd pethe fynd o chwith, meddyliodd Aneirin. Yn sydyn reit roedd y crwt heb neb yn y byd bron i gymryd sylw ohono. Diawl, o'n i ddim yn galler cynnig unrhyw help iddo fe, nag o'n i? dwrdiai Aneirin ei hun. Hen dad iwsles os bu un eriôd, yn dda i ddim byd, yn ffaelu cered lan stâr heb wmladd am 'y ngwynt, heb weitho oddi ar pan gas y crwt ei eni. A'r holl fitsio o'r ysgol wedyn... gadael heb baso'r un ecsam, dim gwaith iddo fe ar ôl gadael, dim byd 'dag e i ddal gafael ynddo fe. O'dd ddim lot o syndod iddo fe fynd off y rêls.

Dyma fwrdwn yr hunangystwyo a blagiai Aneirin Havard yn barhaus ers i Dylan fynd ar goll.

'Se'i fam yn dal i fod obiti...'

Byddai'r geiriau hyn yn dân ar groen Hayley a byddai ffrae wedyn a'r ddau'n mynd yn fwyfwy dan deimlad ond bob amser yn cymodi yn y pen draw.

Falle deuai hi'n ôl o Amwythig. Falle fydde pethe ddim yn gweithio mas... Na, nid dyna oedd o'n ei ddymuno iddi chwaith. Eisiau iddi fod yn hapus – yr un fath â phob rhiant arall yn y byd.

Pam bod hi wedi cwpla 'da'r bachan Eddie 'na? Bachan teidi, job dda 'dag e. Wastad yn hael ofnadw 'da'i arian. O'dden nhw bob amser fel 'sen nhw'n taro mlân yn dda 'da'i gilydd. Hayley yn chwerthin lot 'dag e...

Roedd Aneirin wedi clywed bod Eddie wedi symud o'r ardal bellach i weithio yn Llundain. Ai dyna'r rheswm y tu ôl i'r gwahanu? Roedd Hayley yn dwli ar fyw yng nghefn gwlad er iddi sôn fwy nag unwaith na fyddai hi'n malio byw yn Llundain am sbel. Doedd Aneirin ddim yn licio gofyn a doedd Hayley ddim yn mynd i ddweud wrtho. Menyw breifat iawn oedd hi.

Cododd ar ei draed a huddo'r tân ac wedyn cyn ei throi hi i'r gwely ailgydiodd yn y ffôn ac ateb neges ei ferch...

4

Nos da, Blod.

GWENODD HAYLEY WRTH ddarllen y geiriau ar y sgrin. Enw
anwes ei thad arni oedd Blod neu 'Blodwen fy Mlodwen'
weithiau. Ymlaciodd. Rhaid ei fod mewn hwyliau gweddol.
Byddai hi'n ôl yn y Fenni ymhen ryw ddeg diwrnod beth
bynnag, er mwyn casglu rhagor o'i stwff, ond allai hi ddim llai
na phoeni amdano a theimlo rhyw blwc bach o euogrwydd.

Cadwodd y ffôn yn ofalus a gorwedd yn ôl â'i dwylo ymhlyg
y tu ôl i'w phen gan edrych o'r newydd o gwmpas y llofft. Er
bod y stafell yn union o dan y bondo, roedd digon o le ynddi
ac oherwydd nad oedd Hayley'n dal iawn, gallai gerdded o
gwmpas heb fwrw'i phen ar y trawstiau. Doedd fawr o lwch
na budreddi i'w weld ac roedd golwg eitha newydd ar y celfi.
O gymharu â naws anghofiedig gweddill y tŷ, roedd ei llofft
yn ei siomi ar yr ochr orau.

Ar y waliau hongiai ambell lun digon chwaethus ac yma
ac acw roedd ychydig drugareddau o bedwar ban byd – delw
Bwda, tebot Siapaneaidd a chanŵ bach Affricanaidd yn cludo
tair menyw ynddo – y cwbl wedi'i gerfio o un darn o bren
tywyll.

Yr oerni oedd y peth gwaetha, ond erbyn hyn roedd wedi
sylwi ar rywbeth tebyg i wresogydd yn sticio allan o'r tu ôl
i gwpwrdd yn y gornel dywylla. Cododd oddi ar y gwely a

mynd draw at y teclyn. Roedd golwg digon hynafol arno a chymerodd oes i ddangos unrhyw arwydd ei fod ynghyn, ond yn y pen draw, dechreuodd gynhyrchu tonnau ffyrnig o wres llychlyd i dorri ias yr oerfel a chreu naws ddigon clyd yn y llofft.

Sylwodd Hayley gyda siom braidd nad oedd unrhyw ffenest ganddi – dim ond y rhai yn y to – ond yn y gaeaf fel hyn fyddai hynny ddim yn gwneud cymaint o wahaniaeth ac efallai erbyn yr haf byddai hi'n gallu chwilio am rywle yn y wlad.

Yn anffodus, doedd y gwely'n fawr o gop. Yn wichlyd, yn simsan a'r fatres yn dda i ddim heblaw achosi poen cefn. Cofiai am y gwely *king-size* moethus oedd ganddi hi ac Eddie yn y tŷ yn y Fenni a'r ffenest enfawr o'i flaen yn edrych draw tua'r castell a llethrau'r Blorens. Cofiai am gynhesrwydd ac agosatrwydd yr amserau roedden nhw wedi'u treulio ynddo.

Yn syth, ceisiodd wthio'r atgofion o'i phen. Bron blwyddyn ers y chwalfa daliai'r atgofion i'w dolurio a'i drysu. Doedd Eddie ddim yn ddyn drwg, fe wyddai hynny'n iawn, bu'n gariad ac yn ffrind da – ond mater o fod yn driw iddi'i hun oedd hi. Fyddai hi ddim wedi bod yn hapus pe bai hi wedi aros gydag e. Ryw ffordd neu'i gilydd byddai'r cyfaddawd wedi bod yn ormod iddi yn y pen draw.

Brwydrodd i lywio'i meddwl ar ryw drywydd arall llai poenus ac yna clywodd sŵn y drwm drachefn. Yn mynd a dod ar awelon y nos cyn cwpla yn sydyn ar ganol ei anterth.

Pwy oedd y dyn a welsai ar y bont? Ai gyda rhai fel'na roedd Dylan wedi hel ei bac? Fe wydden nhw ei fod yn cadw cwmni rhyw griw amgen yn ystod yr haf cyn iddo ddiflannu.

Clustfeiniodd a chlywed y curiad yn ailddechrau. Fe'i teimlai'n ei gwahodd, yn ei swynhudo i niwloedd y nos.

Bam! Bam! Bam!

Nage, nid y drwm pellennig y tro hwn ond rhywun yn dyrnu ar ei drws. Rhewodd Hayley a dal ei hanadl. Roedd y drwm wedi stopio. Dim smic o'r ffordd fawr na chan y meddwon ger y dafarn. Dim ond distawrwydd llethol yr adeilad yn trybowndio o bared i bared.

Bam! Bam!

Saethodd yr adrenalin drwyddi.

'Pwy sy 'na?' mentrodd mewn llais merch fach.

Bam!

Llyncodd ei phoer a rhoi cynnig arall arni.

'Helô? Pwy sy 'na?' gofynnodd – yn gryfach a thinc mwy diamynedd a herfeiddiol yn ei llais erbyn hyn ond aeth lori drom heibio ar y ffordd a boddwyd ei geiriau.

Myn uffern i! Cododd oddi ar y gwely a brasgamu at y drws, ei ddatgloi a'i agor a chamu'n ôl gan ollwng rhyw sgrech fach mewn syndod yn fwy na braw.

O'i blaen safai cawr. Cawr blewog iawn; cawr a wisgai drowsus cwta.

'Hai,' ebe Bendigeidfran.

'Mawredd, rhoist ti sioc i fi.'

'Sori.'

Saib ac wedyn dyma law gawraidd fodrwyog yn cael ei gwthio tuag ati. Edrychodd Hayley arni a chydio ynddi'n betrus. Llaw gynnes, os eitha garw, a wasgai'n gadarn ond heb wasgu gormod gan ollwng ei gafael yn ddigon priodol ar ôl eiliad neu ddwy.

'Bragi Bragasson,' cyhoeddodd llais addfwyn a meiniach na fyddai rhywun yn ei ddisgwyl gan gawr o'r fath.

Syllodd Hayley arno'n hurt am ennyd cyn cofio'i maners.

'O, ie… Hayley Havard. Sori, be wedest ti o'dd dy enw?'

'Bragi Bragasson.'

Y tro hwn clywodd y llediaith ar ei Saesneg.

Yn y golau gwan a ddeuai o'r lamp ger y gwely gallai Hayley weld bod gwallt a barf hir y dyn yn llwytgoch ac roedd yn moeli o'r talcen. O'r tu ôl i sbectol fach fframyn aur, gloywai pâr mawr o lygaid glas glas. Roedd ei groen yn lliw efydd braf ac yn rhyfeddol o ddi-rych achos, tybiai Hayley, rhaid taw dyn yn ei chwe degau o leia oedd hwn. Ni feiddiai ond rhoi cip sydyn ar y boncyffion o goesau blewog a'r traed cawraidd oedd wedi'u stwffio i ryw fath o sgidiau meddal Nordig eu golwg.

Fel arfer, menyw chwilfrydig oedd Hayley a holai ddieithriaid yn daer ond roedd wedi blino'n lân erbyn hyn a safodd yn llygadu'r cawr fel gwdihŵ fach feddw heb wybod yn iawn beth i'w ddweud nesa.

'Cawl?' gofynnodd Bragi.

Daliai Hayley i edrych arno'n syn.

'Dwi'n neud ychydig o gawl. Wyt ti eisio peth?'

'O, fi'n gweld. Na, na, ma'n iawn. Dwi wedi blino'n rhacs a gweud y gwir wrthot ti... Ond diolch yn fawr am y cynnig.'

Roedd y siom yn amlwg yn ei lygaid. O weld hyn, teimlai Hayley ychydig yn chwithig.

'Diolch,' meddai eto. 'Ti'n garedig iawn. Rywdro arall falle.'

Ystyriodd Bragi ac wedyn nodio'i ben yn araf.

'Ocê. Nos da... dwi jyst dros y ffordd os wyt ti eisio rhywbeth,' meddai wrth loetran ar y trothwy.

'Siaradwn ni 'to.'

Roedd Hayley'n dechrau cau'r drws. Hanner cododd Bragi ei law mewn ystum ffarwél ac efelychodd Hayley y symudiad.

'Nos da... nos da... ta-ra, ta-ra.'

A'r drws wedi'i gau, pwysodd yn ei erbyn dan ochneidio.

Roedd yna rywbeth annwyl a diniwed yn y boi ond doedd ganddi ddim awydd na chawl na chlonc heno.

Chwarter awr yn ddiweddarach roedd Hayley yn gorwedd dan y dwfe yn y tywyllwch, yn falch o'r botel dŵr poeth roedd wedi'i stwffio i'w bag ar y funud ola. Roedd pobman yn dawel. Dim smic o'r cymydog dros y landin. Y tŷ ei hun yn llonydd, tyrfaoedd y dafarn wedi distewi. Clywodd synau hylifol yn ei bola a meddyliodd efallai y dylsai fod wedi derbyn cynnig lluniaeth Bragi, ond roedd holl straen ac emosiwn y dyddiau diwetha yn golygu nad oedd bellach ganddi rithyn o awydd bod yn gymdeithasol.

Bore fory ddaw.

Tynnodd anadl ddofn ac yna ei dal. Ai'r drwm oedd hwnnw eto fyth?

Nage... trên yn croesi pont yr afon ... yn dod o rywle... yn mynd i rywle...

Lle wyt ti, Dyl? Ac yna roedd hi'n cysgu.

5

Y Fenni, Haf 1999

R OEDD HI FEL golygfa o ffilm gowbois.
Wrth gyrraedd pen y clip ar gefn ei feic mynydd,
gallai Dylan edrych i lawr dros y dibyn i ganol yr hen chwarel
galchfaen. Yno, mewn clwstwr bach clyd, swatiai carafán,
fan Transit a thipi. Ym mhen pella'r gwersyll bach, lle tasgai
ffrwd o ddŵr croyw o hafn yn y graig, roedd dyn a bachgen
ifanc wrthi'n torri coed i gynnal tân bach siriol gyda rhyw fath
o grochan ynghrog drosto. Ychydig o'r neilltu roedd merch
ifanc yn magu babi gyda daeargi bach gwyn wrth ei hymyl ac
ymhellach draw oddi wrthyn nhw roedd menyw hŷn mewn
ffrog felen laes a phlethen hir o wallt tywyll i lawr ei chefn
wrthi'n taenu carthenni lliwgar ar lein ddillad rhwng rhestl
to'r Transit a changen cerddinen braff a dyfai o wyneb y graig
gerllaw.

I Dylan roedd yr olygfa o'i flaen yn taro tant yn nwfn y
tu mewn iddo... yn atgof o fyd y fam nad oedd ganddo gof
ohoni.

Yn sydyn, dyma'r ci'n llonyddu ac yn dechrau cyfarth yn
ddi-baid ar y dieithryn a bwysai ar lyw ei feic ar ddibyn y graig
uwchben, y sŵn taer yn atseinio o glogwyn i glogwyn. Trodd
pum wyneb at i fyny ac am eiliad bu'r gwyliwr a'r gwersyllwyr
yn llygadu ei gilydd yn ansicr. Yna, cododd y bachgen ifanc ei

law a gweiddi, 'Hei' a chododd Dylan ei law yntau a'i chwifio'n glên.

'Oréit?' gwaeddodd yn ôl.

Yna, tynnodd yn ôl o'r dibyn ac o olwg y criw yn y chwarel.

Ddeg munud yn ddiweddarach roedd Dylan yn sefyll wrth y giât i'r chwarel. Roedd clo a chadwyn drom arni. Gwthiodd ei feic o'r golwg o dan lwyn drain trwchus, dringo drosodd a dilyn y lôn rhwng y coed.

*

A dyna oedd y tro cynta i Dylan aros allan dros nos.

Nos Sadwrn dwym ym mis Mehefin oedd hi. Doedd Hayley ei hun ddim yn ôl yn Nhŷ Tyrpeg tan hanner wedi un y bore ac roedd hi'n ddigon meddw.

Dyna oedd y tro cynta hefyd iddi hi daro llygad ar Eddie Hewitt, ym mharti pen-blwydd un o'r milfeddygon yn y practis lle roedd Hayley'n gweithio y tu ôl i ddesg y dderbynfa.

Pan oedd yn ferch ifanc, bod yn filfeddyg oedd ei breuddwyd fawr, ond heb y cymwysterau ar ôl gadael yr ysgol yn un ar bymtheg oed bu'n rhaid iddi fodloni ar weithio yn y dderbynfa'n unig.

'Pwy yw hwnna?' gofynnodd i Sarah, un o'i chyd-weithwyr. 'Y boi smart 'na'n siarad 'da Kelvin.' Kelvin Doherty oedd prif bartner y practis.

'Sai'n gwbod ei enw fe ond fe sy newydd agor y lle gwerthu tai 'na dros ffordd i'r King's Arms.'

Rywsut cafodd Hayley ei bod yn methu tynnu ei llygaid oddi ar y dyn wedyn am weddill y noson, ond, yn anffodus, gwelodd fod menyw dal a soffistigedig ei golwg fel pe bai'n treulio lot (gormod) o amser yn ei gwmni a'r ddau'n edrych yn ddwfn i lygaid ei gilydd wrth sgwrsio.

Dim ond yfed a gwylio wnaeth Hayley drwy'r parti, heb fawr o awydd sgwrsio na dawnsio na dim arall, a phan ddaeth partner Sarah o'i waith ar shifft hwyr yn Ysbyty Nevill Hall i roi lifft adre iddyn nhw, roedd Hayley yn fwy meddw nag y buodd hi ers tro.

'Be sy, Dad?' gofynnodd wedyn wrth i Aneirin agor y drws cyn iddi hyd yn oed gael cyfle i chwilio am yr allwedd yn ei bag. Be oedd e'n neud ar lawr amser 'ny a golwg mor ofidus arno?

'Ti'n iawn, Dad?'

Er gwaetha pob ymdrech, gwyddai Hayley fod ei lleferydd yn bradychu ei chyflwr.

'Dyw Dylan ddim wedi dod gartre 'to.'

'Wel, crwtyn un ar bymtheg oed yng nghanol yr ha' fel hyn. Be ti'n ddisgwyl? Ma fe mas yn joio. Wedi ffeindo rhyw wedjen fach deidi i gwtsho lan 'da hi ma fe.'

'Pwy wedjen? Sdim lot o fechgyn ym mywyd Dylan, heb sôn am unrhyw lodes. Ar ei feic o'dd e, Hayley. Ti'n gwbod shwt ma fe'n mynd off i ganol y mynydde ar ei ben ei hunan am orie. Galle fe fod wedi ca'l rhyw anffawd neu wedi mynd ar goll.'

Er ei meddwdod, gwelodd Hayley fod ei thad wedi'i gynhyrfu'n lân – rhwystredigaeth tad anabl pan fydd ei blentyn mewn argyfwng. Doedd hi'n sicr ddim yn pryderu'n ormodol am ei brawd ar noson braf fel hon.

'Paid â becso, Dad,' meddai Hayley'n dafod tew i gyd wrth geisio llenwi mỳg â dŵr o'r tap yn y gegin. Doedd ei hannel ddim yn sbesial. Clatsiodd y mỳg yn galed yn erbyn y tap a bu'n rhaid iddi roi sawl cynnig arall arni nes bod y mỳg yn cyrraedd y lle iawn iddi ei lenwi.

'Mi droith e lan whap, gei di weld,' meddai ar ôl llowcio'r dŵr yn flêr ac ail-lenwi'r mỳg. Roedd y mygied cynta wedi bod yn llugoer a hithe wedi mynd am y tap dŵr poeth drwy gamgymeriad.

'So ti'n becso 'te?'

Delwedd o'r wên roedd hi wedi'i chael gan yr arwerthwr tai golygus wrth aros am Sarah i ddod o'r tŷ bach ar ddiwedd y noson oedd yr unig beth ar ei meddwl hi ers rhyw awr.

'Dwi'n gweld,' meddai Aneirin yn grac. 'Dim ond fi sy'n becso am y crwt y dyddie hyn, ma'n debyg. Ma'n well 'da ti fod mas mewn rhyw bartis, yn becso mo'r dam am neb arall!'

Ac fe aeth yn gweryl mawr wedyn – y cweryl arferol; yr edliw arferol.

A'r gweiddi yn ei anterth, dyma Aneirin yn cyhoeddi ei fod yn mynd i alw'r polîs i ddechrau chwilio am Dylan, gan fynd at y ffôn. Am ychydig eiliadau gwallgo, bu'r tad a'r ferch yn tynnu codwm yn ddiurddas dros y derbynnydd yn y cyntedd cyfyng nes yn y pen draw i Aneirin ddechrau pesychu'n afreolus a cholli'i nerth.

'Stedda lawr, Dad,' gorchmynnodd Hayley gan roi cynnig arall ar swnio'n sobor.

Roedd y pesychu a thagu'n rhwygo a ffustio corff eiddil ei thad. Dyn tal oedd Aneirin Havard, yn drawiadol felly pan oedd yn ifanc, ond er nad oedd eto wedi cyrraedd yr hanner cant, roedd ei anabledd wedi'i wargrymu, a gwelodd Hayley nad oedd fawr o gig ar yr esgyrn erbyn hyn.

Llafurus iawn oedd ei anadlu, ac fe ddeuai ar ffurf rhyw wawch ddirdynnol yn ratlo yn ei frest ac o gwmpas ei geg cronnai cramen o fflem a phoer. Suddodd Aneirin gan slympian ar stepen waelod y grisiau. Llwyddodd i reoli'r peswch a deuai'r anadlu dipyn bach yn rhwyddach. Gollyngodd ei ben i'w frest.

Cafodd Hayley ei hun yn syllu ar ei gorun moel, a hwnnw'n goch ac yn chwyslyd o dan wawn tenau o flewiach gwyn.

'Ocê, Dad. Dawel bach nawr.'

Cusanodd y corun a dal ei llaw ar ei ysgwydd.

'Helpa i ti lan stâr a gei di fynd i'r gwely. Fe wna i ishte lawr fan hyn am sbel ac os na fydd Dyl gartre erbyn hanner wedi dou fe wna i ddechre ffono pobol.'

Cydsyniodd ei thad, os yn anfoddog, ond roedd wedi ymlâdd ac, am y tro, doedd dim nerth ganddo i achwyn ymhellach.

Gorweddodd Hayley ar y soffa. Roedd hi'n chwilboeth erbyn hyn a'r nos fel pe bai'n troi'n fwyfwy mwll wrth fynd yn ei blaen. Ofnai ei bod yn mynd i chwydu ond ciliodd yr awydd ac erbyn hanner awr wedi dau roedd hi'n cysgu'n sownd... a rhaid bod Aneirin hefyd wedi cysgu ar ôl pesychu am sbel hir achos doedd dim smic o'i stafell wrth i'r awr benodedig fynd heibio.

Am bump y bore, wrth i lanw'r wawr sleifio dros Dŷ Tyrpeg, daeth Dylan yn ei ôl.

6

A C FELLY Y bu drwy'r haf y flwyddyn honno.
Doedd fawr o syniad gyda Hayley nac Aneirin lle'r
oedd Dylan yn treulio ei ddyddiau na lle'r oedd yn bwrw
ambell noson. A fiw iddyn nhw holi gormod achos dim ond
pwdu a wnâi a thynnu caead ei gragen yn dynn.

Rhaid bod rhywun yn ei fwydo, meddyliodd Aneirin, wrth
weld yr awr yn hwyrhau unwaith eto a'r nos yn prysur gau am
Dŷ Tyrpeg. Gallai gyfri ar fysedd un llaw sawl gwaith roedd
Dylan wedi eistedd wrth yr un bwrdd â nhw am bryd o fwyd
yr haf hwnnw. Serch hynny, yn ddi-os, roedd 'na rywbeth
ysgafnach amdano rywsut o'i gymharu â sut fyddai ynghynt
yn y flwyddyn pan oedd yn dal yn yr ysgol – neu'n dal i fitsio'r
ysgol a bod yn fanwl gywir.

Doedd dim sôn bod Dylan am chwilio am waith na mynd
i'r coleg na dim byd arall o ran hynny. Byddai'n rhaid i Aneirin
a Hayley fynd yn sownd yn ei blu ryw ddydd cyn bo hir iawn,
er mwyn ceisio cael peth sens i'w ben.

Dylen i weud rhywbeth wrtho fe, meddyliodd Aneirin ond
roedd yn ei chael yn anodd dweud y drefn wrth neb. Dyna
oedd y broblem erioed...

Rhoddodd Hayley gynnig arni gwpwl o weithiau ond roedd
y cwlwm tynn a fu rhyngddi hi a'i brawd pan oedden nhw'n iau
wedi llacio dipyn a'r hen dryst wedi breuo. Roedd yna ormod
o lawer yn digwydd yn ei bywyd hithau erbyn hynny iddi roi'r

sylw dyledus i ymddygiad ei brawd. Byddai pethau'n setlo yn y pen draw... So'r crwt yn hollol dwp. Ddaw e at ei goed.

Roedd hi wedi cael achlust erbyn hyn fod Dylan wedi mynd yn ffrindiau gyda chriw o hipis yn y mynyddoedd. Wel, pam lai? Roedd Hayley'n eitha balch o glywed bod rhyw ffrindiau gydag e. A gwell bod gyda'r hipis na rhai o'r rhacs eraill ymhlith ei gyfoedion oedd yn mynd i drwbwl yn y dre drwy'r amser.

Roedd Aneirin yn dyheu am ddylanwad ei wraig ar yr aelwyd. Byddai Sabrina wedi ei sorto fe pe bai hi wedi cael byw, meddyliodd. 'Na ti fenyw benderfynol heb ofon neb arni.

Ceisiodd Aneirin ddwyn i gof sut roedd yntau wedi bod yn un ar bymtheg oed. Ond roedd yr oes mor wahanol, roedd yn anodd gwneud cymhariaeth. O'r diwrnod cynta ar ôl canu'n iach â'r ysgol, bu'n rhaid i Aneirin weithio. Doedd dim dewis; drannoeth roedd yn y tresi yn ennill ei fara menyn.

Yn ôl traed ei dad yr aethai Aneirin; i lawr o Gefn Coed y Cymer ar y ffin rhwng Morgannwg a Brycheiniog – Bucket City fel y'i gelwid oherwydd natur ei system garthffosiaeth – i ddinas fawr Merthyr Tudful i ddechrau ei yrfa ar y rheilffyrdd yn cario bagiau a pharseli am ryw dâl digon pitw. Roedd Aneirin wedi'i swyno gan y rheilffordd er pan oedd yn ifanc. Buasai ei hen dad-cu'n helpu i osod cledrau'r lein rhwng Aberhonddu a Merthyr a'i dad yn dal i labro arni tan y flwyddyn y bu farw pan oedd Aneirin yn ddwy ar bymtheg oed.

Prif ddiléit Aneirin yn grwt oedd gwylio trenau'n croesi Pont-y-capel dros afon Taf, a'i uchelgais oedd gyrru trên dros y bont pan fyddai'n ddigon hen. Fe dorrodd ei galon yn un ar ddeg oed pan aeth y trên ola drosti. Ac ar ben hynny, pan geisiodd fynd yn yrrwr trên yn nes ymlaen, cafwyd nad oedd yn gallu gwahaniaethu'n ddigon da rhwng goleuadau

gwyrdd a choch i gael ei dderbyn. Roedd y freuddwyd fawr
ar chwâl.

★

Ond beth bynnag am brofiadau'r tad ryw dri deg mlynedd
ynghynt, am weddill haf ola'r mileniwm roedd y mab yn
cicio'i sodlau hyd y lle ac, yn amlach na heb, yn absennol o'r
aelwyd.

Yna, un noson tua diwedd mis Awst, a hithau wedi hen
dywyllu, dyma Dylan yn bustachu i'r tŷ dan deimlad, a gwaed
yn rhedeg o anaf cas uwchben ei lygad chwith.

Rhuthrodd ei chwaer ato yn nrws y tyddyn.

'Dylan, be sy 'di digwydd i ti?'

Allai Dylan ddim siarad. Roedd olion dagrau ar ei wyneb
a golwg wyllt iawn arno. Crynai'n ddiatal ac roedd ei grys
wedi'i rwygo mewn sawl man ac yn fudur gyda staeniau
gwaed drosto.

'Wnest ti gwympo off dy feic?'

Safai o'i blaen fel pe bai'n ystyried tebygolrwydd yr awgrym,
y gwaed yn dal i ddiferu sblish-sblash i'r llawr.

'Sa mas fan'na! Ti'n gwaedu fel mochyn, 'w.'

Yn reddfol ufuddhaodd Dylan i'w llais awdurdodol.

Daeth Aneirin drwodd o'r rŵm ffrynt.

'Pwy wna'th hyn i ti?' gofynnodd yn syth.

'Neb,' mwmiodd Dylan a'i lygaid tua'r llawr.

'Be ddigwyddws 'te?'

'Aw!'

Erbyn hyn roedd Hayley wedi dechrau tendio'r clwy
uwchben ei lygaid gyda chlwtyn wedi'i socian mewn Dettol
a dŵr.

'Rhaid i ti fynd i'r sbyty gyda hwnna,' mynnodd yn ddigon diamynedd – wedi'r cwbl roedd Eddie newydd ofyn iddi fynd mas am swper yng ngwesty'r Skirrid, ei hail ddêt gydag e.

'Na!'

'Rhaid i ti, 'achan. Weden i fod angen pwythe fan'na a bydd eisie *tetanus jab* arnat ti 'fyd.'

'Na!'

Trodd Dylan i'w heglu hi ond cydiodd Hayley'n dynn yn ei fraich. Stranciodd ond eto wnaeth o ddim torri'n rhydd o'i gafael er ei fod yn hen ddigon cry i wneud hynny.

'Dim dadle, gwboi. Wna i ffono Darren i fynd â ti nawr.'

Darren oedd eu cefnder oedd yn byw yn ardal y Gilwern ac fe ddaeth hwnnw draw'n syth yn ei racsyn o fan a mynd â Dylan i'r ysbyty lle pwythwyd ei ael a rhoi pigiad tetanws iddo ond gwrthododd ddweud mwy am yr hyn oedd wedi digwydd heblaw ei fod wedi cwympo oddi ar ei feic – yn amlwg wedi'i ysbrydoli gan ddamcaniaeth Hayley, er bod pawb yn weddol sicr mai rhywbeth arall oedd yn gyfrifol.

*

Cysgu yn ei wely ei hun a wnaeth Dylan ar ôl hynny ac ni fu rhagor o sôn am yr helynt ond yna, toc ar ôl y Nadolig, arhosodd allan dros nos eto. Erbyn amser cinio y diwrnod canlynol, mynnodd Aneirin ffonio'r heddlu. Yn anfoddog, cododd Hayley'r ffôn.

Fe wnaethon nhw sôn wrth y swyddog a ddaeth i'r tŷ am yr hyn a fu yn yr haf a'r anaf dirgel i'w ben.

'A shwt o'dd e ar ôl 'ny? Ar ôl dod gartre'n waed i gyd fel'na,' meddai'r swyddog nad oedd fawr hŷn na Dylan ei hun, meddyliodd Aneirin.

Edrychodd y tad a'r ferch ar ei gilydd, heb fod yn siŵr beth i'w ddweud. Dyl oedd Dyl yntefe?

'O'dd ddim lot o 'hwant crwydro ymhell o'r tŷ ar ôl 'ny a gweud y gwir,' atebodd Aneirin yn y diwedd. 'Lan yn ei rŵm o'dd e fynycha, gyda'i gitâr ac yn gwrando ar ei fiwsig.'

'A shwt o'dd e gyda chi?'

'Anodd gweud,' dywedodd Aneirin. 'Chi byth yn galler bod yn siŵr gyda phlant yr oedran 'na, nag y'ch chi?'

Ysgrifennodd yr heddwas rywbeth ar ei ffurflen.

'Ac ma'r fam wedi marw, chi'n gweud?'

'Odi, pan o'dd e'n fabi blwydd yn unig.'

Nodiodd y swyddog yn ddwys ddifrifol, fel pe bai hyn yn egluro popeth.

'A phwy o'dd yn ei fagu fe wedyn?'

''Yn hwâr i sy'n byw jyst tu fas i'r Gilwern. Fe ddoth hi aton ni fan hyn ar y dechre a wedyn a'th Dylan yn ôl a mla'n rhynt fan hyn a'u lle nhw... a chwedyn o'dd Hayley'n help mawr, er taw dim ond croten ifanc o'dd hi bryd 'ny wrth gwrs. Allen i byth fod wedi côpo hebddi.'

Ddywedodd Hayley ddim byd. Roedd wedi bod yn gyndyn o alw'r heddlu ac ychydig yn flin gyda'i thad oherwydd hynny. Roedd hi'n grediniol y byddai Dylan yn troi lan unrhyw funud. Un fel 'ny oedd Dylan, yn ei phrofiad hi. Ac roedd pethau'n mynd mor dda gydag Eddie doedd hi ddim eisiau i rywbeth fel hyn sarnu'r cwbwl iddi. Am ei bod hi braidd yn grac ddywedodd ddim byd am y sïon am Dylan gyda'r hipis am y tro.

'A dych chi ddim mewn gwaith, Mr Havard?'

'Nagw, ges i ddamwain flynydde'n ôl – tua'r un pryd â cholli'r wraig a gweud y gwir. O'n i'n gweithio ar y rheilffordd yn Wolverhampton a ches i'n gaso'n wael pan a'th wagon clorin off y rêls y tu fas i Cosford. O'dd y sylinder wedi craco a neb wedi sylwi nes bo' fi'n ei cha'l hi. Ma'r *lungs* yn rhacs ers 'ny.'

Mwy o nodio cydymdeimladol.

'A chi sy bia'r tŷ 'ma?'

'Wncwl i fi o'dd ag e. O'dd y lle'n wag ac yn dipyn o dwlc pan ddelon ni 'ma gynta, ond diolch i'r teulu a ffrindie ma golwg bach yn well arno fe erbyn hyn.'

Aeth y plismon ifanc ati i ofyn am y manylion llawn a disgrifiad corfforol o Dylan a gofyn am lun diweddar ohono. Soniodd am yr holl bethau dylen nhw fynd ar eu holau – pryd oedd y tro diwetha iddo gael ei weld a gan bwy, beth roedd o'n bwriadu ei wneud yr adeg honno ac a lwyddodd i wneud hynny? Roedd angen cael gwybod pwy oedd ei holl ffrindiau a'i berthnasau a gofynnodd a oedd Aneirin neu Hayley wedi cael hyd i'w ffôn symudol.

'O'dd dim ffôn 'dag e... O'dd e ddim yn lico nhw. Se fe ddim yn galler ffordo un, ta beth,' torrodd Hayley ar ei draws.

Ar ganol yr holl holi roedd llanw oer o ofn yn dechrau codi y tu mewn iddi ac am y tro cynta dechreuodd ystyried goblygiadau'r gwaetha allai fod wedi digwydd: beth os oedd ei brawd bach wedi mynd ar goll go iawn? Yn sydyn, roedd chwys yn pigo ei thalcen a'i bol yn corddi.

'Odi e wedi treial lladd ei hunan eriôd, neu hunan-niweidio?'

Cwestiwn iasol, afreal.

'Na,' meddai Hayley'n dawel, ei llais fel brwynen bellach.

'Na,' ategodd Aneirin a golwg bell ar ei wyneb, ei lais yntau hefyd yn fflat a didaro bron.

Daeth yr heddwas ifanc â'i ymholiadau i ben. Cododd Aneirin ei ben yn sydyn a gofyn yn ddigon siarp.

'Be sy'n digwydd nesa 'te?'

Cliriodd y swyddog ei wddw.

'Wel, byddwn ni'n asesu lefel y risg, a pha mor debygol yw hi fod Dylan mewn perygl.'

'Wrth gwrs bod e mewn perygl. Crwt ifanc fel'na. Ma'n fyd ofnadw mas fan'na. Gall unrhyw beth fod wedi digwydd iddo fe.'

'Mr Havard, ma'r rhan fwya o bobol sy'n mynd ar goll yn ôl gartre ar ôl deunaw awr. Ac ma'r gweddill yn ôl ar ôl blwyddyn...'

'Blwyddyn?!' gwaeddodd Aneirin wedi'i gynhyrfu. 'Alla i ddim aros blwyddyn, mi fydda i'n mynd off 'y mhen.'

Gwelodd y plismon ei gamgymeriad ac aeth ati i geisio adennill ymddiriedaeth Aneirin.

'Ma 'na ddigon o bethe gallwch chi neud,' meddai gan edrych o'r naill i'r llall. 'Gallwch whilo'r tŷ.'

Cododd Aneirin ei lygaid i'r nen.

'Mawredd grwt, bydden ni'n gwbod yn iawn 'se fe yn y tŷ 'ma. So ti'n galler symud blewyn heb fod rhywun yn clywed.'

Rhoddodd Hayley law ar fraich ei thad i'w dawelu. Sgydwodd ei hun yn rhydd.

'Wel, mi allwch chi whilo'r lle diwetha iddo fe ga'l ei weld.'

'D'yn ni ddim yn gwbod lle ma hwnnw, nag y'n ni?'

'Falle fod nodyn rywle yn y tŷ.'

'Prin ma fe'n galler sgwennu.'

'Dyw hynny ddim yn wir, Dad,' meddai Hayley. 'Ddim yn lico sgwennu ma fe.'

'Negeseuon ffôn neu e-bost?'

'Dim ffôn, dim compiwtar.'

'Dad,' rhybuddiodd Hayley. 'Mond gofyn ma fe.'

Tawodd Aneirin gan adael i'r swyddog orffen ei restr.

'Bydd yn help mawr os gallwch chi gysylltu ag aelodau o'r teulu a ffrindie. A dylech gadw nodyn o bopeth y'ch chi'n neud.'

'Ocê,' meddai Hayley.

'Ond be fyddwch *chi*'n neud?' holodd Aneirin yn daer gan hoelio'r heddwas yn ei drem.

'Tsieco lle o'dd e ddiwetha, tsieco'r sbytai, mynd o dŷ i dŷ yn gofyn cwestiyne.' Oedodd. 'Fe gawn ni weld wedyn ond sdim pwynt mynd o fla'n gofid. Bydd e gartre cyn 'ny, cewch chi weld.'

Aeth Hayley â'r swyddog at y drws gan ddiolch iddo am ddod mor fuan.

'Gobeithio bo' ni ddim wedi fradu'ch amser chi.'

'Na, na,' meddai'n ddiffuant. 'Ma'n well bod pobol yn galw, beth bynnag sy'n digwydd.'

Gydag addewidion ar y ddwy ochr i roi gwybod pe bai unrhyw ddatblygiad, aeth y plismon ar ei ffordd.

Aeth Hayley yn ôl at ei thad. Roedd Aneirin yn dal i sefyll ar ganol y stafell fyw'n syllu'n ddi-weld o'i flaen. Yn sydyn, yn gymysg â'i gofid cynyddol, teimlai Hayley drueni mawr drosto. Aeth hi ato ac ymestyn ei breichiau i'w gwtsio. Yn wargrwm ai peidio, daliai i ymgodi'n gawraidd uwch ei phen ac wrth ei gofleidio teimlai'n union fel y gwnâi'n ferch fach slawer dydd.

Yn ddigon tyner, ymryddhaodd Aneirin o'i gafael.

'Ble alle fe fod, Blod? O'dd e ddim fel 'se lot o ffrindie 'dag e, nag o'dd e? O'dd e ddim fel 'se fe mas yn achosi trwbwl na dim byd fel'na.'

Tynnodd Hayley anadl ddofn.

'O'n i wedi clywed bod e wedi dod yn ffrindie 'da chriw o hipis lan yn un o'r hen chwareli.'

'Hipis?'

'Ti'n gwbod shwt ma fe'n dwli ar stwff *new age* a phethe ffantasi a'r hen lefydd yn y mynydde, y cylche cerrig 'na, ac yn dwli ar hanes Mam...'

'Wedest ti ddim byd wrtho i, nac wrth y plismon.'

'Dim ond si o'dd e. O'n i ddim eisie i ti ofidio.'

Gallai weld bod rhwystredigaeth Aneirin yn cyrraedd pen llanw.

'Iesu Mawr, sneb yn gweud dim wrtho i. Dim. Dim byd. Man a man i mi fod ar y lleuad o ran faint 'wy'n ca'l gwbod gan 'y mhlant fy hunan.'

'Gwranda, Dad. Stedda lawr. Fe wna i ddishgled o de i ti, a thamed bach o wisgi ynddo fe, ac fe af i ati wedyn i hela'r holl stwff o'dd y plismon 'na'n mofyn – ac fe wna i sôn wrtho fe am yr hipis a chwbwl. Ond rhaid i fi ga'l 'y mhen rownd hyn i gyd hefyd, cofia.'

Gadawodd Aneirin iddi ei dywys at y gadair gan eistedd yno'n llywaeth nes iddi ddod â'r te ato. Fe'i derbyniodd heb yngan gair ac aeth Hayley i chwilio am... wel, doedd dim syniad ganddi am be mewn gwirionedd.

7

'*M*ost people today *sense that something totally unprecedented will occur before long.*'

Darllenodd Hayley o'r llyfr roedd wedi'i godi o'r pentwr wrth ymyl gwely ei brawd – *Traits of the Next Great Age*.

'*It's amazing how the Great Age of the Mayans and the Age of Aquarius in Egypt are in agreement on this. These ancient peoples lived on opposite sides of the world to each other without any form of physical connection...*'

Ac felly ymlaen am bedwar cant a rhagor o dudalennau o brint mân a thywyll. Syllodd ar y geiriau mewn anghrediniaeth. Sut oedd Dylan yn gallu darllen drwy'r holl stwff 'ma? Doedd o ddim yn dwp, ddim o bell ffordd, ond yn anaml byddai rhywun yn ei weld â'i drwyn mewn llyfr. A phwy fyddai'n gallu delio â'r fath druth a'i holl droednodiadau manwl?

Rhoddodd y llyfr â'i glawr porffor llachar o'r neilltu ar y gwely a chodi rhai o'r cyfrolau eraill – *Bury My Heart at Wounded Knee, Life With The Roma, The Secrets of Arthur's Britain, The Welsh Gipsy, The Silurian Mysteries* – ble'r oedd o wedi cael gafael yn y rhain? Gyda'r hipis, siŵr o fod. Yn bendant, roedd 'na fwy o lyfrau ar y bwrdd bach ger y gwely nag roedd Dylan wedi'u darllen erioed o'r blaen.

Edrychodd Hayley o gwmpas llofft ei brawd a'i hoglau arbennig nad oedd wedi newid er pan oedd yn fachgen bach. Roedd hi'n anodd rhoi bys arno fel oglau rywsut; yn sicr doedd o ddim yn gas, ond yn hytrach yn gyfarwydd ac erbyn hyn wrth gwrs yn codi hiraeth mawr arni.

Sylwodd Hayley fod ei gitâr a'i fandolin yno o hyd yn erbyn y wal dan y ffenest fechan a'i golygfa draw i'r goedlan – arwydd efallai nad oedd Dylan wedi mynd ymhell neu nad oedd efallai'n bwriadu gadael am byth, fe'i cysurodd ei hun.

Byddai Dylan yn treulio oriau maith yn y stafell gyfyng yma'n canu'r offerynnau hyn. Wedi'i ddysgu ei hun, roedd yn gerddor medrus ond ni fu erioed unrhyw sôn am chwarae mewn band na dim byd o'r fath, er i Hayley ei annog i roi cynnig arni ar fwy nag un achlysur. Roedd hyd yn oed Aneirin yn cydnabod ei ddawn i'r cyfeiriad yma. Ei dad oedd wedi dewis yr enw Dylan ac yn aml, wrth wrando ar y nodau hyderus a'r llais tenor bregus yn drifftio i lawr o'r llofft, byddai Aneirin yn darogan dyfodol yr un mor ddisglair i Dylan Havard â'i arwr o'r un enw.

'Ma fe'n rhy shei, Dad,' mynnai Hayley. 'Sai'n credu bod gobaith caneri 'dag e.'

O'r lle eisteddai'n awr, gallai Hayley weld y llwch yn haenen drwchus ar bren yr offerynnau ac fe'i trawyd yn sydyn mai prin, os o gwbwl, i Dylan gydio ynddyn nhw dros yr wythnosau diwetha. Dim ond dechrau'r wythnos y buodd hi a'i thad yn sôn am y tawelwch anarferol yma.

Heblaw am adael pentwr o ddillad glân iddo, casglu pentwr cyffelyb o ganfasau a dillad brwnt a hwfro unwaith yn y pedwar amser, doedd Hayley ddim yn ymweld â stafell Dylan yn aml. Yn wahanol iawn i'r dyddiau pan oedden nhw'n iau ac yn byw a bod yn llofftydd ei gilydd.

O gofio'r dyddiau hynny, chwyddodd y stwmp annifyr a fu'n tyfu ar ei stumog ers oriau a dechreuodd deimlo ei bod am chwydu. Llyncodd yn galed ac anadlu'n ddwfn. Wedyn, heb

fawr o awydd na brwdfrydedd, dechreuodd Hayley ryw how-
chwilio o gwmpas y llofft. Edrychodd yn nroriau'r ddesg a'r
cypyrddau ond heb gael hyd i ddim byd annisgwyl na dim byd
a roddai gliw iddi am ddiflaniad disymwth ei brawd. Roedd y
swp diweddara o ddillad glân ar ben ei gadair a dim arwydd
bod neb wedi cyffwrdd â nhw. Roedd hi wedi'u gadael yno
ryw ddeuddydd ynghynt ar Ŵyl San Steffan ac roedd Dylan
wedi bod yn y tŷ ers hynny.

Aeth y chwilota'n fwyfwy ffyrnig. Doedd dim syniad
ganddi beth roedd hi i fod i chwilio amdano na beth ddylai
hi ddisgwyl cael hyd iddo. Doedd hi ddim fel colli clustdlws
neu bwrs neu rywbeth fel'na. Doedd yr holl dwrio a thyrchu
ddim yn mynd i ddod â Dylan i'r fei, yn gwenu'n hy ac yn
hapus fel y gwnâi wrth chwarae cwato pan oedd o'n fachgen
bach. Doedd o ddim yno, wrth reswm, ond mwya yn y byd
y chwiliai, cryfaf yn y byd y teimlai ei bresenoldeb neu yn
hytrach ei ddiffyg presenoldeb yn y stafell a'r tŷ cyfan.

Yn y pen draw, a hithau heb ganfod arlliw o ddim i fwrw
goleuni ar ddirgelwch y diflaniad, suddodd Hayley yn
ddiymadferth i'r gwely a rhoi ei phen yn ei dwylo, y cyfog yn
dechrau pwyso o'r newydd ar ei bol. Eisteddodd yn llonydd
gan anadlu'n grynedig drwy'i thrwyn ac yn crafangu drwy'i
gwallt â'i bysedd, ei hewinedd yn brathu croen ei phen yn
boenus a phigiadau chwys yn gwlitho'i thalcen.

O'r diwedd llaciodd y cnofeydd yn ei stumog. Wrth i'r pwys
gilio rywfaint cododd ei golygon ac edrych draw eto tua'r
pentwr llyfrau ar y bwrdd – a dyna pryd sylwodd hi.

Roedd y llun bach wedi mynd.

Wrth ochr ei wely, roedd gan Dylan bob amser lun bach
o'i fam yn y ffair yn Banbury – llun a dynnwyd amser maith
yn ôl gan eu tad, rywdro yn y 1970au mae'n rhaid, cyn iddyn

nhw briodi. Roedd yr un ddelwedd gan Hayley ar y wal yn ei stafell hithau, wedi'i chwyddo'n fawr a'i mowntio mewn ffrâm gain. Llun Instamatic ychydig yn aneglur a'r lliwiau wedi pylu'n olchiad sepia bron yn dangos Sabrina Bitto yng ngwisg draddodiadol Roma Hwngari, ei gwallt du'n sgleinio, ei gwên swil yn goleuo'i hwyneb cyfan. Safai ar risiau carafán Roma hen-ffasiwn – er nad dyna ei chartre hi, wrth gwrs, yn ôl Aneirin – ac arwydd gyda'r geiriau *Sabrina Gypsy Fortune Teller* mewn llythrennau bras lliwgar wrth ymyl y grisiau pren.

Ifanc oedd hi yn y llun ac ifanc oedd hi pan fu farw yn sgil trawiad ar y galon a hithau prin wedi cyrraedd ei deugain oed. Er mai merch fach bump oed oedd Hayley ar adeg marwolaeth ei mam, digon niwlog oedd ei hatgofion amdani. A dweud y gwir, erbyn hyn doedd hi ddim yn gallu gwahaniaethu rhwng yr atgofion go iawn a'r straeon lu a glywsai gan ei thad. Dim ond ambell ffoto – yr un ar wal ei llofft yn bennaf – oedd yno i'w helpu i ategu'r llun ansicr oedd ganddi ohoni yn ei phen.

Delwedd arall a arhosai gyda hi'n gliriach na'r lleill oedd dwylo modrwyog Sabrina â'i bysedd bach brown yn helpu ei merch i glipio breichled fach ddisglair yn sownd am ei harddwrn mewn parc rywle yng nghyffiniau Wolverhampton a cherddoriaeth felodig carwsél yn troelli yn y cefndir. Lle'r oedd y freichled honno erbyn heddiw, doedd gan Hayley ddim syniad.

Doedd hi chwaith ddim yn cofio galaru amdani fel y cyfryw, er iddi wneud yn ddi-os. Soniai ei thad wrthi am sut bu'n llefain y glaw am ddeuddydd cyfan bron ryw fis ar ôl marwolaeth ei mam ac yn taeru iddi weld Sabrina yng nghae'r ceffylau ym mhen pella'r stryd lle'r oedden nhw'n byw yr adeg honno. Ond doedd Hayley ei hun ddim yn gallu dwyn dim oll o hyn i gof.

41

Serch hynny, roedd ganddi gof clir iawn o'r cynhebrwng – angladd Roma traddodiadol a chynffon hir o bobol yn dilyn y garafán – ac yn ferch ifanc, cofiai deimlo rhyw bylni yn ei bol wrth feddwl am yr hyn a gollwyd.

Roedd presenoldeb ei brawd bach yn fabi blwydd ar adeg ymadawiad Sabrina wedi mynd ymhell i dynnu sylw Hayley rhag effeithiau gwaetha'r brofedigaeth. Roedd wrth ei bodd yn magu'r crwt bach pert gyda'i wallt cyrliog du a'i lygaid tywyll diog, dan wyliadwriaeth anogol a llygaid barcud Anti Laura. Antur a myrdd o hwyl i Hayley yn ystod ei phlentyndod oedd cael dysgu sut i helpu Anti Laura a'i thad wrth dendio ar y bychan.

Atgof llawer mwy brawychus a byw iddi na cholli'i mam oedd damwain ei thad a ddigwyddodd toc ar ôl colli Sabrina.

Ar ôl colli eu mam, daethai Anti Laura o Gymru i fyw gyda nhw ac roedd hi yno adeg y ddamwain. Hyd heddiw llifai ton o bryder yn ôl i galon Hayley bob tro y cofiai am sut y byddai ei modryb yn mynd allan bob dydd i ymweld â'i thad yn yr ysbyty. Daliai Hayley i weld ei hwyneb gofidus wrth iddi hel ei phethau at ei gilydd a thaenu'r minlliw coch ar ei gwefusau o flaen y drych bach crwn yn y cyntedd, cyn ymgymryd â'i chenhadaeth ddyddiol. Edrychai ar ei wats o hyd ac o hyd wrth aros am ryw gymdoges ifanc neu'i gilydd i ddod i garco Hayley a Dylan. Cyfnod ansicr ac anhapus.

Ond cafwyd tro ar fyd.

Daeth ei thad o'r ysbyty o'r diwedd a phenderfynwyd symud i'r wlad i fyw, yn ôl i Gymru ac i Dŷ Tyrpeg gydag Anti Laura. Ar ôl byw mewn tre ddiwydiannol fel Wolverhampton, er bod y wlad yn syndod o agos i'r ddinas honno mewn mannau, llonnwyd calon Hayley i'r eithaf gan y profiad newydd o ddihuno i gân y ceiliog a brefu'r gwartheg a'r defaid a chael mynd allan i'r caeau a'r coedydd i rodio fel a fynnai. Mewn oes oedd yn dal i fod yn gymharol ddiniwed yng nghefn gwlad, byddai Hayley, yng nghwmni ei ffrindiau bach, yn cael crwydro'i chynefin gan ddod i nabod pob twll a chornel a darganfod trysorau mawr a mân byd natur dan bob carreg ac ym mhob rhan o'r fro o gwmpas ei chartref.

Y rhain oedd y blynyddoedd a seliodd gariad Hayley at yr amgylchedd, cariad a droai'n ysfa angerddol wrth fynd yn hŷn ac wrth ddeall y bygythiadau i'r holl bethau a garai.

Fel yr âi Dylan yn hŷn byddai yntau hefyd yn cadw cwmni iddi wrth grwydro eu milltir sgwâr – weithiau'n boen tin, weithiau'n gydymaith bach difyr – ac am flynyddoedd roeddent yn ddau enaid hoff cytûn ac anwahanadwy; ni welid y naill heb y llall.

Ac yn awr heno, yn nhywyllwch tawel stafell Dylan, am y tro cynta ers dechrau'r helynt diweddara, roedd Hayley yn llefain. Wylo distaw meddal, cledr ei llaw ar ei thalcen, ei llygaid ynghau, y dafnau'n ymwthio rhwng ei hamrannau gan bowlio i lawr ei bochau a'i thrwyn cyn diferu yn smotiau tywyll yn y llwch ar y llawr pren wrth ei thraed.

Ymhen sbel peidiodd y dagrau a sychodd Hayley ei llygaid a'i hwyneb â chefn ei llaw gan sniffio a llyncu'n galed i glirio'i thrwyn. Aeth o'r llofft gan gau'r drws yn dawel y tu ôl iddi a mynd i lawr y grisiau cul i'r stafell fyw lle eisteddai ei thad, a hwnnw i'w weld heb symud blewyn ers iddi ei adael.

'Mae llun Mam wedi mynd.'

'Dim 'na'r unig beth sy wedi mynd,' meddai Aneirin mewn llais bloesg.

'Be ti'n feddwl?'

'Ma fe 'di mynd â'r arian o'dd 'da fi yn y *toby jug* ar y seld. Rhaid bod e wedi 'ngweld i'n ei gadw yno rywbryd.'

'Ma fe wedi mynd go iawn 'te,' meddai Hayley.

'Odi… dwi'n ofni.'

Eisteddon nhw wedyn heb ddweud gair, wrth i gysgodion diwedd y flwyddyn ruthro i mewn amdanyn nhw hyd nes mai'r unig olau oedd hwnnw'n dod o'r goeden Nadolig fechan ger y ffenest. O'r diwedd, cododd Hayley yn y gwyll a mynd drwodd i'r gegin i chwilio am ei ffôn. Ochneidiodd wrth ddewis y rhif ar ben y rhestr.

'O, helô… Eddie? Ie, helô, Hayley sy 'ma. Clyw… o, odw, fi'n iawn diolch. Drycha, fydda i ddim yn gallu dod mas heno. Ma rhywbeth wedi digwydd yma. Odyn, odyn… wel… weda i wrthot ti 'to.… Dwi ddim yn gwbod pryd fydd e nawr. Na… Dim Nos Galan chwaith – dwi ddim yn meddwl. Ocê… ie, trueni… ocê. S'long.'

Caeodd y ffôn a throi'i meddwl at y busnes dan law – cael hyd i Dylan yn fyw ac yn iach.

8

Litharai'r drws awtomatig yn ôl ac ymlaen yn ddi-baid gan hisian fel sarff i rythm sigledig y trên. Rhaid bod nam arno, meddyliodd Dylan a chau ei lygaid drachefn. Ond y tro yma roedd y drws wedi hisian yn agored i adael rheolwr y trên drwodd ar ei rawd.

'Tocynnau o Henffordd,' mynnodd llais yn ei glust.

Ailagorodd Dylan ei lygaid mewn braw. Dechreuodd chwilota'n wyllt am ei docyn. Methodd gael hyd iddo yn yr un o'i bocedi na'i fag.

Ceisiodd gofio lle'r oedd wedi'i gadw. Heb gysgu dim na bwyta mwy na rhyw far o siocled ers ddoe roedd ei feddwl yn un cawdel mawr.

'Ddo i'n ôl,' meddai'r tocynnwr, cwlffyn mawr cringoch o Swydd Efrog, ac i ffwrdd ag o.

Aeth Dylan drwy'i bocedi eto – ddwywaith, deirgwaith. Dyma'r tocynnwr ar ei ffordd yn ôl yn barod. Roedd sawl pâr o lygaid yn gwylio'r llanc anniben ei olwg wrth iddo chwilota. O'r diwedd llwyddodd i gael gafael ynddo ym mhlygion dyfnaf ei gôt.

Tyllodd y swyddog y tocyn heb yngan gair a symud ymlaen at y cerbyd nesa.

Teimlai Dylan fel pe bai llygaid pawb arno bellach. Doedd hynny ddim yn brofiad braf. Cydiodd yn ei fag, y botel wisgi a brynodd ar ôl cyrraedd Henffordd yn taro braich y sêt gyda chlonc a sŵn slochian digywilydd. Cododd yn lletchwith ar ei draed a'i heglu drwy'r drws hisian ac ar hyd y coridor byr i'r cerbyd nesa oedd yn hollol wag, yn oer iawn a'r golau'n bŵl.

Taflodd ei hun i'r sêt agosaf. Agorodd ei fag a thynnu'r botel ohono, datod y caead a chymryd llwnc mawr ohoni a'i chadw allan ar ei gorwedd ar y sedd wrth ei ochr. Ad-drefnodd gynnwys y bag i ffurfio rhyw fath o obennydd. Yna, tynnodd ei gwfl am ei ben, stwffio ei ddwylo dan ei geseiliau a throi ei wyneb tua'r ffenest. Y cwbl oedd i'w weld drwy'r holl laid a budreddi oedd adlewyrchiad diflas o'r cerbyd gwag, patrymau stribedog y glaw a golau ambell annedd ddiarffordd yn fflachio heibio yn y tywyllwch. Caeodd ei lygaid a cheisio myfyrio am Skye...

Gadawodd i'w feddwl godi o'i gorff lluddedig a rhydio'n ôl i ddyddiau golau a thesog yr haf diwetha a'r gwersyll bach yn y chwarel.

*

'Lle gest ti'r enw Sky?'

'Fan'no ges i 'ngeni.'

'Be, mewn awyren?'

'Nage, Skye – gydag 'e' – enw'r ynys yn yr Alban. Fan'no o'n i.'

Dechreuodd Dylan biffian chwerthin ond arhosodd teithi tlws wyneb Skye mor ddwys a di-wên ag erioed.

'O, sori, o'n i'n meddwl taw...'

Stopiodd chwerthin.

'Fy newis i oedd o,' meddai hi wedyn.

'Be, i gael dy eni ar Skye?'

'Na! Fi ddewisodd yr enw. Emily o'dd yr enw wna'th Niall a

Tiggy roi i mi. Ond roedd yn swnio mor hen ac yn sych oedd yn rhaid i mi ga'l rhywbeth gwell. Ac ro'n i'n hoffi Skye – yr ynys, hynny ydi.'

'Dwi'n hoffi Skye 'fyd,' meddai Dylan gan swsio'i thrwyn.

Erbyn hyn roedd pelydrau'r machlud yn llyfu'r tu mewn i'r tipi drwy'r drws agored gan gynhesu eu cyrff noeth, wrth i'r haul suddo dros ymyl clogwyni'r chwarel. Roedd Niall a Tiggy, y bychan, Abel a'r babi, Tyrone, i gyd i ffwrdd dros nos yn Aberhonddu, gan adael Skye a Dylan yng nghwmni ei gilydd i ofalu am y gwersyll.

'Mae 'na bobol â dwylo blewog iawn yn y byd 'ma – ma rhannu popeth yn iawn. Peth arall ydi'i ddwyn o,' meddai Niall wrth gloi giât y chwarel cyn mynd at y Transit lle'r arhosai gweddill y tylwyth yn barod i gychwyn ar eu taith.

'Ac os daw Hodges heibio,' gwaeddodd uwchben rhu herciog injan y Transit, 'heglwch hi. Boi peryglus iawn ydi o. Does dim dal be wneith y ffycar bach i'n ca'l ni o 'ma.'

Dyn busnes lleol a hawliai berchenogaeth ar y chwarel oedd Dai Hodges, er doedd dim affliw o sail i'r fath haeriad. Yn y bôn, dyn â'i lid ar deithwyr o bob lliw a llun oedd o ac ar unrhyw beth y gellid ei ystyried yn amgen neu'n groes i'w ragfarnau arbennig o.

Ond roedd Hodges a phobol y dwylo blewog, pwy bynnag oedden nhw, wedi cadw draw y tro hwnnw ac roedd Skye a Dylan wedi gloddesta ar gwmni ei gilydd, yn rhydd i grwydro a charu, i siarad a rhannu, i gysgu a breuddwydio.

'Beth wyt ti moyn yn fwy nag unrhyw beth arall yn y byd?' gofynnodd Dylan iddi wrth redeg ei fysedd hyd bant efydd ei hasgwrn cefn a thros ei ffolennau.

Ddaeth yr un ateb a doedd o ddim yn siŵr a oedd hi wedi clywed. Roedd ar fin gofyn eto...

'Rhyddid i deithio am byth.'

Mêl i glustiau Dylan. Cyffrôdd drwyddo. O'r diwedd dyma rywun fyddai'n gwrando arno, rhywun a fyddai'n deall ei ysfa.

'Wyt ti'n Roma?'

'Be?'

'Wyt ti'n perthyn i sipsis?'

'Na!'

Edrychodd Skye yn hollol syn ac wedyn chwerthin.

'Gweddillion y Peace Convoy ydyn ni. Roedd tad Niall yn trefnu rhai o'r *free festivals* mawr yn ôl yn y saithdegau – mab i ryw grachach o swydd Dorset oedd hwnnw.'

'Dwi'n Roma... Wel, fy mam... yn Roma... fel...' datganodd Dylan yn llawn balchder chwithig. 'O'dd hi'n dod o Hwngari, ti'mod.'

Er siom iddo, ni fu unrhyw ymateb. Roedd wyneb Skye yn hollol ddigyfnewid. Yn sydyn, teimlai'n ansicr yn ei chwmni.

Ife fi sy'n boring, 'ta be? meddyliodd. Neu oes rhywbeth yn bod arni? Roedd hi i'w gweld yn hoffi'i gwmni ac yn mwynhau'r oriau dibryder yma i ffwrdd o fwrlwm ac ymyrraeth y byd. Wedi'r cwbwl, Skye oedd wedi awgrymu nad oedd hi am fynd gyda'r lleill i Aberhonddu a bod yn well ganddi aros 'dag e.

O'r diwedd trodd drosodd ar ei chefn yn ddiog braf ac ymestyn ei braich am ei wddw:

'Well i ti aros efo ni 'te.'

*

Stwyriodd Dylan yn ei sêt. Roedd y trên yn ailgychwyn o ryw orsaf neu'i gilydd. Roedd y cerbyd yn rhynllyd ond roedd wedi blino ac wedi meddwi gormod i symud. Tynnodd ei freichiau'n dynnach byth am ei gorff a cheisio dilyn ei freuddwyd ymhellach.

Y tro nesa iddo ddihuno o'i fyfyrdodau roedd yn effro go iawn, yn crynu yn yr oerfel ac yn teimlo'n giami. Roedd newydd ddianc o ryw hunllef o atgof lle'r oedd yn ôl yn y chwarel, ond doedd dim sôn am y garafán na'r Transit na Skye a'i theulu, a doedd dim ar ôl o'r tipi ond pentwr o ludw'n mudlosgi ar y gwair fel golygfa o gyfrol Dee Brown, *Bury My Heart at Wounded Knee*. Roedd yn cofio gweld dau ddyn yn sefyll ar un o'r ponciau. Rhedodd draw atyn nhw dan weiddi, rhyw ddicter mawr yn goferu ohono. Edrychai'r dynion ar y bonc yn syn a daethant ill dau amdano... ac yna agorodd ei lygaid a'i gael ei hun yn deithiwr unig yn y cerbyd oer heb amcan lle'r oedd o. Roedd y briw uwchben ei lygad chwith wedi dechrau cwyno – rhywbeth rhwng cosi a llosgi.

Roedd y trên yn tynnu i mewn i stesion, heibio i glamp o gaban signalau hirsgwar hen ffasiwn. Gallai glywed llais dros y PA yn y cerbyd nesa ond doedd yr uchelseinydd ddim yn gweithio yn ei gerbyd o.

Ble ddiawl dwi, meddyliodd. O, mega shit, o'dd e wedi mynd heibo i'r stop. Mynd i lawr yn Llanllieni oedd ei fwriad i chwilio am le o'r enw Greynant Farm.

'Gall rhywun bob amser holi yn Greynant,' dywedodd Skye wrtho un tro pan ofynnodd iddi sut fyddai o'n cael hyd iddi hi pe baen nhw'n gorfod gadael y chwarel a mynd o'r ardal.

'Ma Gez, ffermwr Greynant, yn ffrind mawr i deithwyr. Mae o'n nabod pawb. Wna'th o'n helpu ni i ennill achos llys yn ddiweddar – roedd y Cyngor eisio ein troi ni oddi ar ei dir.'

Erbyn hyn gallai Dylan glywed dros y PA fod y trên ar fin cyrraedd Amwythig. Rhaid ei fod wedi cysgu wrth fynd drwy'r gorsafoedd eraill hefyd. Wrth i'r cerbyd wichian ei ffordd yn araf i stopio wrth y platfform priodol, ceisiodd Dylan weld a oedd unrhyw sôn am y tocynnwr. Dim ond hyd at Lanllieni roedd ei docyn yn ddilys. Roedd yr arian mawr roedd wedi'i ddwyn oddi ar ei dad ganddo wrth gwrs, ond doedd o ddim eisiau twtsiad â hwnnw eto.

Ddoe, roedd wedi ceisio bodio o'r Fenni ond ar ôl cymryd drwy'r prynhawn a chyda'r nos i deithio gwta ugain milltir a threulio'r noson mewn sied ar ochr y ffordd, a ffawd y bawd yn ddigon anwadal fore trannoeth, roedd wedi penderfynu cerdded i ganol Henffordd a dal y trên i Lanllieni.

Wrth feddwl am y sypyn o bapurau decpunt yn ei boced daeth pwl o euogrwydd drosto. Teimlai'n hollol ddiflas erbyn hyn yn dwyn oddi ar ei dad – a dyna reswm arall dros beidio ag afradu'r arian – ond mi oedd yn rhaid iddo chwilio am Skye. Allai ddim dioddef diwrnod arall hebddi, a heb glywed gair ganddi, yn enwedig ar ôl yr hyn oedd wedi digwydd yn y chwarel. Bu'r misoedd unig diwetha fel dedfryd oes iddo. Ac roedd troad y mileniwm bron â chyrraedd a doedd wybod be ddigwyddai – rhaid iddo fod gyda hi bryd 'ny. Rhaid iddyn nhw wynebu'r dyfodol gyda'i gilydd.

A dweud y gwir, roedd wedi'i gadael hi'n rhy hwyr yn gadael Henffordd. Hyd yn oed pe bai wedi mynd allan yn Llanllieni, byddai'n rhy dywyll i ddechrau chwilio am Greynant Farm. Man a man iddo aros yma heno a rhoi cynnig arall arni yfory. O leiaf roedd yna fwy o obaith cael hyd i rywle mwy diddos yn y dre na'r hen sied lle buodd yn dojio diferion o'r to drwy'r nos y noson cynt.

Aeth i lawr y grisiau am yr allanfa. Suddodd ei galon wrth weld yr atalfa docynnau yno ond cododd eto o weld bod y giatiau i gyd yn agored led y pen a neb ar eu cyfyl.

Aeth ymlaen hyd at gyntedd yr orsaf lle oedodd a sbio o'i gwmpas cyn mentro i'r nos. A dyna'r camera cudd yn dal ei ddelwedd.

9

Amwythig, Ionawr 2015

O GWRDD AG o yn y cnawd, dipyn o siom oedd Jamie Wray. Ar y Skype roedd golwg eitha glanwedd arno, ond mae Skype yn gyfrwng digon twyllodrus fel'na. Ar y sgrin, roedd golwg llyfn ac ifanc ar ei groen ac edrychai fel pe bai lliw haul iachus ganddo.

Yn bendant, doedd o ddim mor ifanc ag roedd hi wedi tybio – dros ei chwe deg erbyn hyn heb amheuaeth – ac roedd yr hyn oedd i'w weld fel lliw haul yn debycach i gramen o farnais ar hen gelficyn pren wedi'i thaenu er mwyn cuddio unrhyw dyllau pry'.

Llwyd a du oedd ei hoff liwiau'n amlwg o ran ei wisg. Pan ddaeth i mewn i Sabrina's Cave gwta wythnos ar ôl i Hayley ddechrau yno, roedd yn gwisgo crys T llwyd, siaced ddu a jîns du, ynghyd â sgidiau du siabi. Ond er gwaetha ei olwg anysbrydoledig, roedd yn ddigon *charmant* gyda hi. Yn rial bonheddwr o Sais, meddyliodd.

'Hayley! Ti'n edrych yn well nag o't ti ar Skype hyd yn oed. Ddrwg iawn mai dim ond heddiw dwi'n cael cyfle i gwrdd â chdi. Busnes yn galw, ti'mod. Ti'n setlo'n iawn?'

'Ydw, diolch,' meddai'n awtomatig, yn hunanymwybodol braidd bod ei chyd-weithwyr wrth law ac yn ymwybodol iawn hefyd o fysedd Jamie yn gwasgu ar ei phenelin wrth iddo lywio'i ffordd heibio iddi gan anelu at y caffi a'r gegin yng nghefn yr adeilad.

Safai Sabrina's Cave mewn ale fach ddi-nod oddi ar Wyle Cop, un o brif strydoedd siopa du-a-gwyn nodedig Amwythig, rhiw digon serth sy'n rhedeg i lawr at afon Hafren a Phont y Saeson. Doedd yna fawr ddim yn yr ale i ddangos bod unrhyw siop o werth yno ac eithrio arwydd bach digon amaturaidd ei olwg uwchben y drws. Ond o fentro dros y trothwy, roedd rhywun yn camu i'r emporiwm rhyfeddaf lle gwerthid nid yn unig bwydydd o bob math ond casgliad hynod eclectig o eitemau'n ymwneud â'r byd amgen – yn grisialau, cardiau tarot, cerddoriaeth *ambient* ac ethnig, llyfrau, gemwaith, dillad, canhwyllau persawrus a ffrwcs hipïaidd eraill o bob math.

Drwodd tua'r cefn, heibio i'r gegin gyfyng, ar hyd coridor anwastad wedi'i oleuo gan ruban dwbl o LEDs amryliw, roedd caffi bach yn cynnwys pump o fyrddau pren plaen a chownter yn cynnig gwahanol ddiodydd cynnes ac oer, cacennau a byrbrydau digon blasus eu golwg. Y tu hwnt i'r caffi, roedd cwrt bach awyr agored yn llawn planhigion gyda Bwda copr gwyrddlas yn gwenu'n hunanfodlon dros ei fol o ganol y rhedyn ger y gasgen dŵr glaw.

Ar wal y caffi roedd hysbysfwrdd anferthol yn drwch o hysbysebion am bob math o therapïau amgen, cwnsela, llety, hysbysiadau eitemau ar werth a negeseuon personol.

Roedd ambell un o'r rhain yn ddigon gogleisiol:

Mae Gollum wedi croesi'r Mynyddoedd Niwlog.

neu

Ydi Galadriel am aros gydag Aragorn wythnos nesa i helpu iddo roi min ar ei gleddyf?

Hen ddwli plant, meddyliodd Hayley, ond hwyrach y

byddai'r hysbysfwrdd yma'n lle da i adael poster am Dylan – rhag ofn. Ac am y canfed tro ers cyrraedd y dre 'ma, atgoffodd ei hun fod pymtheng mlynedd wedi mynd heibio ers i'w brawd ddiflannu. Byddai pob trywydd yn oer fel y bedd. Pwy gofiai unrhyw beth erbyn hyn?

Sganiodd yr hysbysfwrdd a gweld posteri am gyfarfodydd Greenpeace a'r Blaid Werdd. Nododd gwpwl o ddyddiadau ar galendr ei ffôn a symud yn ôl at ei gweithle y bore hwnnw wrth gownter y caffi.

Bore tawel oedd hi. Ar ôl y bwrlwm ben bore gyda gweithwyr siopau a swyddfeydd yn prynu coffi i fynd neu'n clecio paned a brechdan bacwn sydyn cyn mynd i'r gwaith, roedd Sabrina's wedi gwagio. Amser i Hayley glirio a thwtio a hel ei meddyliau.

Roedd edrych ar y posteri ar yr hysbysfwrdd yn annisgwyl wedi ailagor y briw a adawyd yn sgil chwalfa ei pherthynas ag Eddie Hewitt. Ble'r oedd hwnnw erbyn hyn? Yn Llundain, bownd o fod, yn mwynhau camp a rhemp y ddinas fawr ac yn byw'n fras ar enillion halogedig ei feistri yn y diwydiant olew.

Aeth Hayley drwodd i'r gegin a dyna lle'r oedd y cogydd mewn sgwrs ddofn â Jamie, yn union o flaen y peiriant golchi llestri. Roedd y ddau'n edrych yn ddigon anghysurus ond daeth gwên i wyneb Jamie o weld Hayley yn dynesu.

'D'yn ni dan draed y gweithwyr go iawn yma. Mae Ms Havard am fynd at y peiriant 'ma.'

Symudodd y ddeuddyn o'r neilltu. Llwythodd Hayley'r llestri budr wrth i'r cogydd a Jamie fynd o'r gegin i barhau eu sgwrs gyfrin. Wrth osod y peiriant, gallai Hayley glywed eu lleisiau'n codi a'r rhegfeydd yn dechrau cochi'r awyr.

'Cadw dy lais i lawr, ffor ffycs sêcs,' hisiodd Jamie.

Bu gosteg ac ni chlywai Hayley bellach ond sibrwd taer.

Ar ei ffordd allan o'r gegin, dyma'r cogydd yn gwasgu heibio i Hayley yn y drws heb yngan gair, yn amlwg yn ddyn anhapus iawn. Gallai ei glywed yn clatsio sosbenni a slamio pethau i lawr ar bob ochr.

Wrth iddi ddychwelyd i'r caffi gwelodd fod Jamie yn eistedd wrth un o'r byrddau'n craffu ar ei ffôn. Cododd ei ben wrth iddi ddod i mewn a chadw'r teclyn yn ei boced.

'Hayley... o'r diwedd. Gwna espresso bach i mi a chymer beth bynnag tisio a dere i eistedd fan hyn i ni gael sgwrs go iawn.'

'Ma lot 'da fi i neud a gweud y gwir...'

'Paid â phoeni am hynna. Ma'n bwysig bo' fi'n dod i nabod y staff... a'r tenantiaid wrth gwrs.'

Yn anghyfforddus braidd, aeth Hayley ati i baratoi'r diodydd. Teimlai'n grac â hi ei hun wrth sylwi bod yr hambwrdd yn ratlo ychydig yn ei gafael wrth iddi gario eu diodydd draw at y bwrdd – rhywbeth y cododd Jamie arno'n syth.

'Sdim rhaid i ti fod yn nerfus efo fi,' meddai.

Atebodd Hayley ddim ac ar ôl dadlwytho'r hambwrdd gan osod y ddwy gwpan mor bell ag y gallai oddi wrth ei gilydd, aeth ag o yn ôl at y cownter. Pan ddaeth yn ôl at y bwrdd, gwelodd fod Jamie wedi symud ei chwpan hi'n nes at ei un yntau.

Roedd Hayley yn tampan y tu mewn. Roedd Jamie wedi rhoi ei chwpan reit wrth ei ymyl gan ddisgwyl iddi eistedd yn y sêt nesa ato. Eisteddodd Hayley gyferbyn ag o heb dynnu ei chadair at y bwrdd.

''Nei di baso 'nishgled i fi, plis?'

Gan ochneidio'n anfodlon dyma Jamie yn gwthio'i phaned draw ati. Wedyn gwenodd, ymlacio ychydig a chymryd llymed o'i espresso.

'Ti'n neud espresso rhagorol, os ga i ddweud. Nid pawb sy'n ei deall hi, cofia. Yn boeth ac yn gry' heb fod yn chwerw. Fel fi,' ychwanegodd yn ddiangen.

'Bues i'n gweitho mewn caffi yn ystod gwylie ysgol – sbel yn ôl wrth gwrs, fel wedais i wrthot ti yn y cyfweliad. Ond ma fe fel reido beic, sbo.'

'A ma pethau'n mynd yn iawn fan hyn?'

'At ei gilydd – ydyn, diolch. Pawb wedi bod yn neis iawn.'

'A'r llety?'

'Ie, ie... bach yn oer weithie, ond fe ddo i i ben.'

Rhyw hanner chwerthin oedd ei unig ymateb i'w hadborth. Doedd hi ddim yn cymryd at y boi 'ma o gwbwl. Roedd e'n ymddangos fel ploncar, a gweud y gwir.

'A be am y cwest?'

'Sori?'

'Mi wnest ti sôn ar y Skype dy fod ti ar dipyn o gwest wrth ddod i Amwythig.'

'O, ie... Na... Hynny yw...'

God! Be oedd ar ei phen hi i ddweud shwt beth wrtho fe?

'Meddwl efallai mai chwilio am ddyn o't ti,' meddai, gan edrych arni â'i lygaid bach llwydlas.

Rhaid iddi roi stop ar hyn nawr, meddyliodd, ond wrth iddi geisio meddwl am y ffordd orau o wneud hynny, dyma'r cogydd yn stormio i mewn o'r gegin gan daflu ei ffedog streipiog a'i het cogydd ar y llawr.

'Ti 'di 'ngollwng i ynddi unwaith yn ormod y tro yma, y bastad. Ti 'di anghofio sut wnes i achub dy groen afiach di erstalwm, mae'n debyg. Ti'n cofio? Titha'n llusgo dy hun o'r twll cachu roeddet ti'n byw ynddo a dy frêns wedi'u ffrio bob siâp. Pwy fu'n dal dy law di 'radag honno, d'wad? Wel, gawn ni weld sut ma'r lle 'ma'n llwyddo heb *chef*, ia?'

Ac i ffwrdd ag o.

Roedd rhyw olwg ddigon anghyfforddus be wna i ar wyneb Jamie.

'Sori – *chefs* yntê? Mor wallgo â bocsaid o fisgedi, medden nhw. Dwi'n dweud wrthot ti.'

Llowciodd ei espresso a chodi ar ei draed gan frasgamu ar ôl y cogydd blin.

10

A M DDIWRNOD!
Cerddodd Hayley yn ôl i'w llety ar hyd llwybr glan yr afon gan groesawu brathiad oer yr awyr ar ôl chwysfa'r gwaith drwy'r prynhawn.

Mae rhedeg caffi prysur heb *chef* go iawn yn dipyn o gamp ond roedd pawb wedi cyd-dynnu'n arwrol a rywsut, rhyngddyn nhw, daethpwyd drwyddi. Ond roedd Hayley wedi blino'n rhacs a'i phen yn hollti. Roedd y tebygrwydd mai fel hyn y byddai pethau nes bod Jamie yn cael hyd i gogydd arall yn peri iddi ddigalonni'n siwps.

Roedd tua chwech neu saith o bobol eraill yn gweithio yn Sabrina's Cave – y rhan fwya ohonynt yn eitha ifanc ac yn swil o'r newydd-ddyfodiad yn eu plith, a honno gryn dipyn yn hŷn na nhw. Roedd ei ffordd Gymreig agored o ymgysylltu â phawb yn dipyn o sioc ddiwylliannol i'r lleill ar y dechrau ond buan y daethant i arfer â hyn ac i'w hoffi.

Yn ogystal â'r bobol ifainc roedd dau hen stejar o'r enw Blitz a Bling, hipis hynafol o'r iawn ryw a wnaeth ei chymryd o dan eu hadenydd o'r diwrnod cynta a rhoi hwb mawr i'w hyder a'i hwyl yn gyffredinol.

Dyn o Awstria oedd Blitz – llysenw eironig braidd gan nad oedd dim byd yn debyg i fellten yn ei gylch. Dyn byr a siaradai'n dawel, digynnwrf bob amser oedd Walther Zweig a rhoi iddo ei enw iawn, na fyddai byth yn rhuthro i wneud dim byd ac a oedd yn casáu unrhyw newid yn nhrefn ei fyd – er mor hoff ydoedd o bregethu pob math o syniadau chwyldroadol a radicalaidd o'r tu ôl i'r til neu wrth seiadu o flaen y tân yn nhafarn y Shearers.

Ei bartner oedd Bling – a lysenwyd oherwydd ei hoffter o wisgo llwythi o emwaith ethnig trwm, yn freichledau, modrwyau, clustlysau a chadwyni gwddf. Roedd hi'n janglo bob cam a gerddai, a gallech ei chlywed hi'n dod o bell ar noson dawel. Doedd neb yn siŵr o'i henw iawn, hyd yn oed Blitz. Cefndir brith iawn oedd ganddi. O dras aristocrataidd yn ôl pob sôn, a'i hacen yn ategu hynny, ers dechrau'r 1970au bu'n dilyn y llwybr amgen i bedwar ban byd – Marrakesh, Goa, Katmandu, Corris...

Erbyn hyn, eco-ryfelwraig o fri oedd hi. Yn hollol eofn a digyfaddawd, byddai ar daith byth a beunydd i rwystro hwn ac achub y llall. Dim ond hi âi ar y cyrchoedd hyn; aros gartre â'i gerddoriaeth a'i waci baci a wnâi Blitz bob amser, yn disgwyl yr alwad ffôn a fyddai'n datgelu o ba orsaf heddlu neu lys ynadon y byddai Bling yn cael ei rhyddhau y tro yma er mwyn iddo gael mynd i'w nôl yn y *bongo van* amryliw.

Cynnes a chynhwysol fu croeso Blitz a Bling i Hayley, yn helpu i'w rhoi ar ben ffordd yn y siop ac yn estyn y naill wahoddiad ar ôl y llall iddi i wahanol bartïon a digwyddiadau. Roedden nhw'n byw mewn tŷ mawr ar lan yr afon oedd yn adnabyddus drwy'r dre am bob math o rialtwch. Hyd yn hyn doedd Hayley ddim wedi mentro draw yno; roedd hi'n dal i ymgynefino â'i byd newydd ac yn simsanu o hyd o ran doethineb ei phenderfyniad i ymsefydlu yn y dre yma.

'Yn nes ymlaen yn y flwyddyn falle.'

Roedd Bling wedi clocio egwyddorion gwyrdd Hayley ac yn ei thro edmygai Hayley ymrwymiad diflino'r ddynes hŷn i'r achos. Roedd Bling yn awyddus iawn i'w recriwtio yn y frwydr ddiderfyn dros ddyfodol y blaned.

'Watsia di hon, neu chwe mis yn Holloway fydd hi cyn troi rownd,' mwmiodd Blitz wrthi o dan ei anadl ar ôl i Bling geisio annog Hayley i ddringo i ben to rhyw siop gadwyn yn Telford oedd yn nodedig am fod yn ddi-hid yn ei hagwedd tuag at les yr amgylchedd a chwarae teg i'w gweithwyr yn fyd-eang.

Roedd niwl yn codi oddi ar yr afon ers canol y prynhawn, gan nadreddu i bob cwr o'r dre. Doedd neb ar Bont y Saeson heno a doedd hi ddim wedi clywed unrhyw ddrymio ers ei noson gynta.

Wrth gyflymu ei chamre er mwyn cadw ei gwres a chyrraedd ei llety mor fuan ag y gallai, gwyddai Hayley nad oedd hi'n edrych ymlaen at fynd yn ôl i'r tŷ. Doedd hi ddim wedi gweld unrhyw arwydd o'i chyd-letywyr dros y dyddiau diwethaf. Weithiau yn y nos clywai leisiau neu ddrysau'n agos a chau, a gwyddai fod Bragi yn ei ffau dros y landin. Tueddai hwnnw i godi'n gynnar iawn a dychwelyd yn hwyr yn y nos.

Wrth ddynesu at y tŷ gwelodd fod car smart a phwerus wedi'i barcio ar y rhodfa fer o flaen Pengwern Villa. Stopiodd ac edrych arno a rhyw gnonyn o bryder yn dechrau cosi y tu mewn iddi. O hyd doedd hi ddim yn siŵr pwy yn union oedd ei chyd-breswylwyr a pha mor ddiogel oedd hi yn y tŷ.

Roedd y drws ffrynt yn agored a gallai glywed lleisiau. Acen fflat de-ddwyrain Lloegr oedd gan y siaradwr ac roedd hi'n nabod rhythm mwy soniarus Bragi'n ateb. Arhosodd lle'r oedd hi a chlustfeinio.

'Dwi heb weld o,' ailadroddodd Bragi'n bendant.

'A phwy ydych chi, syr?'

'Fy enw i yw Bragi Bragasson.'

'Oes gynnoch chi ID?'

'Mi alla i nôl fy mhasbort.'

'Os gwelwch chi'n dda, syr,' meddai llais arall gyda'r un fath o acen â'r llall.

A chlywodd Hayley gamau cawr yn pwnio i fyny'r grisiau tra mwmiai'r lleisiau diarth yn dawel yn y cyntedd. Symudodd Hayley yn ofalus i ganol cysgod y llwyni.

Pwy oedd y rhain? Heddlu?

Fel taran Thor ei hun o'r nen daeth sŵn traed Bragi ar ei ffordd i lawr o entrychion y tŷ.

'Diolch, syr... a-ha! Gwlad yr Iâ.'

'Ydych chi wedi bod yno?'

'Na, mi hoffwn i – tân a rhew yntê? Dyw'r wraig ddim mor frwd, yn anffodus. Ydych chi'n malio dweud wrthon ni bwrpas eich ymweliad â'r Deyrnas Unedig?'

'Dwi'n byw ac yn gweithio yma ers blynyddoedd lawer. Yn Stirling oeddwn i, yn yr Alban. Ond dwi wedi ymddeol erbyn hyn ac ar hyn o bryd dwi'n gwirfoddoli mewn prosiect archaeolegol dan nawdd Coleg Gorllewin Mersia – mae'r prosiect yn para blwyddyn.'

'Pwy arall sy'n byw yma?'

'Dwi heb *weld* neb arall heblaw'r dyn rydych chi'n chwilio amdano fo. Mi fydda i'n codi'n gynnar iawn ac yn dueddol o ddychwelyd yn hwyr.'

Rhyfedd, meddyliodd Hayley. Odi e wedi anghofio amdana i neu beth yw'r gêm, sgwn i?

'Wel, diolch yn fawr, Mr Bragasson. Os gwelwch chi'r unigolyn dan sylw, allwch chi roi gwybod i ni? Dyma fy ngherdyn.'

'Iawn. Nos da,' meddai Bragi'n gwrtais.

'Nos da,' cydganodd y ddau ddieithryn.

Gwasgodd Hayley ei hun yn ôl i ganghennau tywyll y

camelia. Gwelodd y ddeuddyn yn dod o'r tŷ a Bragi yn y drws. Fe sylwodd y dyn o Wlad yr Iâ arni'n syth.

'Nos da, foneddigion,' cyhoeddodd yn frwd gan gamu o'r tŷ i sefyll o flaen y llwyn lle'r oedd Hayley'n cuddio.

'Mi wna i gadw llygad yn agored. Siwrnai saff i chi. Roedd y ffyrdd yn reit lithrig y tu allan i'r dre.'

'Mi gymrwn ni bob gofal,' meddai'r talaf o'r ffigyrau tywyll wrth blygu'i ben i fynd i sedd y teithiwr.

Taniwyd yr injan a llifodd golau ar hyd blaen y tŷ ond rhaid bod canghennau'r llwyn a phresenoldeb Bragi yn ei chuddio'n ddigonol o gyfeiriad y car achos baciodd y cerbyd yn syth i'r ffordd fawr a sleifio i ffwrdd.

Arhosai Bragi ar y rhiniog wrth i Hayley ddod o'r llwyni.

'Diolch,' meddai – er doedd hi ddim yn hollol siŵr pam. 'Pwy oedden nhw? Heddlu, ife?'

'Swyddogion Asiantaeth Ffiniau'r Deyrnas Unedig,' meddai Bragi'n ffug barchus. 'Yn chwilio am y bachan du.'

'Nahom?'

'Dwi erioed wedi gofyn iddo fo beth ydi'i enw. Rhyfedd. Dwi wedi cael sawl sgwrs efo fo.'

'Beth ma fe wedi'i neud?'

'Dim byd, hyd y gwn i.'

Doedd Hayley ddim yn siŵr a oedd hi'n barod i dderbyn hyn yn ddigwestiwn.

'Mi welais i o,' ychwanegodd Bragi wrth gau'r drws y tu ôl iddynt.

'Pwy? Nahom?''

'Cyrhaeddodd o jyst ar ôl iddyn nhw gyrraedd. Ro'n i yn y drws a ches i gip arno fo dan olau'r stryd cyn iddo fo droi ar ei sawdl a'i heglu'n ddigon handi.'

'Pam na wedest ti ddim byd?'

'Paa! Be wydden nhw am ddim byd?'

Dechreuon nhw ddringo'r grisiau, gyda Hayley ar y blaen. Doedd hi ddim yn leicio meddwl efallai fod y Viking 'ma'n gwylio ei thin bob cam, ond doedd hi chwaith ddim eisiau dilyn ei hen din yntau yn y siorts llac 'na reit lan i dop y tŷ.

Ar y landin cynta, trodd i'w wynebu.

'A pham wedest ti bod ti ddim wedi gweld neb arall yma? O'n i ddim yn cyfri?'

Cododd Bragi ei sgwyddau.

'Sneb yn leicio rhyw bobol swyddogol fel'na yn busnesa, nag oes? Pam est ti i guddio yn y llwyni beth bynnag?'

Teimlai Hayley ei gruddiau'n gwrido ac ailgydiodd yn y gwaith dringo gyda'r cawr yn padio ar ei hôl fel rhyw arth o begwn y gogledd.

Dechreuodd Bragi fynd i hwyl hefyd, ei lais main yn cynhyrfu bob cam.

'Ma pobol fel ein cyfaill Nahom yn gorfod byw yn ofni pobol fel'na drwy'r amser. Eu hunig drosedd ydi bod yn dlawd a cheisio gwella eu byd. Maen nhw wedi diodde hen ddigon yn barod ar y ffordd draw yma heb iddyn nhw gael eu herlid ymhellach.'

Wrth ddrws ei llofft rhuthrodd i roi ei hallwedd yn nhwll y clo'n barod i ddweud nos da a diflannu i loches ei stafell am y nos.

'Cawl?'

'Be?'

'Ma llond sosban o gawl genna i. Sgen ti awydd?'

Erbyn hyn gallai Hayley glywed oglau bendigedig yn drifftio draw o'r gegin. Erbyn meddwl roedd bob amser rhyw oglau i dynnu dŵr i'r dannedd ar y landin yma ar ôl i Bragi fod wrthi yn y gegin.

Ei drystio? Wel, pam lai? Roedd oglau'r cawl yn drech nag unrhyw ystyriaethau o ran ei diogelwch personol. Roedd hi wedi blino a dim awydd ganddi i wneud swper iddi ei hun er bod angen bwyd arni. Wedi'r cwbwl roedd hi wedi addo derbyn ei gynnig rywdro. Man a man y mwnci.

'Ocê. Diolch i ti,' meddai, gan ymlacio'n sydyn.

Ymledodd gwên anferth ar draws ei wyneb rhadlon.

'Stafell fi neu ti?'

'Ym...'

Cofiodd Hayley am yr anhrefn a'r rhes o ddillad isa ar y lein Heath Robinson uwchben ei gwely. Os mai bwriadau ysgeler oedd y tu ôl i gynnig Bragi, fyddai fawr o ots pa stafell, ac er ei blinder, roedd hi'n reit chwilfrydig am y boi erbyn hyn ac yn awyddus i gael cip ar y sanctwm cyfrin dros y landin. Yn sicr doedd hi ddim yn gallu teimlo unrhyw feibs anghynnes yn ei gylch – i'r gwrthwyneb a dweud y gwir.

'Stafell ti, ife?'

Roedd y wên wedi ymledu hyd yn oed ymhellach, a'r dannedd gwynion mawr yn fflachio – yn atgoffa Hayley rywsut o gi labrador clên.

'Dau funud,' meddai a slipio i mewn i'w stafell ei hun i dynnu crib drwy'i gwallt.

11

DOEDD NEB YN gwybod beth oedd yn digwydd. Ni chafwyd yr un cyhoeddiad ers chwarter awr pryd y bu sôn am oedi hyd at ugain munud o leia. Bellach roedd y docynwraig ar ei ffordd drwy'r trên ac yn ceisio ymateb i'r holl ymholiadau a ddeuai o boptu.

'Be sy 'di digwydd?' gofynnodd Hayley yn ei thro.

'Ma trên nwydda wedi torri rhwng fan hyn a Llwydlo.'

'Am faint fyddwn ni yma?' meddai dyn ifanc yn ddigon diamynedd o'r sêt gyferbyn â Hayley ar draws y bwrdd.

'Sneb yn gwbod ar y funud. Mi ddo i'n ôl atoch chi pan glywa i ragor. Dyw'r PA ddim yn gweithio chwaith.' Ac i ffwrdd â hi i'r cerbyd nesa.

Â'i chalon yn suddo edrychodd Hayley drwy'i ffenest ar frics coch gorsaf Henffordd.

Heddiw, am y tro cyntaf ers iddi ei werthu roedd hi'n difaru iddi gael gwared â'i char. Eddie, yn ei ffordd hael arferol, oedd wedi prynu'r VW bach del iddi gwpwl o flynyddoedd yn ôl ac wedyn wedi talu am ei gwersi gyrru. Ond y gwir amdani, ar ôl y misoedd cynta, doedd hi ddim wedi'i ddefnyddio'n ddigon aml i gyfiawnhau'r gost o'i gadw ar y ffordd a phan, ar ôl i'r berthynas chwalu, y penderfynodd godi pac a mynd i Amwythig, roedd hi hefyd wedi penderfynu gwerthu'r car. Am un peth roedd hi'n brin o arian sychion, yn ogystal â bod yn awyddus i geisio byw bywyd mor wyrdd a chynaliadwy (a rhad) ag y gallai yn y byd materol a gwastraffus sydd ohoni.

Ond heno, roedd y daith ar y trên yn mynd i fod yn hir a thrafferthus ac yn sydyn, roedd y syniad o gael gwibio ar hyd y Gororau yn ei char bach lliw cwstard unwaith eto'n apelio'n fawr. Byddai gyrru'i char ei hun dipyn yn fwy ymlaciol na'r hir ymaros yma yng ngorsaf Henffordd yn gwrando ar sŵn plant wedi blino a jingls gwirion ambell gêm electronig. Fodd bynnag, gallai weld y tu hwnt i'r orsaf fod y glaw a syrthiai'n dawel ac yn ddi-baid, yn prysur droi'n eirlaw os nad yn eira ac efallai fod ganddi le i ddiolch mai ar y trên oedd hi wedi'r cwbwl.

Roedd ei phenwythnos hir yn ôl yn y Fenni wedi bod yn un straenus ofnadwy. Roedd yn amlwg o'r eiliad y cerddodd i'r tŷ nad oedd ei thad yn yr hwyliau gorau a'i fod am i'w ferch afradlon gael gwybod hynny. Ofynnodd o ddim byd iddi am ei thaith, am ei gwaith nac am ei bywyd newydd. Doedd o ddim chwaith yn fodlon dweud dim wrthi hi am sut roedd pethau gydag o na pham bod ei hwyliau mor ddrwg.

Bu'n rhaid iddi barablu'n ddi-stop am ei hanturiaethau ei hun er mwyn osgoi cael ei thraflyncu yn y twll du pwdlyd oedd yn ei disgwyl yn yr hen le. Dim ond ar ôl iddi ei faldodi a'i seboni'n ddigywilydd am gwpwl o oriau a'i fwydo â 'swper sbesial' y dechreuodd Aneirin feirioli fymryn.

'Ti'n gwd cwc, Hayley. O'dd hwnna'n ffein iawn.'

'Wel diolch am weud, Dad.'

O synhwyro'r ychydig newid yn ei hwyliau, rhoddodd Hayley gynnig arall arni:

'Be amdanat ti, Dad? Pwy newydd sy 'da ti ffor' hyn? Pwy glecs sy'n sigo'r Fenni?'

Bu saib hir ac ofnai Hayley fod y dyfroedd wedi rhewi eto.

'Ti 'di gweld y papur?' meddai'i thad o'r diwedd.

'Wel, nagw. Sai 'di ca'l cyfle – cwcan swper o'n i,' meddai'n ysgafn.

Aeth Aneirin ar ei union i nôl y papur lleol a'i hwpo o dan ei thrwyn a tharo geiriau'r prif bennawd yn galed â'i fys.

CYNGOR I YSTYRIED CYNLLUN I LEDU FFORDD.

Darllenodd Hayley heb ddeall yr arwyddocâd.

'Ie? Beth yw'r broblem?'

Tynnodd y papur o'i gafael, ei agor a'i roi'n ôl yn ei dwylo. Y tro hwn roedd Hayley yn edrych ar fap gyda llinellau o bob math arno. Am ychydig roedd hi'n methu gwneud rhych na rhawn ohono.

'Fi'n ffaelu gweld lle dwi...'

'Fan hyn, w!' Pwniodd bys Aneirin yn anniddig ar y papur nes bu bron iddi golli gafael ynddo. 'Reit fan hyn. Ma nhw moyn hala hewl newydd reit dros ein penne ni. Ma nhw isie bwrw'r tŷ i lawr.'

Erbyn hyn gallai Hayley weld, a'i chalon yn suddo'n ffast, beth oedd yn yr arfaeth a sut byddai'r ffordd newydd yn sgubo Tŷ Tyrpeg o'r neilltu a hefyd y goedlan fach ym mhen y cae nesa atynt lle byddai hi a Dylan a ffrindiau a chefndryd yn chwarae pan oedden nhw'n blant.

'Ma nhw'n mynd i gwympo'r coed i gyd!' gwichiodd.

'Beth yw'r ots am y blydi coed?' ffrwydrodd ei thad. 'Be amdana i? Beth am 'y nghartre i... dy gartre di a... a Dylan?'

'Sori, Dad... sori, onest. Ma'r holl beth yn ofnadw. Alla i byth â help... dyna dda'th i 'meddwl i gynta.'

Ond rhuai holl rwystredigaeth ei thad am ei chlustiau fel stêm o degell wrth i deimladau a fu dan gêl ers i'w ferch gyhoeddi ei bwriad i ymadael ddechrau'r hydref dasgu ohono mewn un sgwd cynddeiriog.

*

Chware teg iddo, meddyliodd Hayley wrth geisio creu clustog â'i chôt yn erbyn ffenest y trên gan gau ei llygaid ar frics coch tai bach y dynion ar blatfform yr orsaf. Do'dd e ddim wedi gweud lot ar y pryd, nag o'dd? Agorodd ei llygaid a'u cau drachefn. Roedd hi heb gael fawr o gwsg dros y penwythnos, yn poeni am ei thad, yn poeni am y tŷ, yn poeni am y dyfodol, yn cofio'r pethau anodd, yn colli Dylan, yn colli Eddie hyd yn oed, yn colli'r fam nad oedd ganddi fawr o gof ohoni.

Daliai llach geiriau ei thad i'w chwipio. Wrth geisio amddiffyn ei hun roedd wedi'i atgoffa mai ei bwriad wrth fynd i Amwythig oedd chwilio am hanes Dylan. A'r tro yma wrth glywed enw ei fab roedd Aneirin wedi ffromi o'r newydd.

'Er mwyn popeth, Hayley. Ma Dylan wedi mynd. Fe a'th e o'n bywyde ni bymtheg mlynedd yn ôl a hyd yn oed os nag o's dim byd wedi digwydd iddo fe erbyn hyn, dyw e ddim eisie ein gweld ni, nag yw? Neu bydde fe wedi dangos ei wyneb cyn hyn. Nage ti yw'r unig un sy wedi colli yn hyn i gyd, cofia.'

Teimlodd Hayley ias yn mynd drwyddi. Doedd ei thad ddim wedi siarad fel hyn erioed o'r blaen. Ar y dechrau byddai'n dweud pethau cadarnhaol i gynnal y fflam. Bydden nhw'n sôn am Dylan yn eitha aml yr adeg honno, yn awyddus i gadw pethau i ffrwtian. Yn gefn i'w gilydd, yn agos ac yn ffrindiau mawr. Am sawl blwyddyn ar ôl y diflaniad byddai Aneirin i'w weld fel pe bai'n dal i obeithio, fel yr oedd hi.

'Fe alle fe gered miwn drwy'r drws unrhyw ddiwrnod a'r hen wên ddwl 'na ar ei wyneb.'

A dweud y gwir, ar brydiau, Hayley oedd yn poeni am oroptimistiaeth ei thad a hithau fel pe bai'n barotach i dderbyn y caswir tebygol – hyd yn oed os oedd hi'n dal i siarad yn obeithiol. Wedyn, wrth i'r blynyddoedd fynd heibio, bu llai a llai o sôn am Dylan ac yn bur anaml y byddai Aneirin yn cyfeirio ato o gwbwl.

★

Ar ôl i'r bytheirio ostegu, bu tawelwch mawr wrth y bwrdd am sbel wedyn. Y tu allan gallai Hayley glywed rhu'r gwynt drwy frigau noeth y goedlan, y sŵn yn dod â llu o atgofion chwerwfelys yn ôl i'w phen. Ceisiodd feddwl am ffordd o ailgynnau'r sgwrs, ond roedd wedi blino gormod. Roedd fel pe bai'r holl flynyddoedd o ddawnsio o gwmpas y pwnc yn sydyn wedi mynd yn drech na nhw ill dau.

Gwelodd Aneirin fod ei eiriau wedi effeithio arni a bod tristwch mawr yn cymylu ei hwyneb ond roedd yntau hefyd yn analluog i roi pethau'n ôl ar eu hechel yn iawn.

O'r diwedd dyma Aneirin yn dechrau siarad eto.

'Sori, Blod. Dwi'n gwbod nei di byth roi'r gore iddi. Ond rhwng ffaelu gweitho, colli dy fam... a cholli Dylan... dy golli di a nawr mewn peryg o golli'r tŷ i'r *bulldozers*, alla i byth â gweud 'mod i'n obeithiol iawn am ddim byd.'

Roedd ei lais yn dawel ond yn gadarn. Dyn teimladwy oedd Aneirin nad oedd yn ofni colli deigryn, ac roedd wedi colli digon yng ngŵydd Hayley dros y blynyddoedd, ond y tro yma roedd ei lygaid yn sych a'i lais yn gryf.

'Fi'n deall, Dad, fi *yn* deall.'

Fe glirion nhw'r bwrdd gyda'i gilydd a golchi'r llestri heb yngan yr un gair, ond er y diffyg siarad, roedd y colyn wedi'i dynnu o'r cweryla. Fesul gair daeth cymod. Dechreuodd Aneirin ddangos rhywfaint o ddiddordeb yn ei bywyd yn Amwythig a chwerthin am ben ei disgrifiad o ambell gymeriad.

'Watsia di'r Bragi 'ma,' meddai'n hanner o ddifri. 'Ma fe'n swno fel rhyw ddyn gwyllt o'r coed... neu'r iâ, falle.'

'Dwi'n credu y bydda i'n ddigon saff fan'na.'

'O, pam 'ny?'

'Ma fe'n hoyw, Dad.'

'O, iawn. Da iawn... Gwd. O's rhywbeth arall i'w sychu?'

Â'i chefn ato wrth y sinc gwenodd Hayley. O'dd e'n trial yn galed, whare teg iddo fe!

Ar ôl cadw'r llestri aethon nhw drwodd i'r stafell fyw ac aeth Aneirin draw at y system sain a chwilio am rai o'i hoff ddarnau o'i gasgliad opera a dyna lle bu'r tad a'r ferch yn eistedd yn y gwyll yn gwrando ar gampau'r cantorion – angerdd y lleisiau'n tynhau rhwymau oedd wedi llacio dros amser.

★

Dri chwarter awr yn hwyr oedd y trên wrth dynnu i mewn i orsaf Amwythig. Roedd hi'n pluo eira'n eitha trwm erbyn hyn. Tacsi amdani, meddyliodd Hayley. Roedd hi wedi dod â llwyth o stwff ychwanegol gyda hi. Bu rhwng dau feddwl a ddylai hi ddod â chymaint draw, yn enwedig ar ôl gweld yr olwg ar wyneb ei thad pan welodd mor drwmlwythog oedd hi wrth gychwyn ar ei thaith yn ôl.

'Tecstia i. Ffonia i. Mi wna i ffeindo mas aboiti busnes yr hewl 'ma i weld beth yw'r sgôr. Ma yna fenyw yn y gwaith 'da fi sy'n gwbod popeth am bethe fel hyn. Ma'r cynllunie 'ma'n gallu cymryd blynydde, a dim byd yn dod ohonyn nhw yn y diwedd ti'mod.'

'Ie, sbo,' atebodd Aneirin heb argyhoeddiad ac fe wyddai Hayley hefyd fod tynged Tŷ Tyrpeg siŵr o fod wedi'i benderfynu, beth bynnag am unrhyw drefn apelio na phrotest.

Byddai rhaid iddi feddwl o ddifri nawr ai Amwythig oedd ei lle hi wedi'r cwbwl? Yn bendant nid yn y dre yma oedd y lle gorau i roi cefnogaeth i'w thad, ac o gofio popeth, shwt allai hi droi cefn arno fe nawr? Hyd yn oed os na fedrai achub ei gartre, byddai hi am helpu cymaint ag y gallai i esmwytho, beth bynnag fyddai'n digwydd. Roedd hi'n taer obeithio mai dim ond malu awyr oedd y papur lleol a'r Cyngor fel ei gilydd.

Roedd yr holl feddyliau'n corddi yn ei phen, a'i bol yn un crochan o euogrwydd. Roedd ei diffyg penderfyniad yn pwyso'n gas arni a theimlai ychydig yn gyfoglyd.

Roedd sawl trên wedi cyrraedd yr un pryd o Gaerdydd, Aberystwyth a Chaergybi – sefyllfa ddigon tebyg i'r hyn oedd yn digwydd yn ei phen erbyn hyn – ac o ganlyniad roedd yna giwiau mawr yn aros i fynd drwy'r atalfa. Roedd rhywun oedd newydd gyrraedd y giât yn cael trafferth gyda'i docyn ac roedd aelod o staff yn siarad ag o.

A dyna Hayley'n rhewi yn y fan a'r lle.

Dylan oedd o! Dylan, ei brawd, yn y cnawd, yn holliach ac ar dir y byw, reit o'i blaen.

Na... nage Dylan – dyn ifanc yr un ffunud â Dylan – y dyn yn yr ŵyl y llynedd, ife? Ie... Na... Doedd hi ddim yn siŵr ond pwy arall allai e fod?

Erbyn hyn roedd o wedi mynd drwy'r atalfa ac yn cerdded ar hyd y twnnel at gyntedd yr orsaf a'r allanfa i'r stryd. O'i blaen, roedd pâr oedrannus oedd yn methu cael hyd i'w tocynnau ac wedi ymgolli yn y dasg o gael hyd iddyn nhw.

'Esgusodwch fi.'

Bwriodd yn ddiseremoni yn erbyn yr hen ŵr wrth geisio gwasgu heibio. Simsanodd hwnnw ac edrych yn ddryslyd dros ei ysgwydd.

'Un ar y tro,' ceryddodd y swyddog wrth yr atalfa.

'Ond rhaid i mi fynd drwodd! Ma'r dyn 'na...'

'Ma pawb yn gor'od mynd drwodd,' meddai'r un swyddog yn ddigon hwyliog. 'Amynedd bia hi neu byddwn ni yma drwy'r nos.'

Roedd y pâr oedrannus wedi cael hyd i'r tocynnau coll a dyma Hayley'n cyrraedd pen y ciw. Ceisiodd stwffio'i thocyn i'r hafn yn rhy fuan.

'Trïwch eto,' meddai rhywun a derbyniwyd y tocyn gan y peiriant.

Gallai ddal i weld y dyn yn loetran ger mynedfa'r orsaf.

Gwthiodd Hayley drwy farrau'r giât dro a rhedeg orau gallai hi dan bwysau ei holl fagiau ar hyd y twnnel bach, sodlau'n clecian, ei chalon yn curo. Roedd hi am weiddi ar gefn y llanc oedd i'w weld o hyd, bron fel pe bai'n aros amdani wrth danio sigarét y tu allan i'r orsaf. Ond wedyn, roedd wedi mynd.

Erbyn iddi ruthro ar draws y cyntedd a chyrraedd y porth doedd dim sôn amdano. Edrychodd Hayley'n wyllt o'r naill ffigwr i'r llall ymysg y bobol oedd yn tyrru o bob cyfeiriad. Doedd yno neb tebyg i'r dyn ifanc i'w weld. Edrychodd i lawr ar yr holl olion traed yn yr haenen denau o eira oedd yn dechrau setlo dros bob man. Pe bai hi dim ond yn gallu nabod siâp ei esgid...

O mawredd, am syniad hurt!

Safodd yn ei hunfan am ychydig, ei gwynt yn ei dwrn o hyd wrth i fwrlwm y teithwyr ymdawelu o'i chwmpas. Ceisiodd hel ei meddyliau a chael rhyw bersbectif ar beth oedd newydd ddigwydd. Nid Dylan oedd e, yn bendant. Yn ei dri degau fyddai Dylan erbyn hyn a llanc eitha ifanc oedd y boi roedd hi newydd ei weld. Ond doedd dim dwywaith chwaith am y tebygrwydd o ran pryd a gwedd ac osgo. Cofiodd mai fel hyn fuasai hi yn y dyddiau cynnar ar ôl i Dylan fynd. Gweld tebygrwydd ym mhob man, a chael ei siomi bob tro.

Ond roedd hwn mor debyg. Falle taw ysbryd oedd e? Neu rywun yn chwarae cast arni? Ei meddwl ei hun falle? Ac wedyn, ac nid am y tro cynta ers iddi weld y llun ar ei ffôn, dechreuodd amau y gallai'r dieithryn fod yn fab i'w brawd. Bod Dylan wedi aros yng nghyffiniau Amwythig gan dadogi plentyn. Ei nai hi oedd y boi 'ma felly! Yn sicr os mai mab i Dylan oedd e, roedd yn fachan tal am ei oedran, fel ei dad-cu, wrth gwrs...

Safodd yno am sbel o flaen porth yr orsaf gyda'r eira'n graddol gannu ei dillad. O'r diwedd roedd ei meddwl wedi sadio digon iddi roi sylw i anghenion y foment.

Tacsi? Diawl! Dim sôn! Y tyrfeydd diwetha 'na wedi bachu pob un tra oedd hi'n ceisio dal pen rheswm â hi'i hun am y dyn ifanc a'i pherswadio ei hun bod hi ddim yn mynd yn ddwl.

Roedd rhif 'da hi'n rhywle. Yn sydyn roedd hi'n clemio eisiau bwyd. Byddai'n braf pe bai Bragi wedi gwneud gormod o gawl eto heno.

12

Parciodd Bragi Bragasson ei gar Citroën Deux Chevaux coch ar y llain arw ar gyrion y cae lle byddai'r cloddio'n digwydd. Roedd yn fore mwyn iawn, yn rhyfeddol o fwyn o ystyried mai dim ond canol y mis bach oedd hi; yr hin yn wahanol iawn i'r eira a barrug a gafwyd y mis cynt. Yn sicr roedd yr adar fel pe baent yn ffyddiog bod y gwanwyn ar ei ffordd a'u trydar optimistaidd yn llenwi'r awyr. Gyda lwc, pe bai'r tywydd yn dal, byddai'r gwaith cloddio'n gallu dechrau'n weddol fuan.

Roedd Bragi'n ysu am fwrw ati. Nid jyst unrhyw gloddfa iddo oedd hon. Ers tro byd, roedd Bragi'n argyhoeddedig y gallai'r cae hwn â'i domen greigiog drawiadol a swatiai bellach o dan orchudd trwchus o goed ffawydd, ei ddôl eang a'r llethr serth derasog at yr afon ychydig i'r gogledd o Amwythig fod yn safle posibl i hen lys Powys – Pengwern.

Roedd Bragi'n gyfarwydd iawn â'r safleoedd sydd wedi'u hadnabod fel rhai posibl i'r hen lys – Tre-wern ger y Trallwng, safle castell Amwythig ei hun, ond roedd ganddo ryw deimlad yn ei ddŵr, rhyw gosfa gynnes waelodol ynglŷn â'r safle yma nad oedd wedi'i rannu â neb heblaw Mitch.

Wrth gwrs, fyddai byth modd profi dim byd yn bendant. Fyddai neb yn dod o hyd i gapsiwl amser addurnedig o'r seithfed ganrif wedi'i gladdu'n ofalus gan dywysogion Powys neu Fersia rhag ofn y byddai rhyw walch o Northumbria'n digwydd taro heibio i anrheithio a llosgi'r lle'n ulw – fel y bu yn y pen draw.

Roedd Mitch wastad yn cwyno bod Bragi'n rhy hoff o ddefnyddio'i ddychymyg ac nad oedd ei agwedd yn ddigon gwrthrychol a gwyddonol. Nid creu ffantasi nac ategu myth oedd swyddogaeth yr archaeolegydd, dwrdiai, ond pwyso a mesur yn llythrennol y dystiolaeth faterol sydd ar gael. Ond, taerai Bragi, onid y dychymyg yw'r man cychwyn? Y sbardun creadigol i'r holl ysfa i gropian yn y baw a'r llaca hefo brwsh dannedd er mwyn datgloddio ambell ddarn annelwig o ryw jig-so anghyflawn anfeidrol. Onid y dychymyg oedd y llun ar gaead bocs y jig-so?

Gwenodd Bragi'n drist wrth gofio'r dadleuon brwd erstalwm. Roedd Bragi'n dallt y dalltins yn iawn o ran ei alwedigaeth. Gwyddor fanwl yn gofyn amynedd Job oedd archaeoleg a doedd Bragi erioed wedi'i dwyllo ei hun fel arall. Serch hynny, breuddwyd oedd breuddwyd a byddai unrhyw ddarganfyddiadau, pa mor ansylweddol bynnag, a allai gadarnhau bod rhywun yn y cae yma yn ystod dyddiau Pengwern fod yn destun cryn lawenydd personol i Bragi.

Yn anffodus, roedd amser yn brin.

Coleg Mersia oedd biau'r cae yma ac roedd awdurdodau'r coleg yn awyddus iawn, yn wyneb toriadau llym yr oes, i'w werthu i ddatblygwyr o'r enw Wrekin Holdings oedd am godi stad gaeedig o dai drudfawr ar y safle. Hyn a hyn o amser oedd gan yr archaeolegwyr i wneud eu gwaith yn y gobaith o gael hyd i rywbeth digon arwyddocaol i atal y gwerthu a'r datblygu rhag mynd rhagddynt. Digon gwan oedd y gobeithion mewn gwirionedd.

Lleoliad Pengwern oedd obsesiwn Bragi a Mitch, ei ddiweddar bartner a fu farw yn frawychus o sydyn o waedlif ar yr ymennydd bum mlynedd ynghynt.

Yn Amwythig roedden nhw wedi cwrdd – Mitch yn ddarlithydd brwd eithaf ifanc mewn archaeoleg a Bragi newydd ymddeol yn gynnar o swydd gyffelyb yn Adran Archaeoleg Prifysgol Stirling yn yr Alban. Cynhadledd bwysig ar hanes Mersia a'r Gororau oedd wedi'u dwyn at ei gilydd. Gyda'r nos, wrth gerdded ar lan afon Hafren roedden nhw wedi darganfod eu bod ill dau wedi ffoli ar gerddi'r Hen Gymry, ac yn benodol ar gylchoedd englynion Llywarch Hen a Chanu Heledd. Roedd Mitch Owen, a'i wreiddiau ar ochr ei dad yn nwfn ym mroydd y ffin, ar dân dros y pwnc a'i lach yn ddidostur ar y duedd Brydeinig ers canrifoedd lawer i Seisnigeiddio hanes Ynys Prydain. A dyma fu man cychwyn eu perthynas – perthynas a barodd saith mlynedd nes y diwedd disymwth.

Gwyliai Bragi wrth i lwynog loncian yn ddibryder braf ar draws y ddôl wlithog o fewn ychydig lathenni i le pwysai ar y giât. O weld Bragi, stopiodd y cochyn yn ei unfan am ychydig eiliadau i ystyried y ffigwr barfog cyn parhau ar ei hynt hamddenol i'r prysgwydd ar yr ochr draw i'r cae. Ai ysbryd Mitch oedd hwnnw tybed? Yn ystwyth a digynnwrf... paid â bod yn wirion, dwrdiodd ei hun wedyn, wrth i'r creadur ymdoddi'n lledrithiol i'w gynefin.

Dringodd Bragi i ben y giât a llamu drosti'n ddigon gosgeiddig gan lanio yn rhyfeddol o sgafndroed yr ochr draw. Cerddodd ar draws y weirglodd a fyddai'n frith o flodau'r maes ymhen ychydig fisoedd, y gwlith yn ias oer yn erbyn ei goesau noeth, a dilyn y llethr llithrig i lawr at yr afon wrth ochr ogleddol y safle. Wrth ddisgyn, camai dros sawl ponc amlwg ar y llechwedd – olion digamsyniol hen amddiffynfeydd y domen.

Arhosodd yn llonydd am sbel gan obeithio gweld fflach drydanlas glas y dorlan yn saethu dros wyneb y dŵr fel roedd wedi digwydd y tro cynta iddo ymweld â'r safle yng nghwmni Mitch ddwy flynedd cyn ei farwolaeth. Ond doedd dim sôn am y gwibiwr gloyw heddiw a throdd i ddychwelyd at ei gar. Yn sydyn fe ddaliwyd ei sylw gan symudiad yn y coed yr ochr draw i'r clawdd terfyn...

13

'BETH YW'R PENGWERN 'ma? Dwi wedi'i weld e mewn lot o lefydd yma yn Amwythig – enw'r tŷ Pengwern Villa, enw'r hewl sy'n arwain i lawr at yr afon, enw'r clwb cychod a sawl siop a busnes yn y dre.'

Dyna oedd cwestiwn Hayley y noson o'r blaen wrth lymeitian o baned fawr o goffi du oedd wedi'i atgyfnerthu â joch hael o Brennevin – gwirod traddodiadol o Wlad yr Iâ – er mwyn iddi gynhesu go iawn ar ôl ei siwrnai ddiflas ar y trên a cherdded yn drwmlwythog wedyn drwy'r eira i'w llety.

Roedd Bragi wedi agor ei ddrws i'r tap-tap petrus a chanfod Hayley a golwg bur ddigalon arni ar y trothwy, plu eira'n drwch ar ddefnydd tywyll ei chôt. Ddeng munud yn ddiweddarach roedd hi'n dechrau dadmer ac roedd y sgwrs yn llifo unwaith eto.

'A thithau'n dod o Gymru, dylet ti wybod am Bengwern.'

Cododd Hayley ei sgwyddau a thynnu stumiau i ddangos nad oedd ganddi fawr o glem am unrhyw Bengwern.

'Pengwern oedd prif lys Powys.'

'A! Dwi'n gwbod am Bowys wrth gwrs. Ma fy ffrind sy'n byw lawr yr hewl yng Nghrucywel yn byw ym Mhowys.'

'Roedd Powys yn deyrnas fawr a phwysig yn y cyfnod ar ôl i'r Rhufeiniaid adael.'

'Shwt wyt ti'n gwbod gwmint am y pethe 'ma?'

'Mae o fel hobi i mi rŵan. Roedd Mitch yn archaeolegwr, fel

dywedais i wrthot ti noson o'r blaen a finnau'n dysgu'r pwnc am flynyddoedd yn yr Alban ac roedd gan y ddau ohonon ni ddiddordeb mawr mewn hen chwedlau a llenyddiaeth o bob math.'

'O do, fi'n cofio i ti weud.' Cymerodd Hayley lwnc arall o'i diod gan dagu ychydig.

'Mowredd! Ma'r stwff 'ma'n gry.'

'Ma hanes Pengwern yn rhai o hen gerddi'r Cymry. Maen nhw'n drawiadol iawn – yn sôn am amddiffyn y ffin rhag y Sacsoniaid.'

Byddai Dyl wedi bod wrth ei fodd â'r boi 'ma, meddyliodd Hayley.

'Wyt ti'n siarad Cymraeg?' gofynnodd Bragi iddi.

'Nagw... wel, ambell air weithie gyda Dad ac o'dd Mam-gu'n siarad peth 'da fi pan o'n i'n fach, ma'n debyg, ond sai'n cofio lot. O ie, tipyn bach gyda Miss Edwards yn yr ysgol fach 'fyd. Licswn i allu siarad mwy. O'dd Dylan, y 'mrawd, wedi dysgu lot iddo fe'i hun.'

'Fy hoff gerddi i yn y cylch,' aeth Bragi yn ei flaen fel pe bai heb glywed ei hateb, 'ydi Canu Heledd – cerddi am chwaer yn hiraethu am golli ei brawd, Cynddylan. Cafodd o ei...'

Sylwodd Bragi ar newid annisgwyl yng ngwedd y ddynes ifanc. Syllai'n wag o'i blaen a gallai weld bod y mỳg yn crynu yn ei llaw.

'Hayley? Ti'n iawn?'

Atebodd hi ddim. Roedd ei hwyneb wedi gwelwi er gwaetha effaith y wirod a phryd tywyll ei chroen wedi pylu. Yn ofalus iawn, cymerodd Bragi'r mỳg o'i llaw. Bellach roedd yna ddagrau'n dechrau treiglo i lawr ei gruddiau a'i thrwyn. Gosododd Bragi'r ddiod anorffenedig o'r neilltu a chlwydo'n lletchwith ar fraich cadair Hayley. Yn ansicr iawn, rhoddodd un bawen fawr ar ei hysgwydd – teimlai ei law'n anferth o'i chymharu â ffrâm fechan Hayley. Yn hunanymwybodol dechreuodd fwytho'n ysgafn, ysgafn fel cyffyrddiad plu'r eira y tu allan wrth iddynt daenu eu carthen wen dros fudandod hen dre Pengwern.

14

GWYLIAI NAHOM Y cawr yn y cae drwy gil drws yr hen gaban pren. Digon hawdd ei nabod fel y dyn o'r llety gynt, a'i holl flewiach a throwsus bach. Doedd Nahom ddim yn cofio'i enw ond roedden nhw wedi siarad â'i gilydd sawl gwaith wrth iddyn nhw basio ar y grisiau, Nahom yn sgubo'n ddyfal, Bragi ar ei ffordd allan ben bore neu'n dychwelyd fin nos i'w stafell ar y llawr uchaf.

Roedd Nahom yn deall llawer o Saesneg ond yn ei siarad mewn modd digon clapiog. Serch hynny, buasai Bragi'n glên bob amser, gan fynd o'i ffordd i dynnu pwt o sgwrs. Er yn fythol amheus o ddieithriaid a chwestiynau o unrhyw fath roedd Nahom yn croesawu chwilfrydedd y dyn mawr ac wedi mentro rhoi ychydig o dryst ynddo drwy ymateb gorau fedrai i'w ymholiadau.

Roedd Bragi wedi dangos diddordeb mawr yn y ffaith mai o Ethiopia roedd Nahom yn dod.

'Dwi wedi bod yn Axum. Safle archaeolegol gwych. Wyt ti'n nabod y lle?'

Oedd, roedd Nahom yn gwybod am y ddinas hynafol boblog a orweddai ar wastadedd uchel ym mherfeddwlad gogledd Ethiopia.

'Ro'n i yno'n ôl yn y saithdegau – newydd ddod o'r brifysgol ar y pryd. Amser ar fy nwylo ac wedi gwirfoddoli i gario bagiau archaeolegwr enwog o Norwy oedd yn ymwneud â'r gwaith cloddio yno. Profiad anhygoel. Ro'n i'n methu coelio...'

Pallodd llifeiriant y geiriau'n sydyn a daeth rhyw olwg drist i wyneb Bragi.

'Ond yn anffodus,' aeth yn ei flaen a'i lais wedi tawelu ychydig, 'doedd o ddim byd mwy na rhyw helfa drysor a dweud y gwir – fwlturiaid yn smalio bod yn rhywbeth amgenach. Pethau'r cyfoethogion yn unig oedd yn mynd â bryd arweinwyr gwaith cloddio fel'na yr adeg honno. Dim diddordeb yn y bobol gyffredin. Ti'n deall be dwi'n feddwl?'

Nodiodd Nahom. Yn rhy dda roedd Nahom yn deall y gwahaniaeth rhwng y cyfoethog a'r tlawd – rhwng bod â grym a bod heb rym. Ddwy flynedd ynghynt, roedd ei dylwyth wedi colli porfeydd eu gwartheg a'u cynefin traddodiadol ar ôl i gwmni o'r India brynu'r tir oddi wrth wladwriaeth Ethiopia i sefydlu busnes tyfu rhosod.

'Mae ffermwr sydd wedi gwerthu'i dir fel milwr heb ei arfau,' meddai hen ddihareb ei bobol ac nid gwerthu oedd hi yn eu hachos nhw; dwyn neu ladrata oedd hi i bob perwyl. Doedd gan Nahom fawr o awydd tyfu rhosod i gyfoethogion y byd eu prynu allan o'u tymor. Penderfynodd hel ei bac a cheisio ei lwc dros y dŵr – ar ffo, yn chwilio am fyd gwell, am obaith, am ddyfodol... cychwyn ar daith oedd wedi'i ddwyn i ororau Cymru yn y pen draw ac i gysylltiad â Mr Jamie Wray.

Ond, er nad oedd yn llwyr sylweddoli hynny efallai, roedd ffawd wedi bod yn garedig iawn wrtho. Fel y cydnabyddai pawb a ddeuai i gysylltiad â Jamie, doedd o ddim yn ddrwg i gyd.

*

Erbyn hyn gallai weld bod Bragi ar ei ffordd yn ôl i fyny'r llethr yn ddigon hamddenol.

Allai Nahom fyth bod yn siŵr nad oedd y dyn gwyn wedi'i weld. Roedd wedi camu rownd ochr y caban heb feddwl am eiliad y byddai rhywun yn y cae. Roedd wedi dowcio i lawr yn syth a chraffu drwy frigau'r clawdd drain. Ai dim ond dod yno i edmygu'r olygfa oedd o? Doedd dim sôn ei fod am ddod yn nes i gael cip agosach ar beth oedd yr ochr draw i derfyn gogleddol y cae.

O'r diwedd fe'i gwyliodd yn camu dros y giât. Roedd golwg eitha doniol arno, meddyliodd Nahom, yn ei drowsus bach a'i wallt hir gwyn. Gwenodd Nahom iddo'i hun gan fynd yn ôl at hel coed achub tân.

15

Bron â chyrraedd. Edrych ymlaen. S. xxx

DIFFODDODD HAYLEY EI ffôn a'i daro yn ei phoced. Erbyn
hyn roedd hi hefyd yn dechrau edrych ymlaen at weld ei
ffrind. Ychydig ddyddiau ynghynt doedd derbyn neges destun
nodweddiadol frwd gan Sarah yn dweud ei bod yn gobeithio
dod i Amwythig i aros dros y penwythnos ddim wedi bod yn
newyddion o lawenydd mawr i Hayley.

Fel arfer, wrth gwrs, byddai hi wedi bod wrth ei bodd o
dderbyn neges o'r fath ac yn belen o gyffro wrth aros amdani
y tu allan i'r orsaf. Ond roedd ambell beth wedi digwydd yn ei
bywyd yn ddiweddar a olygai nad oedd amseriad yr ymweliad
yn hollol gyfleus. Ond allai hi byth siomi Sarah Hopkins neu
Sarah Doherty fel roedd hi erbyn hyn a hithau wedi priodi
Kelvin, pennaeth y practis milfeddygol lle'r oedd y ddwy wedi
gweithio slawer dydd.

Roeddent yn mynd yn ôl ymhell, ers dechrau'r ysgol
uwchradd. Ar ôl gadael yr ysgol, dyma nhw ill dwy'n glanio
yn yr un lle gwaith. Pan ddiflannodd Dylan, roedd Sarah wedi
bod fel y graig iddi hi ac Aneirin. Byddai Hayley yn ei dyled
am byth am y cyfan a wnaethai.

Sarah oedd wedi'i hebrwng ar y daith emosiynol gynta i
Amwythig yn fuan ar ôl i lun Dylan ddod i'r fei ar y camerâu
cylch cyfyng. Roedd Hayley mewn cyflwr hynod fregus ar y

pryd ond teimlai fod yn rhaid iddi wneud rhywbeth yn hytrach nag aros gartre i ddisgwyl newyddion efallai na fyddai byth yn cyrraedd a bod dyletswydd arni fel chwaer i weithredu.

Yr adeg honno, roedd Hayley wedi teithio i'r dre yng nghwmni Sarah gyda swp o bosteri i'w dosbarthu hyd y lle, gan drampio'r palmentydd a'r holl riwiau a chilfachau hynafol, ynghyd â'r stadau mawr modern ar y cyrion am dridiau, yn holi ym mhob cwr.

Deirgwaith ers hynny roedd Sarah wedi dychwelyd gyda Hayley i Amwythig ar yr un perwyl. Yn raddol wrth iddi ymgryfhau, gallodd Hayley ymweld â'r ardal ar ei phen ei hun ac er y gwyddai nad oedd yn debygol o ddod yn nes at y gwirionedd ynglŷn â'i brawd, roedd defod yr ymweliad blynyddol yn bwysig iddi. O leia roedd Amwythig yn lle dymunol, yn hytrach na'i bod yn gorfod wynebu crwydro strydoedd a stadau dienaid rhyw ddinas ddirwasgedig.

Ond doedd dim dal wrth gwrs nad oedd Dylan mewn dinas o'r fath. Yn Llundain neu Fwdapest neu ymhellach na hynny hyd yn oed. Efallai mai troedio palmentydd gwahanol drefi a dinasoedd yn ofer fyddai ei hanes hi am weddill ei hoes.

Roedd bron deufis wedi mynd heibio ers iddi weld yr un boi a welsai ar ei fideo yn yr union fan lle safai rŵan, yn mynd drwy'r atalfa docynnau – ond dim sôn amdano ers hynny. Roedd Bragi'n ffyddiog y byddai'n siŵr o godi'i ben eto.

'Mae'n amlwg ei fod o'n dod i Amwythig yn rheolaidd. Falla daw o i mewn i Sabrina's Cave ryw fore am latte mawr a bynsan.'

Doedd Hayley ddim yn siŵr mai dyna'r ffordd y byddai'n dymuno cwrdd â'i nai tybiedig. Ond yn awr, Sarah oedd y ffigwr y gallai ei weld yn dod drwy'r atalfa a dyma'r ddwy'n rhedeg at ei gilydd gan gofleidio, dan wawchio'n wyllt yng nghanol llif y teithwyr eraill.

'God! Shwt ma pobol yn gallu trafaelu ar drene bob dydd?' cwynodd Sarah.

'Be? O'ch chi ar amser i'r eiliad, jyst?'

'Ie, sbo. Ond 'se Kelvin heb fynd â'r Audi am MOT, gallen i fod wedi hedfan lan o Grucywel.'

Roedd bydolwg Hayley a Sarah yn wahanol iawn i'w gilydd. Doedd pethau fel ecoleg, cadwraeth, byd natur, newid yn yr hinsawdd, tlodi, trafnidiaeth gynaliadwy, drilio am olew yn yr Arctig, tynged y blaned a materion cyffelyb ddim yn mennu dim ar Sarah. Erbyn hyn roedd Mrs Doherty yn byw mewn clamp o dŷ anghynaliadwy yng Nghrucywel ac yn fam i dri o blant. Ystyriaethau ychydig llai difrifol na rhai ei ffrind oedd yn ganolog i fywyd Sarah – nid nad oedd yn cymryd ei dyletswyddau fel mam yn hollol o ddifri ac weithiau byddai Hayley ychydig yn genfigennus o'i rôl a hynt syml ei bywyd, yn briod â dyn cyfoethog a charedig fel Kelvin a heb orfod poeni ei phen am yr oll a gadwai Hayley yn effro yn y nos.

Wel, roedd Hayley wedi cael y cyfle gydag Eddie, sbo, ac wedi gadael fynd. Roedd hi wedi gwneud ei dewis a glynu wrth ei hegwyddorion.

Egwyddorion? Os oedd hi mor egwyddorol, pam ei bod yn ffrindiau mor agos gyda Sarah â'i holl agweddau di-hid at les yr amgylchedd? Ond roedd yna wahaniaeth rhwng ffrind gorau o ddyddiau'r ysgol a darpar bartner oes a allai fod yn dad i'w phlant. Neu felly yr ymresymai Hayley. Y gwir amdani, roedd cwmni Sarah yn ormod o hwyl i Hayley fod yn orsanctaidd fel'ny.

Er gwaethaf pob gwahaniaeth o ran eu bydolwg roedd

Sarah yn driw iawn, ei haelioni'n ddi-ball a'i chyngor di-lol yn aml yn werthfawr. Odi, meddyliodd Hayley, ma hi'n donig bob amser, a thros y blynyddoedd roedd yr hen rwymau heb lacio fawr ddim.

'Lle ti'n mynd â fi gynta? Y Sabrina's Cave 'ma? Dwi jyst â marw eisie coffi go iawn. O'dd y stwff ar y troli'n ofnadw.'

'Na. Alla i ddim mynd â ti i fan'na,' baglodd Hayley.

'Pam lai?'

Stopiodd Sarah ac edrych ar Hayley â'i llygaid mawr brown.

'So ti wedi ca'l y sac yn barod? Neu bwy sy 'da ti'n cwato yno?' prociodd.

'Neb,'

'Pwy yw e?'

'Wel, nid fe sy ar fai.'

'Ar fai?'

Doedd hyn ddim yn ddechrau da i'r penwythnos arfaethedig o hwyl â hen ffrind.

'Shgwl, awn ni i'r caffi dros yr hewl, ma fe'n neis, a soffa fawr 'da nhw lawr stâr a fydd ddim lot o bobol aboiti yr amser 'ma,' meddai Hayley gan lywio ei ffrind gerfydd ei braich at ymyl y palmant wrth ddod i fyny o fuarth yr orsaf.

'Shwt ma Kelv a'r plant?'

Ond doedd dim modd bwrw Sarah oddi ar drywydd unrhyw sôn am ramant ym mywyd ei ffrind ac wrth i'r cappuccinos gyrraedd y bwrdd, dyma hi'n holi eto:

'Gwed wrtho i, Hayls, pwy yw e?'

Ystyriodd Hayley yr ewyn a'r sgeintiau siocled ar ben ei dishgled cyn ymateb.

'Iawn... Ozi yw ei enw fe, ocê?' meddai gan godi'r gwpan at ei min.

Ond roedd angen mwy o gig ar yr esgyrn i fodloni'i ffrind.

'Odi e'n hynach neu'n iau? Priod? Wedi sgaru? Sengl? Traws? Plant? Mewn gwaith? Mas o waith. Lle gwrddoch chi? Shwt siâp sy arno fe yn y gwely?'

O Iesu, do's dim stop arni nawr, meddyliodd Hayley.

'Fe yw'r cwc newydd yn Sabrina's Cave.'

'Dyn sy'n galler cwcan. Da iawn. Ers faint y'ch chi'n mynd mas â'ch gilydd?'

'Ni ddim yn mynd mas, reit?! Ddim fel'na eniwê. Ni'n dechre mynd yn ffrindie – 'na i gyd. Ma fe'n foi diddorol iawn, ond sai'n siŵr... Ma fe lot hŷn na fi... Wel, dim lot... Wel, sai'n gwbod. Ma fe'n Gymro beth bynnag.'

'Jiw-jiw! O ble?'

'Croesoswallt.'

Ystyriodd Sarah.

'Odi Croesoswallt yng Nghymru 'te?'

'Ar y ffin. Ma lot o Gymry yn byw 'no, yn ôl Ozi. Wel, Osian yw ei enw iawn ond Ozi ma pawb yn ei alw fe. Ma fe wedi bod dros y byd i gyd. O'dd e ar y môr am sbel a lan ar yr oel rigs yn Sgotland am flynydde.'

'Am flynydde? Felly, so fe'n *toy boy* 'te? Fe awn ni i weld e ar ôl bennu'r cappuccinos 'ma ife?'

'Na!'

'Na? Pam lai? Beth yw'r broblem? Odi e'n sobor o salw neu rywbeth?'

Weithiau gallai Sarah fod yn boen.

'Ma fe'n fachan digon teidi, diolch yn fawr, ond fi sy wedi cawlo pethe braidd. Fe wnes i gymryd heddi bant sy'n golygu bydd yn rhaid i fi weithio dydd Mercher nesa pan ma diwrnod bant i fod 'da ni'n dou ac o'dd e'n mynd i ddangos Clawdd Offa i fi.'

'Www, dangos Clawdd Offa, ife? Be arall sy eisie ar y fenyw fodern, gwed?'

'Ni wedi trefnu'r peth ers sbel. O'dd e ddim yn hapus iawn pan wedes i bo' fi'n cwrdd â ti heddi ac yn ffaelu cymryd dydd Mercher wedyn.'

'Wel, bydd e'n brawf bach iddo fe.'

'Be ti'n feddwl?'

'I weld a yw e'n rili lico ti. Neu jyst 'hwant amrwd yw e.'

Atebodd Hayley ddim, a chymryd llwnc arall o'i choffi. Roedd Ozi'n fyw iawn yn llun ei meddwl. Oedd, mi oedd o wedi hawlio tipyn o'i sylw'n ddiweddar a doedd hi ddim yn gwerthfawrogi coegni ei ffrind, er y gwyddai mai gorgyffro oedd wrth wraidd ei sylwadau. Newid pwnc amdani.

'Ti 'di gweld Dad yn ddiweddar?' gofynnodd.

'Welais i fe yn y dre echdoe.'

'Shwt o'dd e?'

Cododd Sarah ei sgwyddau.

'Wel, dyw e ddim yn ddyn hapus y dyddie hyn, nag yw e? Rhwng busnes yr hewl newydd a tithe wedi hel dy bac.'

Oedd yna dinc o feirniadaeth yn llais ei ffrind? Damo – roedd hi wedi bod yn gefnogol iawn i'r syniad o'r blaen, un o'r rhai mwya cefnogol. Mae'n hen bryd i ti weld y byd oedd mantra Sarah amser 'ny. Ond doedd Hayley ddim yn siŵr bellach. Draeniodd ei choffi wrth i ryw ddistawrwydd lletchwith anarferol setlo rhyngddyn nhw. A'i hwyliau'n gwywo'n sydyn, chwiliodd Hayley yn ofer am rywbeth i aildanio'r sgwrs ond yr unig beth a ymrithiai yn ei phen oedd wyneb rhadlon Ozi ac atgof cyfarwydd eu cyfarfyddiad cyntaf...

*

Roedd y cogydd newydd wedi gwneud argraff arni o'r cychwyn cynta ychydig wythnosau ar ôl iddi ddechrau gweithio yno.

'Alla i helpu?' meddai, wrth i Hayley geisio gwthio drws y gegin yn agored â'i phen ôl, pentwr o lestri budron ar hambwrdd gorlawn yn bygwth llithro i'r llawr.

'O, diolch.'

Dyma law ac arni datŵ o'r Ddraig Goch a llawes glaearwen gwisg cogydd yn ymestyn dros ei hysgwydd i ddal y drws trwm yn agored iddi. Aeth Hayley draw at un o gownteri'r gegin a gosod yr hambwrdd arno'n ofalus.

'Llwyth menyw ddiog,' meddai gan droi i wynebu ei hachubwr. 'O'n i'n meddwl bo' fi'n mynd i gwmpo'r cwbwl lot fan'na.'

'O ba ran o Gymru wyt ti'n dod?' gofynnodd y cogydd a gwên braf ar ei wyneb. O, am wên hyfryd, meddyliodd.

'Yw e mor amlwg â 'ny?'

Sgwn i beth yw ei oedran, meddyliodd – pedwar deg, pedwar deg pump efallai? Ma fe mewn cas cadw da, ta p'un.

'Mae fel chwa o awel iach yn y lle 'ma.'

Edrychodd Hayley arno, ychydig yn ansicr beth oedd ganddo dan sylw. Nododd yr aeliau duon cryfion ac ambell gudyn o wallt tywyll yn ymwthio o dan rimyn ei het cogydd. Daliai i wenu ac wedyn sylwodd Hayley ar y llaw oedd yn cael ei chynnig iddi. Sychodd ei dwylo hithau ar ei brat a chydio ynddi. Llaw eitha bach ond synnai ei bod mor lledraidd – ddim yn annymunol ond nid beth fyddai rhywun yn disgwyl o law cogydd.

'Ozi,' meddai.

'O... ym, Hayley. Ti yw'r cwc newydd, ife?' gofynnodd gan ollwng ei gafael.

A dyna sut dechreuodd pethau. Bydden nhw'n ffeindio cyfle

i sgwrsio am ryw hyd bob diwrnod ar ôl hynny, gan rannu eu hawr ginio gwpwl o weithiau mewn sgwâr bach anghofiedig heb fod ymhell o Sabrina's. Yn dysgu ychydig mwy am ei gilydd bob tro. Roedd Hayley yn ofalus iawn o ran faint a ddatgelai amdani ei hun a synhwyrai fod Ozi hefyd yn dal yn ôl er ei fod yn ddigon agored ar yr wyneb.

Ond buan iawn y sylweddolodd Hayley fod yna ryw gemeg ar waith a phan awgrymodd Ozi ei fod yn dangos Clawdd Offa iddi, ar ôl sawl darlith fach am ei arwyddocâd, cytunodd yn syth, yn hapus dros ben bod pethau'n symud i'r cyfeiriad iawn.

Roedd smonach y trefniadau a'r gohirio'n siom iddyn nhw ill dau ac wedi'i bwrw'n fwy oddi ar ei hechel nag y byddai wedi disgwyl efallai.

*

'Hayls, ti'n delwi.'

Torrodd llais Sarah ar draws ei breuddwydio.

'C'mon, 'na ddigon o hiraethu am dy gariad esgus. Penwythnos i ni'n dwy yw hon. Mi gei di boeni am wneud iawn 'da Ozi'r *chef* ar ôl i fi fynd.'

Heb fawr o awydd, cododd Hayley a dilyn ei ffrind drwy ddrws y caffi. Er gwaetha'r heulwen wanwynol a drochai'r strydoedd, teimlai Hayley dan dipyn o gwmwl. Hyd yn hyn, doedd y penwythnos ddim yn argoeli'n sbesial.

16

Fel arfer, nid un i weithio ar y Sul oedd Jamie Wray, ond doedd ganddo ddim dewis heddiw, roedd problemau wedi codi.

Yn gyntaf, roedd newydd glywed gan Goleg Mersia hwyrach y bydden nhw'n ailystyried gwerthu'r tir ger yr afon iddo, gan fod lle i amau bod safle o bwysigrwydd archaeolegol neilltuol i'w ganfod yno. Ers faint oedd y diawliaid yn eistedd ar hyn, tybed? Peryg mai rhyw ystryw i godi'r pris oedd hyn a bydden nhw rywsut yn cytuno i hepgor yr angen am ymchwiliad archaeolegol pe bai yntau'n cynnig mwy o bres. Roedd rhaid iddo bwyso a mesur yn ofalus. A ddylai ddal ati hefo'i gynlluniau ar gyfer y safle yma ger yr afon neu roi mwy o sylw i'r cae arall ger pentre Cressage – eto ar lan afon Hafren ond ar dir oedd yn debycach o fynd dan ddŵr pe bai glawogydd mawr.

Ac wedyn roedd yr helynt neithiwr yn Wem. Gobeithio y byddai'r ddau oedd yn yr ysbyty'n ddigon call i bledio amnesia neu anwybodaeth lwyr am ble'r oedden nhw'n gweithio ac yn aros. Gobeithio y byddai'r bachgen o Ethiopia'n cadw'i ben i lawr hefyd gyda chymaint o weision Asiantaeth y Ffiniau'n s'nwyro ym mhobman.

Ochneidiodd Jamie a rhedeg ei ddwylo dros ei wyneb.

Yn aml deuai Jamie i Sabrina's Cave fel hyn pan oedd y lle ynghau er mwyn dianc rhag helbulon ei fyd ac i gael hel meddyliau. Yng nghefn yr adeilad a'r ffôn wedi'i ddiffodd, fe gâi lonydd. Yn sŵn cerddoriaeth y Grateful Dead a gwynt olew *patchouli* a sbeisys y siop yn gymysgedd meddwol drwy'r lle, gallai ymlacio ychydig.

Roedd Jamie yn ffond iawn o Sabrina's Cave, menter oedd yn talu gwrogaeth i'w gefndir hipïaidd yn y saithdegau a'r delfrydau a goleddai ar y pryd – rhywbeth oedd yn wahanol iawn i'r holl fentrau eraill y rhoddai ei sylw iddynt, lle mai gwneud pres oedd yr unig ystyriaeth ac nad oedd cydymffurfio â'r gyfraith bob amser yn fater o drefn.

Dipyn o Ianws oedd Jamie Wray – duw dauwynebog yr hen Rufeiniaid, y naill wyneb ar y gorffennol a'r llall ar y dyfodol. Dyn oriog ar y naw, heb na theulu na chyfeillion agos. Yn fab i yrrwr bws o Croydon, ar ôl gadael yr ysgol yn un ar bymtheg cafodd Jamie yrfa fer yn yr heddlu gan ennyn clod am ei lwyddiant yn y frwydr yn erbyn cyffuriau a gangiau'r East End cyn troi'n hipi.

Roedd rhyw ddeuoliaeth ryfedd yn perthyn i'w gymeriad. Ar brydiau, gallai Jamie Wray fod yn feddal, yn garedig ac yn gymwynasgar, neu ar yr esgus lleiaf troai'r cwbwl ar ei ben a byddai'n ymddwyn mewn ffordd hollol hunanol, di-ffeind a diegwyddor. Doedd dim dal.

Diffoddodd y gerddoriaeth ac edrych ar yr amser ar ei ffôn. Chwarter i chwech. Dylai Ajit Singh fod yma unrhyw funud. A'r eiliad nesa clywodd wich y drws ochr yn cael ei wthio'n agored. Chwarae teg, mor brydlon ag erioed. Dyn da oedd Singh, rhaglaw ffyddlon yn y busnes, neu *gangmaster* gan ddibynnu ar eich safbwynt.

Aeth amser heibio a dim sôn bod y *sikh* yn dod tua'r swyddfa. Allai Jamie ddim clywed yr un smic yn unman. Cododd ac aeth allan o'r swyddfa a gwrando'n astud.

Oedd, mi oedd 'na rywun yn y caffi. Be gebyst oedd Singh yn ei wneud yn fan'no?

Cerddodd ar hyd y coridorau tywyll yn nhraed ei sanau, wedi tynnu'i sgidiau ar gyrraedd y swyddfa ynghynt yn y prynhawn, gan arafu'i gam wrth nesáu at y drws i'r caffi. Yn bendant roedd rhywun yno. Codai'r blewiach ar ei war – roedd fel yr hen ddyddiau pan oedd yn y Met yn taclo'r taclau yn yr East End. Hyrddiodd y drws yn agored a chamu drwodd i'r caffi yn barod am ffeit.

'O!'

'O! Hayley? Be ti'n neud 'ma?'

'O... o, dwi wedi colli clustlws ac o'n i'n digwydd mynd heibio a gweld y drws ochr yn gilagored a meddwl falle fydden i'n tsieco bo' fi ddim wedi'i golli fe fan hyn. Sori os hales i ofon arnat ti.'

'Na, disgwyl rhywun arall o'n i...'

Saib.

'Gest ti afael yn y tlws?'

'O, na. *Long shot* o'dd hi.'

Saib lletchwith arall. Rhaid i mi fynd o 'ma, meddyliodd Hayley, so fe'n credu gair a sai'n beio fe.

'Wel, mi wela i ti fory falle. S'long.'

Trodd a mynd heibio i Jamie ac allan drwy'r drws ochr.

Ar unrhyw adeg arall, byddai Jamie wedi achub y cyfle i siarad â Hayley, i gynnig paned iddi, i ofyn iddi a oedd hi'n leicio'r Grateful Dead? Digon teg, roedd Jamie yn ffansïo'r Gymraes yn arw, a phryder mawr iddo oedd bod Ozi Bryce, y cogydd newydd, hefyd yn ei chael yn ddeniadol ac roedd hwnnw'n cael lot mwy o gyfle i ymwneud â hi bob dydd yn y gwaith. Doedd Jamie ddim yn hapus yn gorfod gadael iddi fynd fel hyn ond byddai Singh yma unrhyw funud.

Â'i phen i lawr, rhuthrodd Hayley o'r caffi. Erbyn hyn roedd yn teimlo'n giami iawn, ei noson fawr gyda Sarah yn dechrau dala lan o ddifri. Roedd chwys yn pigo'i thalcen ac ofnai ei bod am chwydu dros y lle i gyd unrhyw funud os na allai gyrraedd yr awyr iach mewn pryd.

Ychydig lathenni i lawr yr allt a arweiniai heibio i'r fynedfa i'r caffi a hithau'n llowcio llond ei sgyfaint o awyr iach wrth frwydro i gadw rheolaeth ar gynnwys ei stumog, bron na fwriodd hi i mewn i ffigwr tal oedd yn brasgamu i fyny'r ale i gyfeiriad y caffi. Ymddiheurodd Hayley a chamu yn ei blaen ac yna clywodd lais Jamie yn arthio o'r tu mewn:

'Dylan! Be wyt ti'n da 'ma? Lle ma Ajit?'

Dylan?

Trodd Hayley a gweld yr un llanc ifanc a welsai yn yr orsaf ddeufis ynghynt ar fin mynd i mewn i'r caffi.

'Dylan!' ceisiodd weiddi ond llyncodd yn lletchwith gyda rhyw grawc digon gwantan yn dianc o'i gwddf. Clywodd y bachgen ei llais a hanner troi'n ansicr. Roedd yn ddigon agos i Hayley gael gweld yn glir mai'r un boi oedd o, a'r tebygrwydd rhyngddo a'i brawd coll yn amlwg.

'Ty'd yma, y mwnci pric,' mynnodd llais Jamie'n fwy blin byth o'r adeilad a throdd y llanc i ffwrdd unwaith eto.

Dechreuodd Hayley symud yn ôl i fyny llethr yr ale tuag ato ond roedd Dylan eisoes wedi ufuddhau i'r gorchymyn gan groesi'r trothwy ac erbyn i Hayley gyrraedd y drws roedd y bachgen wedi diflannu i berfeddion ogof Sabrina.

17

DAN GYSGOD PONT y Saeson arafodd Hayley ei cham o'r diwedd. Daliodd ei dwylo yn erbyn ei thalcen dan riddfan drwy'i dannedd. Teimlai'n wirioneddol dost erbyn hyn ac ni fedrai atal y cryndod a âi drwy bob rhan o'i chorff. Dawnsiai ei meddyliau fel pryfed tân yn ei phen, ond roedd effeithiau cyfeddach y noson cynt yn amharu ar ei gallu i gael unrhyw drefn arnynt.

Ddylai hi fynd yn ei hôl? Wrth gwrs y dylai, ac aros y tu allan i'r caffi nes i Dylan ddod allan. Heb os, roedd yr ysbryd yn barod, ond am y tro roedd y cnawd yn wan. Eisteddodd ar fainc oedd yn dal yn llygad yr haul, ei hanadl yn crynu yn ei gwddf o hyd. Caeodd ei llygaid a cheisio rheoli'r pwys oedd yn bygwth peri iddi gyfogi. Aeth tipyn o bobol heibio iddi ac er ei bod yn amlwg bod rhywbeth yn bod, ni thrafferthodd neb holi a oedd hi'n iawn neu oedd angen help arni.

O'r diwedd ciliodd y pwys a dechreuodd deimlo ychydig yn well. Edrychodd ar ddyfroedd gwyrdd afon Hafren wrth iddynt lifo'n bwrpasol dan fwâu'r bont. Roedd eu gwylio'n lleddfu rywfaint ar y pryder a deimlai.

Rhaid iddi fynd yn ôl. Doedd dim amheuaeth ganddi bellach fod y dyn ifanc yma'n perthyn iddi – siŵr o fod yn nai iddi. Roedd yr holl dystiolaeth o ran pryd a gwedd yn cael ei hategu gan yr enw. Dylan.

Debyg iawn i'r bachgen yma gael ei enwi ar ôl ei dad. Dyma

sut y cedwid dilyniant teuluol erstalwm ond, yn yr unfed ganrif ar hugain, roedd yn fwy tebygol o fod yn ffordd o gofio neu o goffáu'r tad. Unwaith eto roedd Hayley yn gorfod wynebu'r caswir tebygol bod Dylan wedi marw. Dyma syniad roedd hi wedi dygymod ag o droeon dros y blynyddoedd ond bob tro byddai ei phenderfyniad i dderbyn hyn yn cael ei danseilio gan ryw obaith annileadwy. Fel hyn byddai pethau nes iddi gael gwybod unwaith ac am byth nad oedd Dylan ar dir y byw ac na fyddai'n ei weld byth eto.

Roedd yr haul ar fachlud pan gododd hi o'r fainc ger yr afon a dechrau ar ei hynt tua Wyle Cop a'r ale a arweiniai at Sabrina's Cave. Roedd hi wedi magu digon o blwc i fartsio'n dalog braf at y drws heb beryg y byddai'n newid ei meddwl – ond o gyrraedd y fynedfa, roedd y lle mewn tywyllwch a dim arlliw o neb ar ei gyfyl.

Cnociodd yn galed.

Dim ateb.

Cnocio eto.

Dim byd. Ochneidiodd yn ddiamynedd a chamu'n ôl i edrych i fyny ar y ffenestri tywyll yn rhan ucha'r adeilad, rhag ofn bod rhywun yn llechu yn un o'r swyddfeydd.

Yn sydyn, dyma ei ffôn bach yn crynu yn ei phoced. Cythrodd ynddo'n awtomatig.

Tecst gan Sarah:

Diolch am bopeth. Lot o hwyl. Gest ti afael yn Ozi wedyn? S xxxx

O, dim nawr Sarah, meddyliodd – ond o leiaf roedd y tecst yma'n rhywbeth i dynnu ei sylw yn anterth ei siom.

Joio mas draw. Diolch am ddod lan. Dim sôn am Ozi ond...

Oedodd ac yna dileu'r 'ond'. Doedd hi ddim yn barod i sôn

am y dieithryn, neu'r 'nai' fel y meddyliai amdano erbyn hyn nes iddi roi gwell trefn ar bethau yn ei phen.

Cofia fi at Kelvin, a Dad os byddi di'n gweld e. H xx

Trodd a mynd yn ôl i lawr yr ale'n arafach ei cham nag ar y ffordd i fyny o'r bont gynnau fach gan fynd dros ddigwyddiadau'r pedair awr ar hugain diwethaf yn ei meddwl.

Ar ôl y dechreuad sigledig, roedd hi a Sarah wedi cael amser da. Doedden nhw ddim wedi codi'n fuan iawn y bore hwnnw. Y noson cynt, ar ôl pryd o fwyd gwerth chweil, roedden nhw wedi ymneilltuo i dafarn fach yng nghanol y dre, yn llowcio peintiau o Shropshire Lad tan hanner nos cyn ymlwybro'n feddw braf yn ôl i Pengwern Villa.

Aethai Hayley i gnocio ar ddrws Bragi er mwyn ei gyflwyno i Sarah ond doedd dim arlliw o fywyd yn ffau'r arth fawr flewog ac felly dychwelodd y ddwy i stafell Hayley i orffen gweddill y gwin a ddechreuwyd y prynhawn cynt.

Wrth ffarwelio â Sarah y tu allan i'r orsaf, penderfynodd Hayley y byddai hi'n ceisio chwilio am Ozi. Roedd y caffi yn agored tan amser cinio ar ddydd Sul a hwyrach y byddai'r cogydd yn dal i fod yno'n cael trefn ar y gegin erbyn yr wythnos ganlynol. Efallai gallen nhw gael sgwrs, mynd am baned neu ddiod – er doedd blewyn y ci ddim yn apelio ati ryw lawer bryd 'ny – er mwyn tawelu ei phryder ynglŷn â'r cawlach a wnaethai o ran y trefniadau ar gyfer eu diwrnod bant.

Ond, ar ôl yr hyn oedd newydd ddigwydd, doedd hi ddim yn poeni am Ozi na gweld Clawdd Offa bellach – roedd pethau felly wedi'u disodli gan ymddangosiad y nai. Beth yn union oedd hwnnw'n ei wneud yn mynd i Sabrina's i gwrdd â'r rhacsyn Jamie Wray 'na? Wel, doedd o ddim yn rhacsyn i gyd chwaith. Roedd o wedi siarad â hi'n ddigon deche sawl gwaith a gallai hi ddygymod â'i fflyrtian o fewn rheswm. Ond rywsut roedd pawb yn ei weld o'n *well dodgy*.

Gan Blitz roedd hi wedi cael peth o hanes brith Mr Wray. Yn ôl pob sôn, adeg Operation Julie yn ôl yn y saithdegau, plismon cudd oedd Jamie Wray. Ymgyrch gan yr heddlu oedd Operation Julie i ddryllio cynllun uchelgeisiol yng nghanolbarth Cymru i gynhyrchu digon o LSD i chwythu pennau hanner poblogaeth y wlad. Gerfydd croen ei ddannedd roedd Blitz ei hun wedi dianc o rwyd yr awdurdodau mae'n debyg – ond stori arall oedd honno.

Roedd y Ditectif Sarjant James Wray wedi cyfeiliorni oddi ar lwybr cul ei ddyletswyddau plismona. Cymaint roedd y bywyd amgen ym mwynder Maldwyn wedi'i swyno nes iddo gael tröedigaeth – ond nid yn null yr hen saint!

Ar ôl distawrwydd hirfaith anesboniadwy o du un o'u swyddogion cudd yng nghyffiniau Carno, roedd penaethiaid yr heddlu'n dechrau ofni bod DS Wray wedi syrthio'n sglyfaeth i'r dynion drwg ac roedden nhw'n disgwyl darganfod ei gorff rywle yn y fro. Ond, er mawr syndod iddynt, yn y pen draw pan aed ati o ddifri i chwilio amdano, cafwyd hyd iddo'n fyw ac yn iach ac yn nofio'n noethlymun mewn nant ddeiliog yn y mynyddoedd ger Llawr-y-glyn a dwy fenyw ifanc, iach iawn eu golwg o'r Almaen yn gwmni iddo.

'Bu'r Glas yn ofalus iawn i gadw'r caead yn dynn ar y stori,' meddai Blitz wrth lusgo sached o datw drwodd i'r siop.

'A'th e i'r jêl?' holodd Hayley.

Sgrytiodd Blitz ei sgwyddau.

'Dwi'n amau,' meddai. 'Cafodd ei daflu allan o'r heddlu wrth reswm, ond dwi ddim yn gwybod a oedd 'na unrhyw gosb arall.'

'Ma fe'n anodd credu, on'd yw e?' meddai Hayley.

Chwarddodd Blitz.

'Ond ma digon o rai tebyg. Gadael y ffôrs dan gwmwl ond yn dod i'r fei wedyn yn ddigon cysurus eu byd.'

'O ble ma fe wedi ca'l ei arian 'te?'

'Digon o heyrn yn y tân a chysylltiadau yn y mannau sy'n cyfri; boi digon craff ydi o a digon slei 'fyd.'

'Be arall ma fe'n neud?'

'*Wheelings 'n dealings* – tai, tir… twyll.'

'Ych y fi! Dwi ddim yn siŵr os dwi isie dim byd i neud ag e o gwbwl. Falle 'se'n well 'sen i'n ffindo jobyn arall a rhywle gwahanol i fyw.'

'Ond nid dyna'r stori i gyd, cofia…'

A daeth cwsmer at yr adran lysiau a bu'n rhaid i Blitz ddawnsio tendans am sbel ac am y tro chafodd Hayley ddim siawns i'w holi ymhellach.

*

Wrth iddi ymlwybro tuag at ei lety ac adladd y noson cynt yn powndio yn ddi-baid yn ei phenglog, dechreuodd bigo bwrw. Ryw bum munud a byddai hi gartre, meddyliodd. Gartre?! Am ffordd ryfedd o synio am Pengwern Villa. Ond mewn ffordd doedd ganddi nunlle arall y gallai alw 'cartref' arno erbyn hyn. Roedd hi wedi cefnu ar ei hen gynefin; wedi torri'n rhydd wrth ymateb i'r ysfa i gael gwybod y gwir am ei brawd. Ai dyna'r unig gymhelliad tybed, neu hwyrach bod yna fwy byth o ysfa i dorri ei chwys ei hun yn y byd ac ymddihatru o'r gorffennol.

Ond y prynhawn yma, doedd ei bywyd newydd amgen yn Amwythig ddim yn teimlo'n arbennig o ddymunol ac fe'i cafodd ei hun yn dyheu am fynd yn ôl i rych ei hen ffordd o fyw yn y Fenni, i ofalu am ei thad, joio 'da Sarah a'r lleill ac ymladd y rhai oedd am ddymchwel Tŷ Tyrpeg – neu hyd yn oed ceisio adennill ei lle yng nghesail Eddie Hewitt ac ymuno ag o yn y ddinas fawr ariangar a bod yn wraig fach ufudd am weddill ei bywyd heb orfod ffurfio barn am ddim byd.

Na, *no way*, meddyliodd yn syth, er gwaetha'r cur pen, y gawod drom a'r holl ansicrwydd a hiraeth a gronnai yn ei bol.

P'un bynnag, meddyliodd wrth droi i'r ffordd lle safai Pengwern Villa, rhaid cysgu nawr. Roedd hi'n hollol *knackered* erbyn hyn. Teimlai'n gyfoglyd eto ac roedd ei llwnc yn grimp a'i llygaid yn cau'n ddigymell a'r cur yn ei phen yn hollol ddi-ildio. Gwely amdani yn syth ar ôl mynd i mewn neu byddai fel clwtyn yn y siop bore fory.

Wrth iddi droi i rodfa Pengwern Villa crynodd y ffôn yn ei phoced.

'Dim nawr Sarah, sori,' mwmiodd yn uchel.

Peidiodd y curiad a diffoddodd Hayley y ffôn.

18

'PWY OEDD HONNA? Welaist ti'r ddynes 'na allan yn yr ale?' gofynnodd Dylan, y nai.

'Dim o dy fusnes di, washi. Lle mae Ajit?' gofynnodd Jamie wrth gerdded yn ôl drwy'r siop tua'r swyddfa.

"Na'th hi alw Dylan arna i.'

"Lle mae Ajit?"

'Allwn i daeru 'mod i wedi'i gweld hi o'r blaen...'

'Dylan, ateba'r ffycin cwestiwn, 'nei di? Lle mae Ajit Singh?'

Y tro hwn roedd y min ar y llais yn mynnu sylw.

'Mae'n ofni bod rhywun yn gwylio'i fflat.'

'Fel pwy?'

Cododd Dylan ei sgwyddau'n ddidaro.

'Asiantaeth y Ffiniau? Heddlu? MI6? Be ffwc dwi'n gwbod? Mae o'n meddwl eu bod nhw'n tapio'i ffôn hefyd.'

Cerddodd Jamie yn ôl o'r siop tuag at ei swyddfa gyda Dylan yn ei gysgod. Wrth fynd i mewn trodd Jamie i wynebu'r llanc.

'Ti 'di clywed mwy am yr helynt yn Wem?'

'Rhai o'r hogia o Albania yn poitsian efo genod lleol a'r joscyns yn cymryd yn eu herbyn a chwpwl o'r Albaniaid yn cael ail yn y cwffio ac yn gor'od mynd i'r sbyty – diwedd y stori. Do'n nhw ddim wedi'u brifo'n wael, dwi ddim yn meddwl.'

'Ti'n meddwl fyddan nhw'n cadw'u cegau ar gau?'

Cododd Dylan ei sgwyddau eto. Cerddodd Jamie y tu ôl i'w ddesg gan syllu'n gas ar y bachgen. Dechreuodd Dylan anesmwytho.

'Fysan nhw ddim eisio sbragio ar eu cyd-wladwyr, na fysan?' meddai'n drwsgwl. 'Fysa neb eisio bod rhywun o'r criw 'na am ei waed, na fysa? Digon milain ydi rhai ohonyn nhw. Ond ma'n dibynnu be sy'n cael ei gynnig iddyn nhw, tydi?'

Bu saib.

Yn sydyn, dyrnodd Jamie y ddesg yn ddiamynedd. Yn ofer ceisiodd sythu pentwr o bapurau cyn iddynt lithro i'r llawr yn sgil yr ergyd. Collodd y dydd a sisialodd y papurau yn osgeiddig dros y dibyn. Rhegodd Jamie a dechrau eu hel. Safodd Dylan yn ei unfan heb godi'r un bys i'w helpu.

Ac yntau'n barod i roi ram-dam i'w chofio i'r cotsyn bach haerllug a safai o'i flaen, oedodd Jamie wrth weld rhywbeth yng ngwedd y bachgen oedd yn gyfarwydd. Rhywbeth roedd heb sylwi arno o'r blaen. Sut? Pwy? Pryd? Roedd hen gyneddfau'r ditectif yn dal i gyniwair er iddo gael ei ddiswyddo o waith plismona bron i ddeg mlynedd ar hugain yn ôl.

Roedd Dylan yn ymwybodol bod Jamie yn syllu arno mewn ffordd od braidd.

'Be? Be sy rŵan eto?' heriodd.

'Dim byd,' meddai Jamie gan ailosod y papurau mewn pentwr yr un mor simsan ag o'r blaen.

'Reit, bacha hi, yn ôl o ble ddest ti a deuda wrth Singh 'mod i eisio ei weld o yma hyd yn oed os ydi'r CIA yn campio yn yr ardd.'

Gadawodd Dylan y swyddfa heb yngan yr un gair. Doedd o ddim yn edrych ymlaen at drosglwyddo'r neges i Singh. Un garw oedd Ajit. Roedd pawb yn ei ofni. Yn enwedig y criwiau o dramorwyr a weithiai dan ei oruchwyliaeth. O leia doedd

Jamie ddim yn un oedd yn rhoi cweir i chdi fel a wnâi Singh os oedda chdi'n ei bechu. Roedd Jamie yn rhy glyfar – ond mi oedd yn gallu codi braw arna chdi hefyd.

Roedd Dylan yn dechrau laru ar yr holl sioe yma, beth bynnag. Roedd yn ffordd dda o gael pres pan nad oedd dim byd arall o gwmpas ond roedd bod rhwng dau wancar blin fatha Ajit Singh a Jamie Wray'n boen yn y tin.

Ond beth oedd yn poeni Dylan heddiw yn anad dim arall oedd pwy oedd y ddynes 'na. Pam roedd hi mor gyfarwydd? Ble'r oedd o wedi'i gweld hi o'r blaen? Yn ôl pan oedd yn blentyn efallai, ar yr ynys? Un o ffrindiau ei fam? Un o hen deithwyr yr oes newydd falla?

Trodd a chroesi Pont y Saeson heb sylwi dim ar Hayley, a eisteddai â'i phen yn ei dwylo ar y fainc islaw.

19

'LLES DY DAD ydi'r peth pwysica rŵan.'
Allasai Jamie Wray ddim wedi bod yn fwy caredig nac
yn fwy cydymdeimladol pan ffoniodd Hayley fore drannoeth
i roi gwybod i'r gwaith ei bod yn gorfod dychwelyd ar frys
i'r Fenni ac na wyddai hi pryd y byddai'n gallu dod yn ôl – os
byddai'n gallu dod yn ei hôl o gwbwl.

'Paid ti â phoeni am y gwaith na'r llety,' meddai Jamie a
rhyw grygni annisgwyl yn ei lais. Carthodd ei wddf, llyncu a
mynd yn ei flaen a thinc cynnes a diffuant yn ei lais nad oedd
Hayley wedi'i glywed ganddo o'r blaen.

Canmolodd ei chyfraniad i'r busnes gan ychwanegu:

'Bydd yna le i ti yn Sabrina's pryd bynnag ddoi di'n ôl.'

Teimlai Hayley fymryn o gywilydd. Dim ond echdoe
buodd yn difenwi Jamie yn eitha hallt wrth Sarah yn y dafarn;
yn ei ddarlunio fel sglyf o'r iawn ryw ac yn rhacsyn hynod
amheus yn gyffredinol. Roedd y ddiod a'r cwmni wedi peri
iddi orliwio gwendidau Mr Wray braidd er mwyn creu argraff
ar ei ffrind... ond dyna fe, go brin y byddai hi'n gweld rhyw
lawer ohono eto, na neb arall o'r criw – Bragi na Blitz a Bling...
nac Ozi.

'Jamie,' gofynnodd yn frysiog a'r alwad yn amlwg ar fin dod
i ben, 'pwy o'dd y bachan ifanc 'na weles i ar ei ffordd i dy weld
ti brynhawn ddo'?'

'O, dwi ddim yn gwbod. Wedi cael y cyfeiriad anghywir

oedd o,' atebodd Jamie yn ddibetrus. 'Yli, Hayley, rhaid i mi ei throi hi rŵan. Pob lwc gyda dy dad. Gobeithio y bydd gwelliant cyn bo hir. Siaradwn ni eto. *Ciao*, cariad, *ciao*.'

Wel, y c'lwyddgi bach... Ond pam tybed?

Cadwodd y ffôn yn ei bag a chau ei llygaid am ychydig, sgil-effeithiau nos Sadwrn yn dal i gymylu ei gallu i ganolbwyntio ac yn corddi ei bol ar ôl mentro allan heb frecwast.

Dyna fe, meddyliodd, mae fy antur fawr yn Amwythig drosodd ac roedd hi wedi methu ar bob cownt.

Roedd hi wedi methu o ran darganfod mwy am ddiflaniad ei brawd; roedd wedi methu â thorri gair â'r dyn ifanc y tybiai ei fod yn fab i'w brawd; roedd wedi methu creu bywyd newydd go iawn iddi'i hun ac roedd wedi methu cael yr un dêt deche gydag Ozi Bryce – na neb arall o ran hynny! Tybed a welai hwnnw byth eto?

Ailagorodd ei llygaid ac edrych yn ddigalon drwy'r ffenest ar ogoniant y Gororau o dan wybren las oedd yn frith o gymylau bach gwynion. Roedd yr ŵyn i'w gweld yn barod, yn rasio'n ddiniwed afieithus o gwmpas y caeau. Ond du oedd y cwmwl oedd yn hofran yn ei phen hi, yn tywyllu ac yn pwyso'n drymach gyda phob gorsaf a âi heibio ar ei ffordd i lawr y lein i'r Fenni.

Cyn pen dim roedd y trên yn dechrau arafu a dechreuodd amlinelliad adeiladau cyfarwydd cyrion y dref wibio heibio i'r ffenest wrth iddi hel ei bag a'i chôt o'r silff.

Ar y platfform cafodd gip ar Sarah – mor driw ag erioed, chwarae teg iddi – a golwg lawer mwy difrifol ar ei hwyneb heddiw na phan ffarwelion nhw â'i gilydd ddoe yng ngorsaf Amwythig.

Roedd Sarah wedi ceisio sawl gwaith drwy gyfrwng y ffôn a'r tecst roi gwybod iddi neithiwr am godwm Aneirin yn y tŷ ond, a hithau wedi blino'n rhacs, roedd Hayley wedi anwybyddu pob neges nes iddi godi o'i gwely i fynd i'r tŷ bach tua hanner nos ar ôl clwydo'n syth pan ddaeth i mewn o'r dre.

Roedd tipyn o bobol am adael y trên yn y Fenni ac roedd y ciw at y drws yn symud yn sobor o ara. Yn debyg i'w bywyd hi… yn dod i stop ac yn llithro'n ôl. Wrth gamu o'r trên a gweld ei ffrind yn rhuthro tuag ati yn llawn cysur a ffwdan, gallai deimlo rhigol yr hen fyd yn ymagor drachefn i'w llyncu'n fyw a'i hofn pennaf bellach oedd na fyddai modd iddi ddianc ohono y tro yma.

20

Heia Hayley,

   Dwi wedi cael dy gyfeiriad e-bost gan y boi 'na o Wlad yr Iâ.
Basa'n braf dy weld ti eto. Dwi'n gallu dod i lawr i'r Fenni neu
oes siawns byddi di'n dod i Amwythig eto'n fuan? Dwi dal eisie
dangos Clawdd Offa i ti.

   Ozi.

EISTEDDODD OZI BRYCE yn ôl yn ei gadair gan ystyried y
geiriau ar sgrin ei liniadur. Roedd rhwng dau feddwl o
hyd, a'i fysedd yn hofran uwchben y bysellfwrdd, a ddylai
anfon y neges ai peidio.

Wrth ei benelin ar y bwrdd safai potelaid o gwrw ar ei
hanner. Fe'i cododd at ei wefusau a chymryd swig hir gan
adael i'r blas loetran yn ei geg cyn llyncu a sychu ei weflau â
chefn ei law.

Syllai ar eiriau'r neges gan grafu twf sawl diwrnod o sofl ar
ei ên.

Pathetig!

Edrychai'r e-bost fel gwaith hogyn ysgol yn hytrach na
dyn yn ei oed a'i amser oedd wedi hwylio cefnforoedd ym
mhedwar ban byd a chanddo lond sach o brofiadau lliwgar a
dau ddrylliad o briodas y tu ôl iddo.

Dechreuodd ddileu'r llythrennau, fesul un, fesul gair ac
wedyn gadael i'r pwyntydd eu llarpio i gyd mewn un cynnig
gan adael sgrin wag o'i flaen drachefn.

Uwch ei ben syrthiai'r glaw yn ddi-dor yn erbyn to isel y tyddyn, ei sŵn fel sŵn y môr ar orwel pell. Bu'n tresian fel hyn ers oriau mân y bore ac roedd hi bellach yn ddau o'r gloch yn y prynhawn a dim sôn y byddai'r tywydd yn gwella'n fuan. Fel hyn roedd hi wedi bod ers wythnos bron, a'r cefnffyrdd o gwmpas y tyddyn yn edrych yn debyg i gamlesi erbyn hyn a chnydau'r caeau o'i gwmpas dan ddŵr.

Newydd ddechrau pythefnos o wyliau roedd Ozi ond roedd y glaw yma'n llesteirio unrhyw gynlluniau oedd ganddo.

Doedd dim modd iddo hyd yn oed fynd am dro â Celt, y labrador du a orweddai dan rochian chwyrnu wrth ei draed ger y bwrdd. Roedden nhw ill dau'n hollol gaeth ac wedi diflasu ar y dilyw, yn gorfod swatio o fewn y pedair wal yma, yn gwrando ar gân ddolefus y gwynt a chyfeiliant unsain y glaw.

Yn anochel ar ddiwrnod fel heddiw ac yntau wedi'i garcharu yn y tŷ, roedd ei feddwl wedi crwydro fel y gwnâi'n aml ers iddo fynd i weithio yn Sabrina's Cave i bensynnu am Hayley Havard.

Rhedai ei fysedd ar hyd allweddau'r laptop gan edrych heb ysbrydoliaeth ar y pwyntydd yn wincio arno'n bryfoclyd.

A ddylai gysylltu â hi o gwbwl? Neu ai'r peth callaf i'w wneud oedd anghofio'n llwyr amdani a hithau wedi gadael y dre am byth yn ôl pob golwg?

Sioc ar y naw i Ozi oedd mynd i mewn i'r gwaith fel arfer y bore Llun hwnnw a chael bod Hayley wedi dal y trên cynnar i lawr y lein i'r Fenni ar ôl i'w thad gael ei ganfod yn anymwybodol yn dilyn rhyw fath o godwm yn y tŷ.

Yn chwe mis yn brin o'i hanner cant gyda dwy briodas a sawl perthynas y tu ôl iddo ac yntau wedi ymdynghedu i beidio â chyboli â materion y galon byth eto, roedd cyfarfod â Hayley pan ddechreuodd o weithio yn Sabrina's Cave fel cogydd wedi cael effaith annisgwyl arno braidd.

Ei hacen Gymreig oedd yr atyniad cyntaf. Doedd Ozi erioed wedi teimlo'n gartrefol yn Amwythig – amgylchiadau economaidd oedd yn ei gadw yno. O'i chymharu â'i dre enedigol, Croesoswallt, hen dwll o dre Seisnig oedd Amwythig yn ei dyb yntau, â'i phobol yn edrych i lawr eu trwynau ar y Cymry dros y ffin. Tasech chi'n ymweld ag amgueddfa'r dre fasech chi byth yn meddwl bod gwlad arall o bwys allweddol i'w hanes gwta naw milltir i ffwrdd dros y ffin. Roedd y peth yn dân ar groen Ozi ac roedd wedi ceisio esbonio hyn wrth Hayley ond heblaw porthi'n barchus doedd hi ddim fel petai'n ei gweld hi.

Roedd clywed rhythmau cynnes tafodiaith Hayley â'r crygni gogleisiol yn ei llais mewn lle o'r fath wedi llonni'i galon. Achubai bob cyfle i siarad â hi a phan awgrymodd y dylai ddangos ei filltir sgwâr iddi a hithau wedi cytuno roedd ar ben ei ddigon. Ond fe aeth y cynllun hwnnw i'r gwellt oherwydd i ryw lodes arall ddod ati i gael *girlie weekend*.

Sdim ots, meddyliodd Ozi, mae digon o amser... ac yna roedd hi wedi mynd.

Doedd Ozi ddim yn hapus iawn a thri mis yn ddiweddarach roedd yn dal i bensynnu amdani a'r adduned i ymwrthod â materion y galon yn cael ei haildyngu.

Serch hynny, dyma fo rŵan yn gwasgu 'Undo' ac ailymddangosodd y neges.

Pwl arall o simsanu, o grafu sofl a delwi o flaen y sgrin. Mwythodd y bysellfwrdd yn ddiamcan... ac wedyn ar amrantiad, yn ddiarwybod bron, roedd wedi clicio ar 'Send' a dyna'r neges yn hedfan ar ei hynt.

Cododd y botel at ei wefusau unwaith eto. Oedd y glaw'n

llacio, tybed? Edrychai'r awyr fymryn yn oleuach i'r gorllewin. Gallai fynd â Celt am dro falla.

A dyma'r ffôn yn canu. Ar unwaith roedd Celt ar ei draed ac yn cyfarth.

'Taw, y lembo!'

Chymerodd y ci ddim sylw. Fel hyn roedd o bob amser. Yr un perfformans. Cyn gynted ag y byddai Ozi yn dechrau siarad, byddai Celt yn rhuthro fel peth dwl o gwmpas y lle yn cyfarth ac yn cwyno, yn eiddigeddus bod rhywun arall yn cael sylw Ozi ar y ffôn.

Llwyddodd Ozi i'w hysio i'r gegin a chau'r drws arno cyn mynd yn ôl i gymryd yr alwad.

'Helô? O, ti sy 'na,' meddai, a thraw ei lais yn hollol niwtral. 'Yndw, dwi ar gael. Ar 'y ngwylie i fod ond dwi'n gaeth i fan hyn braidd hefo'r holl law 'ma.'

Gwrandawodd gan gymryd llwnc arall o'r botel.

'Ble bydda i'n eu codi nhw?'

Gwrandawodd eto.

'Oes rhywun yn dod hefo fi tro 'ma?'

Edrychodd ar y cae islaw'r tyddyn wrth wrando. Roedd haid o hwyaid yn codi'n llafurus o'r llyn bach oedd wedi ffurfio ger y sietyn ar y terfyn.

'Dwi ddim yn siŵr os bydda i'n gallu cyrraedd yr M6 o fa'ma. Ma tipyn o ddŵr hyd y lonydd 'ma.'

Gwrando eto, ei geg yn tynhau ychydig.

'Iawn, *ciao.*'

Gollyngodd y ffôn ar y bwrdd. Tsieciodd ei e-bost rhag ofn, gwagio'r botel a mynd i nôl ei gôt a thennyn y ci.

21

Cyn bo hir byddai'n rhaid i Hayley benderfynu beth i'w wneud am y gorau.

Un peth a wyddai i sicrwydd: fedrai hi ddim gofalu am ei thad yma yn Nhŷ Tyrpeg. Doedd ganddi na'r sgiliau na – man a man iddi gyfadde – yr amynedd angenrheidiol i wneud hynny.

Bu'r strôc a drawodd ei thad yn un ddifrifol gan adael Aneirin wedi'i barlysu ar hyd un ochr o'i gorff gyda'i fynegiant wedi'i gyfyngu i ryw wichial a rhochian truenus. Roedd bod yn dyst i'w rwystredigaeth yn artaith iddi ond gallai weld y byddai gofalu amdano'n mynd yn drech na hi'n fuan iawn. Am y tro, roedd yn ddiogel yn yr ysbyty ond byddai'n rhaid datrys problem ei anghenion yn yr hirdymor.

Roedd Hayley hefyd wedi sylweddoli'n syth bron na allai hi aros yn y Fenni. Doedd dim byd iddi yno bellach. Roedd popeth cyfarwydd yn creu rhyw wasgfa ddiflas am ei chalon ac yn gwneud iddi deimlo yn ddigon sâl – y tŷ, y bobol, y dre, yr atgofion; roedd hyd yn oed cefn gwlad hen gynefin ei phlentyndod yn codi'r felan yn hytrach na chodi'r galon erbyn hyn.

'Braf dy ga'l di'n ôl yma,' dywedodd Sarah yn frwd gan gydio yn ei braich wrth ddod o'r ysbyty ar ôl ei hymweliad cyntaf â'i thad yn yr uned gofal dwys y dydd Llun hwnnw.

Ac er mor ddiffuant oedd ei ffrind, wrth glywed y geiriau, teimlodd Hayley ei hysbryd yn crebachu.

Ac wedyn ryw wythnos yn ddiweddarach:

'Fe gaiff dy dad rywle saff i dreulio diwedd ei oes, paid â becso. Fe wna i dy helpu di i whilo. Ac ma fe'n grêt eu bod nhw wedi penderfynu peidio lledu'r hewl erbyn hyn. Gei di well pris am y tŷ nawr os wyt ti'n ei werthu fe a symud i fflat yn y dre neu rywle bach yn well – yn enwedig gyda phethe'n drychid lan yn y farchnad dai o'r diwedd. O, ma fe'n grêt dy ga'l di'n ôl aboiti'r lle. Dwi 'di gweld dy eisie di'n ofnadw.'

Wel, diolch Sarah fach am drefnu gweddill 'y mywyd i fi, meddyliodd Hayley.

Ond ddywedodd hi ddim byd wrth ei ffrind serch hynny. Roedd Sarah wedi bod mor gymwynasgar a charedig wrthi ag erioed a hebddi byddai pethau wedi bod yn fwy anodd o lawer. Gallai anwybyddu ei diffyg sensitifrwydd anfwriadol – am y tro. Wedi'r cwbwl, dim ond lleisio'r hyn oedd yn mynd drwy feddwl Hayley ei hun a wnâi Sarah. Doedd dim pwynt treial gwyngalchu pethau.

Ddydd a nos ar ôl hynny, bu Hayley yn pendroni am y cam nesa ond ryw fore, yn ddigon annisgwyl, wrth ddihuno yn y llofft gefn gyfarwydd, cafodd Hayley fod yr holl godlach yn ei phen wedi'i hidlo i ffwrdd a gwelai ei ffordd ymlaen yn glir.

Roedd rhywbeth wedi symud; roedd fel pe na bai'r ysfa i chwilio am hanes ei brawd mor affwysol o bwysig. Roedd y stwmp ar ei stumog o hyd ond, yn bendant, roedd yn llai.

Arhosai hi yma nes iddo... wel, nes iddo farw yntefe? Iddi fod yn gefn iddo. Ac wedyn gwerthu Tŷ Tyrpeg a mynd i ffwrdd eto. Dim i Amwythig y tro yma. Wel, byddai'n bownd o roi cynnig arall ar gysylltu â'r nai bondigrybwyll ond nid

Amwythig oedd y lle iddi hi gael hyd i'w man gwyn fan draw.

Er iddi fwynhau ei hamser yno ac iddi gael cip ar beth oedd yn bosibl, roedd yna ormod yno i'w hatgoffa am y gorffennol – ac nid y lleiaf wrth gwrs oedd y nai tybiedig. Unwaith iddi gael cwrdd â hwnnw, byddai'n gallu symud yn ei blaen. Nid ei bod hi'n disgwyl unrhyw fath o newyddion llawen o'r cyfeiriad hwnnw – yn enwedig os oedd yna ryw gysylltiad amheus rhwng y Dylan ifanc a Mr Jamie Wray.

Hwyrach gallai hi wneud tipyn o deithio go iawn. Ymweld â rhai o'r llefydd y byddai'n darllen amdanynt lle'r oedd pwysau'r byd modern yn bygwth chwalu'r amgylchedd am byth. Heb fod pobol fel hi'n codi llais a gweithredu byddai'n rhy hwyr. Efallai ei bod yn rhy hwyr yn barod.

Byddai ei chynnig nesa ar greu bywyd newydd iddi ei hun yn wahanol iawn ac fe âi dipyn ymhellach nag Amwythig.

Gwneud rhyw waith gwirfoddoli falle, rywle dros y môr – helpu i adeiladu ysbyty yn Affrica neu helpu i achub orangwtangs yn Borneo. Rhywbeth i wneud iawn am yr holl golledion eraill a brofasai yn ei bywyd.

Gyda'r penderfyniad wedi'i wneud, dechreuodd y cymylau godi yn ei phen am y tro cynta ers sbel. Llifai syniadau a phosibiliadau drwy ei hymennydd fel afon.

Byddai'n rhaid dweud wrth Bragi – un arall a fu'n garedig iawn wrthi yn awr ei chyfyngder. Roedd Bragi wedi dod â llwyth o stwff i lawr iddi yn y Deux Chevaux ac wedi cynnig yn hollol ddigymell y gallai storio pethau eraill yn ei fflat nes iddi gael cyfle i'w casglu. Roedd hi am gadw mewn cysylltiad gyda Bragi, doed a ddelo.

Roedd Bragi bob amser yn ffynhonnell ddihysbydd o wybodaeth o bob math – y rhan fwyaf ohono'n fuddiol.

Teimlai'n siŵr y byddai Bragi'n gallu awgrymu beth allai hi ei wneud a llefydd iddi fynd.

Taniodd ei gliniadur a daeth un o gathod niferus ei thad i gadw cwmni iddi ar ei chôl rhyngddi a'r sgrin.

'O's rhaid i ti? Sai hyd yn o'd yn gwbod beth yw dy enw di!'

Doedd dim arlliw o awgrym bod y gath am symud. Eisteddai'n ddisgwylgar o flaen y laptop fel pe bai'n edrych ymlaen at gael ei diddanu ganddi.

'Iawn. Ond bydd rhaid i ti aros yn llonydd...'

Aeth hi at ei e-bost. Dim byd o bwys. Ambell un yn edrych fel 'spam' gan gynnwys un gan ozbcymro@hotmail.com a'r pwnc: Hayley Havard ble wyt ti? Fe'i dileodd ac agor ffenest newydd i sgwennu at Bragi ac wedyn oedi. Rhywle yn yr isymwybod roedd y 'ozbcymro' 'na wedi plycio rhyw dant a chanu rhyw gloch. Aeth yn ôl at y ffolder e-byst a ddilëwyd yn ddiweddar a chlicio ar y neges dan sylw.

Darllenodd y neges gyda syndod a chyffro'n gymysg.

'O mai god, pws fach – pwy fyse'n meddwl?'

Ddywedodd y gath ddim byd, dim ond siglo'i chynffon gwpwl o weithiau.

22

BREUDDWYDIAI NAHOM EI fod unwaith eto yn nhywyllwch howld y cwch pysgota oddi ar arfordir Sicilia yn pwyso'n lluddedig ysgwydd wrth ysgwydd yn erbyn haid o ddynion eraill tebyg iddo o ran oedran a dyhead a hanai o hanner dwsin o wledydd gogledd a dwyrain Affrica.

O grombil drewllyd y bad, dringai ysgol rydlyd unigol ddigon simsan ei golwg i fyny tua'r hatsh agored. Dim ond golau'r sêr a ddeuai i mewn drwy'r twll ac fel arall roedd hi fel y fagddu. Roedd y cwch yn hen ac yn frith o rwd. Yn fuan iawn ar ôl gadael arfordir yr Aifft roedd ei gragen wedi dechrau gollwng a dŵr wedi dechrau cronni dan draed y teithwyr yn y tywyllwch dudew.

'Ala! Gobeithio fyddwn ni ddim yma'n hir,' meddai llais ar gyrion yr haid. 'Neu bwyd i'r pysgod fyddwn ni.'

Ac ar y gair pesychodd yr injan cyn ailgydio ar ôl rhyw bum eiliad. Gallech glywed anadl pawb yn peidio yn eu gyddfau a distawrwydd enbyd yn setlo nes i dwrw'r peiriant ailgychwyn.

Ond ddau funud yn ddiweddarach fe ddarfu eilwaith – heb aildanio'r tro hwn.

Ar ôl dwy awr o ddrifftio ar y môr llonydd, roedd y dŵr wedi codi hyd at eu pennau-gliniau. Erbyn hyn roedd suo'r lleisiau yn y tywyllwch wedi troi'n faldordd ofnus a atseiniai'n daranllyd yn erbyn waliau metel yr howld.

Roedd sawl un wedi dringo'r ysgol yn barod, yn methu dygymod â'r wasgfa ddynol o dan y dec ond fe wyddai Nahom fod y dec ei hun dan ei sang, a phobol yn hongian gerfydd eu hewinedd bron oddi ar bob rhan o'r cwch.

Serch hynny, penderfynodd fentro ar yr ysgol ar ôl ymwingo fesul centimetr yn ara deg bach heibio i'w gyd-deithwyr. Fo oedd y trydydd ar yr ysgol fregus erbyn hyn a gwynai'n arw dan bwysau'r holl boblach oedd yn crafangu wrthi.

Yn sydyn daeth bonllef o'r dec uwchben wrth i long ryfel ddod i'r golwg gan anelu at y cwch amddifad. Cododd y lleisiau'n un donnen fawr o lawenydd a chyffro ond wrth i bobol symud ar y dec i'r cyfeiriad o ble deuai eu hachubiaeth, bu herc sydyn a dechreuodd y cwch droi ar ei ochr.

Bu'r symudiad yn sbardun i'r dorf yn yr howld ruthro am yr ysgol. Teimlodd Nahom ddwylo yn cripio ar hyd ei goesau ac yn tynnu ar ei ddillad, yn ceisio'i ddisodli a'i wthio o'r neilltu. Gwyrodd y cwch ymhellach i'r ochr a throdd y lleisiau'n sŵn aflafar o sgrechfeydd a bloeddiadau wrth i rai gael eu gwasgu gan bwysau eu cyd-deithwyr.

Roedd y sêr oedd i'w gweld yn gwibio drwy'r sgwaryn agored fel pe baent i gyd yn syrthio i'r môr. Llwyddodd Nahom i wthio ei hun ychydig ymhellach i fyny'r ysgol. Roedd y dŵr yn dechrau tywallt dros ymyl yr hatsh gan droi'n rhyferthwy diatal. Aeth y dynion o'i flaen ar yr ysgol drwodd i'r nos ac i'r môr.

Rhewodd Nahom. Ffermwr oedd o. Doedd o erioed wedi nofio yn ei fywyd. Roedd y diwedd wedi dod. Doedd o ddim eisiau marw mewn rhyw sgarmes danddwr o goesau a breichiau'n ffustio a sgrialu felly gyda'i holl nerth, gwthiodd y dyn o'i flaen, oedd hefyd wedi rhewi oherwydd ei anallu i nofio, dros ymyl yr hatsh o'r cwch gan ei ddilyn er mwyn dianc o'r giwed gondemnedig o ddynoliaeth y tu ôl iddo.

Roedd dyfroedd Môr y Canoldir yn gynnes ond eisoes roedd Nahom yn ymladd am ei einioes, yn cicio a dyrnu wyneb y dŵr mewn ymgais i gadw ei ben ar yr wyneb yn ddigon hir iddo gael ei achub. Gallai deimlo ei gorff yn ffygio bob eiliad...

*

Deffrodd yn nhywyllwch caban y coediwr ar lan afon Hafren, ei freichiau'n chwifio'n wyllt yn yr awyr o'i flaen.

Y tu allan, chwythai'r storm fel pe bai holl dduwiau'r tywydd wedi lloerigo y tu hwnt i bob rheolaeth gan chwipio'r gwyntoedd yn ddidrugaredd tuag at ryw anterth newydd yn eu gorffwylltra.

Gwrandawai Nahom ar sŵn arall oedd wedi ymdoddi â rhu'r gwynt – sŵn digamsyniol llif cynyddol yr afon.

Taflodd Nahom yr hen sachau a ddefnyddiai fel dillad gwely o'r neilltu a rhoi'i draed dros ochr y styllod amrwd ar ben y blociau coed anwastad a alwai'n wely – a sgytio. Roedd dŵr yn gorchuddio llawr y caban a hwnnw'n codi bob eiliad.

Roedd 'na dortsh bach yn rhywle. Ymbalfalodd i chwilio am y bwrdd lle safai a'i bwrw i ebargofiant y llanw du.

Erbyn hyn roedd y llif dros ei bennau-gliniau noeth.

Daeth hunllef y cwch yn ôl i'w feddwl. Rhaid iddo fynd o fan hyn. Anelodd tuag at le y tybiai oedd y drws. Llwyddodd i gydio yn y ddolen ac wrth ei agor fe'i gwthiwyd yn ôl gan lif y dŵr gan fwrw ei ben yn gas yn erbyn y bwrdd.

Cododd yn simsan ar ei draed a cheisio anelu am y drws agored unwaith eto. Daeth chwthwm enbyd o wynt a dyna pryd y cwympodd y goeden gan blymio fel bom drwy do'r caban, un o'i changhennau'n taro ysgwydd Nahom a'i lorio drachefn.

Llwyddodd Nahom i led godi'n boenus ar ei bennau-gliniau cyn syrthio yn ei flaen, ei ben yn suddo o dan y dŵr. Daeth i'r wyneb dan duchan a thagu nes drifftio o dan ddryswig yr holl ganghennau a dail ac yn fan'no y'i daliwyd nes i'w gorff gael ei ddarganfod sawl diwrnod yn ddiweddarach gan nai Hayley, Dylan, a gawsai ei anfon i chwilio am y dyn bach o Ethiopia gan Jamie ar ôl i Nahom beidio â chasglu'r sborion bwyd o gefn Sabrina's y byddai Jamie yn eu gadael iddo i bara'r wythnos.

23

A ETH DROS WYTHNOS heibio cyn i Hayley gael cyfle i feddwl
am ateb e-bost Ozi. Diwrnodau prysur oedd y rhain, yn
llawn pob math o rwystredigaethau wrth geisio sicrhau gofal
hirdymor i'w thad. Unwaith eto, heb gymorth a dyfalbarhad
Sarah, roedd Hayley'n amau a fyddai wedi dod i ben â holl
gymhlethdodau'r dasg.

Roedd ychydig o oleuni bellach i'w weld ym mhen draw'r
twnnel. Roedd cyflwr ei thad wedi sefydlogi ac roedd rhywfaint
o welliant o ran ei allu i symud a llefaru. Roedd teulu'i thad
hefyd wedi dechrau tynnu eu pwysau ar ôl rhyw ogor-droi ar
y cychwyn, ac o'r diwedd teimlai Hayley nad oedd hi'n hollol
ar ei phen ei hun.

Yn sicr, am y tro cynta ers iddi gyrraedd yn ôl yn Nhŷ
Tyrpeg, ar ôl gorffen ei swper a bwydo'r cathod, cafodd
Hayley nad oedd dim arall penodol yn galw am ei sylw tan y
bore ac na theimlai mor lluddiedig ag y buasai ynghynt. Felly
penderfynodd daclo ambell e-bost hwyrfrydig – un Ozi yn eu
plith.

Wrth aros i'r laptop lwytho, fe'i trawodd fod Amwythig
yn teimlo ymhell bell yn ôl yn barod, er mai dim ond rhyw
dri mis oedd wedi mynd heibio ers ymadael. Tri mis o
brysurdeb di-baid iddi. Roedd hi bellach yn ganol haf – haf o
law diderfyn a chorwyntoedd yn fflangellu'r wlad gyfan ers
wythnosau.

Cyn mynd ati i lunio ateb i Ozi, aeth Hayley i edrych ar newyddion lleol Amwythig ar-lein. Doedd dim byd mawr i'w weld – ambell ladrad, ffermwyr yn cwyno oherwydd colledion yn sgil y tywydd mawr, arafwch yr awdurdodau wrth gyflwyno gwelliannau yn y dre... dim byd o bwys. Popeth i'w weld yr un mor ddigynnwrf a digyffro â'r Fenni.

Yna, a hithau ar fin gadael y dudalen, gwelodd Hayley y pennawd:

CORFF DYN WEDI'I DDARGANFOD GER SAFLE ARCHAEOLEGOL

Bragi! meddyliodd mewn ennyd o banig.

Cliciodd ar yr eitem a'i darllen. Soniai am gorff yn cael ei ddarganfod mewn hen gaban coediwr ar lan yr afon drws nesa i safle datblygiad tai arfaethedig lle'r oedd cloddio archaeolegol yn digwydd ar hyn o bryd. Doedd neb wedi dod ymlaen i adnabod y corff – dyn Affricanaidd yn ei ugeiniau hwyr.

Aeth ias drwyddi. Y gofalwr yn Pengwern Villa. Beth oedd ei enw hefyd? Nahom? Ocê, dyna'r unig ddyn du roedd hi wedi cwrdd ag o yn Amwythig – neu yn un man o ran hynny, i siarad ag o beth bynnag, ond roedd ei amgylchiadau'n fregus ac roedd wedi diflannu'n llwyr ar ôl y noson honno pan alwodd swyddogion Asiantaeth y Ffiniau yn Pengwern Villa. Fyddai'n fawr o syndod iddi glywed mai Nahom oedd y dyn. Druan bach, meddyliodd. Wnâi hwnnw ddim drwg i neb a gwên fach mor neis ganddo.

Sgroliodd ychydig ymhellach ac yna delwi'n gegrwth.

Llun o'r nai – a'i enw oddi tano: 'Dylan Havard-Sewell – y dyn ifanc a ddarganfu'r corff wrth fynd â'i gi am dro.'

Llun arbennig o glir oedd hwn. O'r diwedd gallai Hayley graffu ar deithi'r wyneb wrth ei phwysau. Edrychai'r Dylan ifanc yn andros o ifanc yn y llun yma. Ar yr adegau eraill roedd Hayley wedi'i weld, roedd wedi edrych yn hŷn o lawer – oherwydd ei daldra, mae'n rhaid. Ond digon bachgennaidd ac ansicr oedd yr wyneb yn y ddelwedd yma, yn edrych yn syth i'r camera, ond yn amlwg yn anfodlon bod ei lun yn cael ei dynnu. Os mai mab ei brawd oedd hwn – ac erbyn hyn doedd dim rhithyn o amheuaeth ganddi wrth gwrs – dim ond rhyw bymtheg oed fyddai fan bella. Ble'r oedd o'n byw? A chyda phwy, er mwyn popeth? Rhaid bod 'na fam neu ryw oedolyn yn gyfrifol amdano? Falle fod Dylan ei brawd yn dal ar dir y byw.

Diawl! Roedd hi'n ôl yn yr hen drobwll yma eto a'r holl gwestiynau diflas yn codi yn ei phen drachefn! Roedd y felin yn troi ffwl-sbid unwaith eto a'r holl ofid yn dechrau corddi o'r newydd.

Meddyliodd am ei thad yn gaeth yng nghadwyni'r strôc. Ei greddf oedd rhuthro draw i ddweud wrtho ei fod yn daid a bod datrys dirgelwch ei fab coll ychydig yn nes. Ond ofnai mai ei ffwndro ymhellach yn ei wendid fyddai ceisio cyfleu'r hanes iddo ar hyn o bryd.

24

Ffrainc, Gorffennaf 2015

ROEDD LWC O'U plaid. Golygai rhyw streic ym mhorthladd Calais fod miloedd yn heidio i lawr yr arfordir i Boulogne-sur-Mer i ddal y fferi o fan'no. Roedd y traffig a'r ciwiau'n enbyd wrth gwrs ac yn symud yn uffernol o ara deg ond o leiaf byddai'r awdurdodau o dan bwysau i gadw pethau i symud a ddim yn holi gormod o gwestiynau nac yn edrych yn rhy graff ar y teithwyr.

Diolch byth am y system tymheru'r awyr yn y car. Roedd y gwres y tu allan yn tynnu at dri deg gradd ac roedd hi'n fwll iawn. Yn wahanol iawn i'r tywydd adre, meddyliodd Ozi gan ddrymio ei fysedd ar y llyw.

Sleifar o gar oedd hwn, rhaid dweud. Y salŵn Mercedes Dosbarth E diweddara. Wff! Roedd fel gyrru gwely plu mawr. Dyna un o byrcs y job yn ddi-os – cael gyrru ceir fel hwn.

Rhedai ei fys o dan ei goler. Er gwaetha'r *air-con* roedd yn chwysu fel baedd, yn anghyfarwydd â gwisgo tei, heb sôn am siwt o fath yn y byd. Roedd hyn i fod yn un o byrcs eraill y jobyn 'ma – cael gwisgo dillad swanc yn ôl Jamie a Vilis – ond doedd Ozi byth yn teimlo'n gyfforddus mewn dillad o'r fath. Nid dyn siwt oedd Ozi Bryce.

Y tu ôl iddo eisteddai'r ddau Affgan, hwythau hefyd wedi'u gwisgo'n andros o smart. Doedd dim golwg ffoaduriaid na mewnfudwyr anghyfreithlon ar y rhain. Llawfeddygon oedd y ddau, mae'n debyg, oedd wedi talu arian mawr i gael mynediad anghyfreithlon i Brydain. Cael eich smyglo mewn steil. Trafficio *club class* myn uffarn i, meddyliodd Ozi. Cipiodd olwg arnynt yn y drych. Roeddent yn siarad yn dawel yn eu hiaith eu hunain, eu hwynebau golygus yn agos. Sylwodd yr un oedd â mwstásh bach tena a rhyw greithiau ar ei foch ar lygaid Ozi yn edrych arno fo a'i gyfaill yn y drych a gwenodd gan ddangos rhes o ddannedd mân perffaith. Edrychodd Ozi i ffwrdd yn syth a theimlo ei hun yn cochi.

Roedd Ozi wedi casglu'r ddau ddyn cyn toriad y wawr o dŷ crand ar gyrion Lille gan obeithio dal y fferi am hanner dydd o Calais y diwrnod hwnnw, ond roedd y trafferthion o gwmpas y porthladd yn golygu na fydden nhw'n ôl ym Mhrydain tan yn eitha hwyr heno, gyda siwrnai hir ymlaen wedyn i gludo'r ddau i ben eu taith yn Swydd Amwythig.

Tsieciodd ei ffôn rhag ofn bod Vilis neu Jamie wedi cysylltu. Un neges yn unig o unrhyw bwys oedd i'w weld:

hhavenny@gmail.com

Roedd yn nabod y cyfeiriad yn syth.

Hei Ozi

Sori am gymryd cymaint o amser cyn ateb. Ma lot yn mynd ymlaen ar hyn o bryd. Dwi ddim yn siŵr pryd bydda i'n ôl yn Amwythig eto. Ond ydw, dwi'n dal eisie gweld Clawdd Offa 'da ti.

Hayley X

Roedd Ozi wrth ei fodd ac yn sobor o falch o dderbyn y neges. Gyda threigl amser roedd wedi dechrau gadael i'w feddwl lacio'i afael ar ei atgofion am Hayley Havard a'r awydd i gysylltu â hi eto. Roedd wedi'i berswadio ei hun nad oedd diben gwastraffu gormod o amser nac egni emosiynol ar rywbeth nad oedd yn debygol o ddwyn ffrwyth, ond yn hytrach canolbwyntio ar ei brif ddyhead mewn bywyd ar hyn o bryd, sef prynu tyddyn gwerth chweil yr ochr gywir i'r ffin (yn hytrach na bod yn denant i Jamie Wray mewn rhywbeth oedd yn debycach i furddun na thyddyn) a chael dilyn ffordd o fyw roedd wedi'i chwennych ers blynyddoedd maith.

Dyna pam roedd yn fodlon gweithio fel gwas bach ufudd i bobol fel Jamie a'r Latfiad o Frasil, Vilis Weiss.

Doedd o ddim yn hoffi'r gwaith am nifer o resymau ond o leiaf golygai ei fod yn ennill digon i gelcio tuag at ei freuddwyd – dipyn yn fwy na'r job coginio dwy a dimai oedd ganddo dros dro yng nghaffi Sabrina's. Erbyn hyn roedd wedi gadael ei swydd yn y gegin ac yn gweithio'n llawn-amser bron fel gyrrwr.

Roedd derbyn y neges ddiweddara 'ma gan Hayley, fodd bynnag, wedi'i gyffroi'n lân, a'r atyniad a'r diddordeb ynddi wedi'i aildanio'n syth a'r fflam yn llosgi'n gryf.

Roedd ar fin ymateb pan glywodd injan y cerbyd o'i flaen yn tanio a'r cerbyd yn symud ychydig fetrau ymhellach tuag at y rheolfa. Cadwodd Ozi ei ffôn ym mhoced ei Armani a chychwyn injan y Merc i'w ddilyn, ei lwnc yn sydyn wedi sychu'n grimp a'r mwmian Affganeg yn y cefn wedi distewi.

25

Sᴛᴏᴘɪᴏᴅᴅ ʏ Dᴇᴜx Chevaux ger y giât a lladdodd Bragi yr injan. Roedd hi'n glawio'n drwm eto byth ac o'r cefn deuai sŵn diferu rheolaidd wrth i'r gwlybaniaeth dreiddio fan hyn a fan draw drwy'r clytiau o rwd ar y to.

Roedd yn rhy wlyb i fentro allan o'r car am y tro.

'Wnawn ni aros iddi lacio dipyn bach, ia?' meddai Bragi.

'Sai'n credu y bydd y glaw 'ma'n stopo cyn Dolig,' meddai Hayley yn sychu'r anwedd oedd yn dechrau hel ar y ffenest flaen.

'Mae'n bwrw eira yn Stirling.'

'Ym mis Awst. Pwy se'n meddwl?'

'Ac yn Reykjavik mae pobol yn ffrio wyau ar y pafin, mae'n debyg. Siaradais i hefo fy chwaer i sy'n byw yno neithiwr ac roedd hi jyst â thoddi yn y gwres. Dydi tywydd poeth ddim yn dygymod â hi chwaith – mae hi'n dioddef hefo clefyd y galon.'

'Druan ohoni,' meddai Hayley. 'Ond bydde fe'n neis ca'l ychydig o dywydd ffein cyn diwedd yr ha' yn bydde fe?'

Chwarddodd Bragi'n ddihiwmor.

'Cyn i'r safle 'ma gael ei olchi i'r afon,' cwynodd yn chwerw.

'Chi ddim wedi ca'l lot o lwc 'da'r dig, wedest ti?'

'Diawl o ddim byd. Ychydig o gloddiau amddiffynnol, ambell ddarn o grochenwaith canoloesol ac ychydig o arian Rhufeinig, dyna i gyd. Mae amser yn hedfan a 'dan ni heb godi dim byd sy'n mynd i rwystro'r tai melltigedig 'ma.'

Daeth Bragi â'i ddwy law i lawr yn galed ar ben y llyw gan ysgwyd y car bach drwyddo. Edrychodd Hayley draw ar amlinelliad wyneb rhychiog Bragi. Mae'n siŵr taw bachgen bach angylaidd oedd e pan oedd e'n fach, meddyliodd, heb y farf wyllt 'na a llond pen o gyrls melyn.

Ac yntau wedi'i grymanu yng nghyfyngiadau sêt y gyrrwr, wrth edrych arno teimlai Hayley fel croten ysgol wrth ei ymyl.

'Falle bydd yr holl lifogydd 'ma'n golygu chaiff neb godi tai fan hyn yn y diwedd.'

'Ha!' rhochiodd Bragi. 'Ro'n i mor siŵr am y safle 'ma hefyd. Rhywbeth yn dweud wrtha i. Mi ges i freuddwyd hyd yn oed... Ond 'na fo, dydi o ddim yn edrych yn addawol iawn erbyn hyn.'

A bu distawrwydd; ond doedd hynny byth yn broblem, roedd Hayley wedi sylwi. O'r cychwyn, un peth oedd yn arbennig am fod yng nghwmni Bragi oedd bod saib yn y sgwrs ddim yn ei gadael yn teimlo'n anghyfforddus ac ychydig yn dwp fel y gwnâi gyda phobol eraill weithiau.

O'r diwedd, gostegodd y glaw i ryw bigo difater.

'Awn ni mas i ga'l pip ife?' awgrymodd Hayley.

Agorodd Bragi'r drws a dod o gwmpas pen blaen y car yn foneddigaidd i gyd i agor ei drws hithau. Gwenodd Hayley arno wrth afael yn ei law er mwyn dod o'r sêt isel.

'Diolch yn fawr, syr,' meddai'n gellweirus.

Pam bod rhaid iddo fe fod yn hoyw? meddyliodd dan ochneidio'n dawel bach y tu mewn. Ac yn ddigon hen i fod

127

yn dad i mi! Allai hi gael gwa'th bargen na bod yn gymar neu'n gydymaith i ryw dedi bêr Nordig fel hwn am weddill ei dyddiau. Ond o leia golygai'r ffaith mai hoyw oedd Bragi fod ganddi rywle i gysgu tra oedd yn Amwythig, sef y gwely soffa yn fflat Bragi. Roedd o wedi cynnig ei wely ei hun iddi, chwarae teg, ond allai hi ddim dychmygu'r pwr dab yn ceisio ffitio'i gorpws ar y soffa.

Aethon nhw at y giât gan bwyso arni.

'Croeso i Passchendaele,' dywedodd Bragi'n brudd.

Edrychai Hayley dros y cae uwchben yr afon. Roedd Bragi'n dweud calon y gwir. Doedd yna fawr o wyrddni yn y golwg bellach. Gallai weld ffosydd yr archaeolegwyr gydag ambell un o'u tarpolinau amddiffynnol yn fflapio'n rhydd yn yr awel gref, gan adael y ffosydd yn agored i gael eu llenwi gan y glaw. Mewn un gongl o'r cae, roedd JCB wedi'i adael yn afrosgo ar ddibyn un ohonynt fel rhyw gerbyd rhyfel wedi'i anablu.

I lawr yn y gornel isaf, yn union uwchben yr afon, roedd y goedlan ger y caban i'w gweld wedi'i gwastatáu yn union fel coedydd drylliedig mewn lluniau o faes y gad. Roedd tâp gwyn a glas yr heddlu'n dal i addurno gweddillion y caban a gwrych terfyn y cae.

'Mi wnaeth cerbydau'r gwasanaethau brys uffar o lanast. Roedd yn ddigon drwg cyn hynny ond fiw i ni fynd ar gyfyl y lle rŵan.'

'Gawn ni fynd ychydig yn nes?' gofynnodd Hayley.

'Cawn siŵr,' atebodd Bragi, ei lais yn tyneru.

Aethant drwy'r giât ac i lawr llethr llithrig y cae. Gafaelodd Hayley yn dynn ym mraich Bragi. Doedd ei sgidiau ddim yn addas ar gyfer lle mor lleidiog. O'r diwedd cyrhaeddon nhw'r gwrych lle'r oedd y gwasanaethau brys wedi torri adwy amrwd i symud y boncyffion a'r canghennau er mwyn mynd at gorff Nahom.

O rywle daeth ychydig o heulwen ansicr drwy'r cymylau llwydion a bwysai fel caead plwm dros y wlad i strempian rhyw damaid o liw ar draws yr olygfa apocalyptaidd yn y cae.

'O, ma golwg ofnadw ar y lle!' ebychodd Hayley. Druan bach ohono fe, meddyliodd. Pam o'dd rhaid iddo fe adael Pengwern fel wna'th e? O'dd e'n cadw'r lle mor deidi.

Camodd Hayley yn ei blaen i osod y rhosyn unigol roedd wedi'i gario o'r car wedi'i lapio mewn seloffen wrth fôn y clawdd. Pwy a ŵyr nad oedd y rhosyn wedi dod o'r union feithrinfa rosod yn Ethiopia oedd wedi gyrru'r dyn ifanc ar drywydd bywyd newydd, gan ei arwain yn y pen draw at ei dranc unig ar lannau Hafren?

Camodd yn ôl a safodd y ddau fraich ym mraich mewn distawrwydd am ychydig eiliadau'n syllu ar y man lle bu farw'r ffoadur 'anhysbys'.

'Pam bod pobol fel fe'n neud e? Rhaid eu bod nhw'n gwbod am y peryglon a nad o's fawr o groeso iddyn nhw yma unwaith iddyn nhw gyrraedd.'

'Ddim yn gweld unrhyw ddyfodol yn eu gwledydd eu hunain, siŵr o fod. Pobol ddiegwyddor yn barod i borthi breuddwydion pobol fregus a hygoelus gyda phob math o addewidion gwag, yn hel c'lwyddau am ba mor wych fydd hi ym Mhrydain – ac yn elwa ar eu diniweidrwydd.'

'Ond dyw e ddim yn wych, odi e?'

'I'r gwrthwyneb.'

'Oeddet ti'n gwbod ei fod e'n byw yn y cwt 'ma?'

'O'n i'n meddwl 'mod i wedi gweld rhywun pan o'n i yma cyn dechrau'r cloddio.'

'Sgwn i shwt ma Jamie Wray yn teimlo erbyn hyn?'

'Sgwn i'n wir,' ategodd Bragi.

Ystyriodd Hayley y cae a'i gyffiniau. Pe bai'r tywydd yn well byddai'n lle prydferth iawn.

Daeth un o'r hen gwestiynau'n ôl i'w phen. Ai yn rhywle fel hyn roedd gorweddfan olaf ei brawd – ac yn fwyfwy roedd yn tybio ei fod o wedi marw – neu mewn rhyw jyngl goncrid o ddinas?

Cofiodd am hanes yr hen Gymry, yr Heledd a'r Cynddylan 'na. Ai yn y cae yma y bu hi'n galaru am ei brawd?

Gwelai Bragi fod Hayley dan deimlad yn sydyn. Rhoddodd ei fraich o gwmpas ei hysgwyddau.

'Ty'd, awn ni'n ôl i'r fflat a chael joch bach o Brennevin i godi'r galon a hel tamad o swper.'

Law yn llaw cyfeirion nhw eu camre'n ofalus yn ôl i fyny'r llethr mwdlyd nes cyrraedd y car.

26

ROEDD CAEL BOD yn ôl yn Sabrina's Cave mor fuan yn deimlad rhyfedd. Roedd yr holl arferion roedd Hayley wedi eu meithrin wrth weithio yno'n dal i blycio'r cof a bu'n rhaid ei hatal ei hun rhag symud cynnyrch i flaen y silffoedd a gwirio tymheredd yr oergelloedd.

Daeth oglau'r sbeisys ac oglau priddlyd o'r stondin llysiau ffres i'w ffroenau gan danio cymysgedd o hiraeth ac ansicrwydd ynddi.

Bu rhwng dau feddwl a ddylai hi ddod i'r lle o gwbwl. Nid nad oedd gweithio yn Sabrina's Cave wedi bod yn brofiad braf, i'r gwrthwyneb, ond doedd hi ddim yn awyddus i gwrdd â Jamie nac iddo yntau ei gweld yn ei hôl mor fuan ar ôl gadael. Eto, roedd hwnnw wedi siarad yn glên iawn â hi y noson o'r blaen pan oedd hi'n holi am ei P45 ac yn y blaen.

Roedd hi wedi dod i Sabrina's yn y gobaith y gwelai Blitz neu Bling a allai o bosib ei helpu wrth geisio dod o hyd i Dylan Havard-Sewell. Digon diffrwyth fu'r ymweliad â swyddfa'r heddlu yn ardal Monkmoor y diwrnod cynt lle cafodd ei hatgoffa'n ddigon stowt o reoliadau'r Ddeddf Diogelu Data.

Roedd Hayley hefyd ychydig yn betrusgar o ran y posibilrwydd y byddai'n taro ar Ozi. Ar ôl iddi ymateb i'w e-bost, yr unig beth a gawsai ganddo oedd e-bost yn cynnwys y geiriau 'Grêt. Ozi' (heb unrhyw ymateb i'w sws fawr hithau, sylwodd!). Gan bwyll, Ozi bach, meddyliodd, neu mi allet ti sgubo merch fach ddiniwed fel fi oddi ar ei thra'd os na watshi di – yn hala negeseuon angerddol fel'na drwy'r amser.

Yn fwriadol, roedd wedi amseru ei hymweliad fel ei bod yn cyrraedd ar yr adeg dawel honno yn y bore rhwng agor y lle, derbyn cyflenwadau a chael popeth yn barod, a'r amser y deuai'r cwsmeriaid cyntaf am baned tua hanner awr wedi deg.

Er mawr siom iddi, doedd dim sôn am Blitz na Bling yn y siop. Ddylai hi ddod yn ôl yn nes ymlaen a threfnu eu gweld ar ôl gwaith falle? Ond doedd hi ddim yn gallu aros yn Amwythig am gyfnod amhenodol y tro yma. Byddai'n rhaid iddi ddychwelyd i'r Fenni toc, oherwydd ei thad. Roedd Sarah yn sefyll yn y bwlch fel arfer a doedd hi ddim eisiau gorfanteisio arni.

Aeth i'r cownter at y ferch gwallt piws, nad oedd hi'n ei nabod o'i hamser hi yno, a gofyn iddi ddweud wrth Blitz neu Bling iddi fod yn y caffi ac yr hoffai gael gair bach 'da nhw.

'O, dydi Bling ddim yma wythnos yma.'

'O, lle ma hi?'

'Rhywbeth i wneud â gwenyn, dwi'n meddwl. Ma lot o nhw'n marw ac mae Bling wedi gwneud rhywbeth amdano fo.'

'O, wela i. A Blitz?'

'O, mae o 'ma. Dwi wedi'i weld o bore 'ma. Ond mae o fel petai wedi diflannu.'

Dyw rhai pethe byth yn newid, meddyliodd Hayley.

Drwodd yn y caffi roedd aelod arall o staff nad oedd Hayley yn gyfarwydd ag o. Dyn tywyll ei groen â mwstásh tenau a thipyn o ôl brech ar ei foch.

Gwenodd Hayley arno wrth archebu ei latte ond arhosodd ei wyneb yn hollol ddifynegiant.

Sychbren, meddyliodd Hayley ac aeth i eistedd er mwyn cael mwynhau ei diod. O leia roedd y baned yn dal i ragori ar lot o lefydd eraill.

Edrychodd ar y drws drwodd i'r gegin. Tybed oedd Ozi yno? Be ddwedai hi wrtho pe bai'n dod o'i blaen jyst fel'na?

Treuliodd sbel fach yn ymarfer gwahanol strategaethau posibl. Ar ôl ugain munud, sylwodd ei bod yn ddiarwybod bron wedi gorffen ei latte; edrychodd ar y cloc mawr hen-ffasiwn ar y wal a chodi o'r bwrdd gyda'r bwriad o ddod yn ôl yn nes ymlaen. Yna, stopiodd ac ailystyried.

Diawl, nid croten yn ei harddegau oedd hi. Man a man iddi fynd i'r gegin a threfnu cwrdd â'r boi.

Gyda hyn, dyma ddrws y gegin yn agor a ffigwr cyfarwydd yn dod i'r golwg. Na, nid Ozi Bryce ond neb llai na'r hen gogydd y bu Jamie yn ffraeo ag o y diwrnod cyntaf y daeth Hayley i Sabrina's Cave.

'O, helô!' meddai hwnnw'n ddidaro. Edrychodd o gwmpas y caffi ac wedyn mynd yn ôl i'r gegin heb ymateb ymhellach i 'Heia' bach amheus Hayley.

Blydi hel, meddyliodd, be sy'n bod ar bawb yn y lle 'ma heddi? Ma 'na fwy o sbort yn y lle *rehab* lle mae Dad. MOM glou, gwd gel.

Wrth fynd i'r coridor a arweiniai yn ôl i'r siop dyma rywun arall yn rhuthro tuag ati fel bustach bach gwyllt. Bron na chafodd ei bwrw oddi ar ei thraed gan nerth y cyfarfyddiad a'r cwtsh.

'Hayley! 'Nghariad i. Sut wyt ti, dol?'

'Blitz! Diolch byth. Rhywun sydd ddim wedi pwdu am byth yn y lle 'ma.'

Cofleidion nhw'n dynn o'r newydd ac aeth yr Awstriad bach â hi draw at un o'r byrddau.

'Gad i mi brynu coffi i ti, *schatzi*.'

'Dwi wedi ca'l un yn barod, diolch.'

'Gad i mi brynu un arall i ti 'te.'

'Ti'n mynd i ga'l un?'

'Unrhyw esgus! O, lle mae hwnnw wedi mynd, d'wad?'

Doedd dim sôn am y dyn tywyll.

'Pwy yw e, Blitz? A ble ma Ozi?' sibrydodd Hayley.

'Dwn i'm,' atebodd Blitz yn gynllwyngar. 'Wsnos diwetha daeth o mewn am y tro cynta. Affgan ydi o, dwi'n meddwl.'

'Odi e'n galler gwenu?'

'Falle ddim,' meddai Blitz gan godi ei sgwyddau a chwerthin.

'Ond be am Ozi?'

'Wedi gadael ers tro.'

'Gadael?'

'Do, yn ddigon disymwth hefyd.'

Roedd hyn yn annisgwyl. Nid bod unrhyw reswm i Ozi aros yma. Doedd lle'r oedd y boi'n dewis gweithio ddim yn fater iddi hi, nag o'dd?

Ailymddangosodd y dyn y tu ôl i gownter y caffi.

''Na fo, 'meddai Blitz, 'gawn ni baned rŵan a chei di ddeud hanes dy dad wrtha i.'

27

'Jiw!! Paid â becso. Bydda i'n ôl cyn iddi dywyllu.'

Roedd Hayley wedi ystyried derbyn cynnig Bragi i ddod gyda hi ond ofnai hwyrach y byddai golwg y dyn mawr blewog o'r gogledd pell yn ei drowsus bach llac yn denu gormod o sylw ar un o stadau tai mwyaf drwg-enwog Amwythig – ardal lle gallwch chi anghofio am yr Amwythig oludog, barchus â'i holl atyniadau hanesyddol i ymwelwyr, ei siopau bach annibynnol, caffis a bwytai rif y gwlith, pensaernïaeth urddasol, ysgolion bonedd a'i naws dosbarth canol ddiogel. Croeso i Harlescott Grange; croeso i stad Gurnos y Gororau.

Ond wrth gerdded strydoedd y stad yng ngolau cynnes fin nos braf ym mis Medi, edrychai'r tai brics coch, ambell un â gardd eitha cymen neu ddychmygus o'i flaen, yn ddigon dymunol ac roedd yn anodd credu'r holl straeon brawychus am y lle – y cyffuriau, yr amddifadedd, yr ymddygiad gwrthgymdeithasol, y troseddu a'r ysgol uwchradd dan fesurau arbennig.

'Hai,' meddai merch ifanc dan wenu. Gwisgai jegins coch a chrysbas gwyn gyda'r gair Yoncie yn ddu ar ei draws.

Mae hon yn ddigon serchog, meddyliodd Hayley.

'Esgusoda fi.'

Arafodd y ferch ond heb stopio'n gyfan gwbl, golwg ychydig yn fwy amddiffynnol yn cymylu ei hwyneb hirfain â'i llygaid mawr gwelwlas.

'Wyt ti'n gallu dweud wrtho i lle ma Moat Lane?'

Crychodd y ferch ei thalcen am ennyd cyn codi'i braich oedd yn frith o datŵs amryliw i gyfeirio'n fras at ben y ffordd.

'Ar y chwith heibio'r fan las,' meddai ac i ffwrdd â hi heb ddweud rhagor.

'Diolch,' meddai Hayley ond roedd y ferch eisoes allan o glyw.

Ymlaen â Hayley. Yn sicr roedd y tai fel pe baen nhw'n fwy di-raen y pen yma i'r ffordd. Ar ddarn o dir diffaith yn ymyl lle'r oedd hi i fod i droi am Moat Lane, roedd rhyw fath o gist ailgylchu gyda mwg llwyd-ddu yn ymdorchi ohoni a sylwodd Hayley ar nifer o gŵn mwngrelaidd eu golwg yn crwydro'n llechwraidd rhwng y ceir neu'n rhodio'n heriol yng nghanol y ffordd, ambell un â thwtsh o'r blaidd yn perthyn iddo'n ddi-os, meddyliodd Hayley wrth addasu cyfeiriad ei chamre i'w hosgoi.

O'r diwedd, safai o flaen y tŷ roedd yn chwilio amdano. Golwg ddigon blêr oedd ar y lle gyda'r glaswellt yn yr ardd ffrynt wedi tyfu'n rhemp dros y borderi anghofiedig lle'r oedd ambell rosyn styfnig yn dal i ddangos ei liwiau.

Doedd dim arwydd bod neb yn byw yno. Er gwaetha'r tywydd tesog yn ystod y dydd, roedd y ffenestri i gyd ynghau a'r bleinds hefyd wedi'u cau'n dynn.

Rhydlyd a lletchwith i'w hagor oedd y giât haearn fechan dros y llwybr at y drws a bron na adawodd Hayley i gymlethdodau'r glicied roi pen ar bethau gan ei throi i ddal y bws yn ôl i'r dre a mwynhau gweddill y noson ar lan yr afon gyda glasiad o win yn gwylio campau'r hwyaid a'r rhwyfwyr hwyrol.

Ac wedyn wrth iddi ddechrau ailystyried a ddylai hi barhau

gyda'i chwest i siarad gyda Dylan ap Dylan ai peidio, agorodd drws ffrynt y tŷ a dyna lle, yn droednoeth ar y trothwy, y safai'r ffigwr cyfarwydd oedd wedi peri cymaint o gyffro a phoen meddwl iddi.

'O, helô… Dylan ife?'

'Pwy wyt ti?' gofynnodd y llanc heb symud o'r drws.

'Hayley Havard,' meddai gan frwydro'n ofer â chlicied y giât. 'Dwi'n meddwl… o diawl, dwi ffaelu ca'l y peth 'ma i symud… ein bod ni'n perthyn falle.'

Aeth y glicied yn drech na hi unwaith eto.

Daliai'r bachgen i syllu arni.

'Dwi 'di dy weld di o'r blaen,' meddai o'r diwedd. 'Ger y siop hipis 'na ychydig fisoedd yn ôl.'

Roedd ei acen yn anodd ei lleoli. Gogledd Lloegr? Sgotyn? Brymi? Doedd dim syniad ganddi.

'Ie,' meddai Hayley. 'Dwi wedi dy weld di sawl gwaith hefyd… a pan welais i dy hanes di yn y papur, yn ffindo corff y boi du druan…'

'Be tisio?' torrodd Dylan ar ei draws. Roedd ei lais yn ddwfn am ei oedran.

'Wel, ym… licsen i siarad. Ma 'da fi gwpwl o gwestiyne fi moyn gofyn, os nad wyt ti'n malio.'

'Cwestiyna?'

'Dwi ddim eisie busnesa, cofia… dim byd fel 'na. Dwi ddim gyda'r awdurdode na'r heddlu. Jyst *fi* odw i… Hayley… Hayley Havard.'

Roedd Hayley wedi disgwyl i'r cyfarfyddiad yma fod yn anodd. Roedd yn teimlo fel petai'n ceisio cael anifail i ymddiried ynddi ac i fwydo o'i llaw, fel delio ag un o'r mwngrels 'na ar y stryd. Roedd hi wedi ymarfer beth roedd hi eisiau ei ddweud wrtho drosodd a throsodd yn ei phen, ond gallai deimlo ei chalon yn rasio a'i geiriau'n cael eu llyncu a'u colli bob sut wrth iddi faglu ymlaen, yn dal i gloddio, a'r twll yn mynd yn ddyfnach, ddyfnach.

'Y peth yw, Dylan, dwi'n credu taw nai i fi wyt ti.'

'Nai?' Roedd yn amlwg yn ansicr am oblygiadau'r term.

'Ie, fi yw dy fodryb di... Fy mrawd i, Dylan... hynny yw, Dylan yw ei enw fe 'fyd. Wel, fe o'dd... fe yw dy dad di.'

'Dwi erioed wedi cwrdd â 'nhad.' Daeth yr ateb fel bwled yn hollol ddidrimins.

'Erio'd wedi cwrdd ag e?' adleisiodd Hayley, ei llais yn meinio ac yn floesg wrth i'r emosiwn ddechrau gorlifo.

Ai dyna i gyd y bwriadai Dylan ei wneud – sefyll yno a syllu arni'n fud? Roedd yn dechrau mynd yn hesb wrth grafu am ffordd arall o dorri drwodd. Doedd hi chwaith ddim eisiau codi ei llais yn ormodol rhag ofn i'r cymdogion glywed popeth ond doedd dim arwydd bod y crwt am symud o'r rhiniog.

Allai Hayley ddim dal y dagrau'n ôl wrth i holl ofid a hiraeth y blynyddoedd ffrydio drwyddi. Dechreuodd igian crio. Mwya yn y byd y ceisiai atal y don fawr o dristwch oedd yn codi ynddi, gwaetha yn y byd yr âi'r pyliau wylofus nes bod ei chorff cyfan yn ysgwyd. Roedd fel ceisio atal chwydfa – yn frwydr hollol seithug.

Roedd dyn canol oed yn dynesu ati ar y pafin. Wrth weld ei chyflwr fe groesodd draw i gerdded yr ochr arall.

A dal i sefyll yn ei gwylio a wnâi Dylan, yn hollol ddidaro yn ôl pob golwg.

'Dwi'n sori... dwi wir yn sori...' ymddiheurodd Hayley yn garbwl ac wedyn fedrai ddim yngan yr un gair arall ac roedd y dagrau'n dal i lifo a'i dwylo'n dal gafael yn dynn yn y llidiart bach di-ildio.

Y peth nesa a wyddai, roedd yna bâr arall o ddwylo yno – dwylo Dylan yn agor y glicied yn gwbl ddiffwdan a'r giât yn gwichian yn agored.

Heb ddweud yr un gair, cerddodd y bachgen yn ôl i'r tŷ gan adael y drws led y pen. A hithau'n dal i sefyll ar y pafin o flaen y giât, ceisiai Hayley chwythu'i thrwyn a sychu ei hwyneb â sgrepyn o hances bapur. Sniffiodd a chwilio'n ofer am hances bapur arall. Gallai weld bod yna wraig yn gwthio coets â dau blentyn i'w chanlyn yn dod yn nes ar hyd y stryd tuag ati. Doedd Hayley ddim eisiau i hon ei gweld fel hyn a chamodd drwy'r adwy a mynd tua'r tŷ. Oedodd wrth gyrraedd y trothwy. Roedd golau cryf yr haul y tu allan yn golygu na fedrai weld dim bron y tu mewn. Tynnodd anadl ddofn a chamu'n betrus dros garreg y drws i'r düwch tu hwnt.

28

'TISIO CAN?'

Roedd dwsin o duniau Black Label mewn pac ar y bwrdd.

'Ti'n mynd i ga'l un?'

A beth yn union yw dy oed di, bach? meddyliodd.

Tynnodd Dylan gan o'r rhwyd blastig a ddaliai'r pac at ei gilydd a'i agor, gan lowcio ohono'n farus. Dipyn o sioe ar ei chownt hi oedd hon.

A dweud y gwir, roedd syched mawr ar Hayley ar ôl rhannu potel o win gyda Bragi y noson cynt.

'O's modd ca'l dished o de?' gofynnodd dan wenu'n nerfus.

'S'nam llefrith.'

'O.'

Ceisiai Hayley sbecian o'i chwmpas heb fod yn rhy amlwg wrth wneud.

Roedd yn dywyll iawn yn y stafell fyw ond o'r hyn y gallai ei weld edrychai'n union fel roedd hi wedi ofni – fel twlc. Roedd yr hyn oedd yn weddill o ran dodrefn a décor yn amlwg yn perthyn i ryw gyn-denant oedd wedi hen adael. Yn rhyfeddod o ryfeddodau, ar ddresel solet ei golwg, safai rhesi o lestri pert lliwgar, rhai glas tywyll a hufen gyda darluniau o sypiau o rawnwin cochddu yn y canol ac ar hyd y silff uchaf hanner dwsin o jygiau tobi. Hyd yn oed yn yr hanner gwyll, gallai Hayley weld nad oedd neb wedi tynnu llwch oddi arnyn nhw ers blynyddoedd.

Ogleuai'r tŷ yn llaith ac roedd blas hen fwg sigaréts yn drwch ym mhob man.

'Sut wnest ti ffeindio fi?'

'O ffrind i ffrind.'

Calon y gwir. Bedair awr ar hugain ar ôl gweld Blitz yn Sabrina's Cave ar ei hymweliad diwethaf, roedd cyfeiriad y llanc dieithr ganddi. Yn anffodus, bu'n rhaid i Hayley ddychwelyd i'r Fenni toc wedyn ac roedd mis bron wedi mynd heibio ers hynny.

'Achos dydi'r cops ddim yn gwbod mai fan hyn ydw i.'

'Gwrthododd yr heddlu weud wrtho i ble o't ti.'

'Dwi heb ddeud wrthyn nhw. Mi ddeudais i bo' fi'n byw yn Cosford. A rhyw enw gneud oedd yr Havard-Sewell 'na – Havard oedd enw 'nhad i, yn ôl Mam, a Sewell oedd enw ei thad hi. Nid dyna fy enw go iawn. Sgen i ddim enw swyddogol. Ches i erioed fy nghofrestru'n fabi. Dylan ydw i.'

Cymerodd lwnc arall o'r can.

'Ti'n siŵr ti ddim eisio un?'

Pam lai, meddyliodd Hayley. Falle fyddwn ni'n bondio!

Cododd a nôl tun iddi'i hun a'i agor.

Llymeitiodd Hayley y lager pi-pi gwenci cynnes – blas o'r gorffennol pan oedd hi'n yfed dan oed yng ngerddi castell y Fenni.

Roedd ganddi lwyth o gwestiynau roedd hi'n torri ei bol eisiau eu gofyn, ar ben y rheini oedd yn ymwneud yn uniongyrchol â hanes ei brawd: O'dd e'n mynd i'r ysgol? O'dd e yn y coleg? Falle ddim os nad o'dd e wedi'i gofrestru hyd yn oed ac wedi'r cwbwl dim ond rhyw un ar bymtheg ar y mwya allai e fod er gwaetha ei daldra, oni bai bod ei brawd wedi cuddio hanes y mab gordderch wrthi hi a'i thad cyn iddo ddiflannu. O'dd e'n gweithio? Shwt o'dd e'n nabod Jamie Wray?

Ar y soffa wrth ei hymyl roedd pentwr o bamffledi. Dychrynodd wrth weld mai pamffledi'r BNP oedden nhw.

'So ti'n cefnogi'r cachwrs 'ma?' holodd ar draws popeth, yn grac yn sydyn.

Cododd Dylan ei sgwyddau.

'Sdim pleidlais gen i, nag oes? Mond un deg pump ydw i a dwi ddim ar unrhyw ffeils nac ydw? Dwi ddim ar radar neb.'

Dyna'r cwestiwn hwnnw wedi'i ateb. Pymtheg oed. Oedd, mi oedd o'n ffitio'r dyddiadau.

Gwelodd Dylan ei bod yn sbecian ar y pamffledi drwy gil ei llygad.

'Ma 'na ddyn arall yn dod 'ma weithia, fo sy bia'r rheina. Ma o'n ffycin nyts, eniwe. *Basket case* go iawn.'

Reit, meddyliodd Hayley gan wneud nodyn bach preifat i osgoi'r 'dyn arall', pwy bynnag oedd e.

Bu saib hir. Lle dylai hi ddechrau, tybed?

'Pam ti'n meddwl bod dy frawd di yn dad i fi?'

Llonnodd Hayley drwyddi. Mymryn o ddiddordeb o'r diwedd.

'Fe ddiflannodd 'y mrawd jyst cyn y mileniwm, tua phymtheng mlynedd yn ôl. Jyst cyn i ti ga'l dy eni siŵr o fod... Mond cwpwl o flynydde'n hŷn na ti o'dd e ar y pryd.'

'So? Mae 'na filoedd o bobol yn mynd ar goll bob blwyddyn, yn does? Pa reswm sy gen ti i feddwl mai fi ydi ei fab o?'

'Wel, Dylan o'dd ei enw fe, fel wedais i, a Havard oedd cyfenw dy dad wedest ti gynne fach. Tipyn o gliw falle?'

'Deudodd Mam 'mod i wedi fy enwi ar ei ôl o.'

Gwagiodd Dylan ei gan ac agor un arall.

'Hefyd, ti mor debyg iddo fe, ac yn debyg i'w dad e, 'nhad i – dy dad-cu di. Ti'n dal. Mae golwg gry' arnat ti hefyd. O'dd 'nhad i fel'na pan o'dd e'n ifanc.'

'Ie?' Heb unrhyw goegni y tro yma.

'Ma llunie 'da fi ar y ffôn. Licset ti 'u gweld nhw?'

'Ocê.'

Chwiliodd yn ofer am ei ffôn. Damo, roedd hi'n cofio ei roi i lawr ar y bwrdd yn lle Bragi cyn dod allan.

Roedd siom yn llygaid Dylan ac aeth yn ôl i'w gwman eto.

Er mwyn ceisio adennill ei ymddiriedaeth, aeth Hayley ati i sôn am lun y CCTV, y fideo bach yn yr wŷl a sut oedd hi wedi'i weld o yn yr orsaf ac wedyn y tu allan i le Jamie Wray.

'Be oeddet ti'n da yno?' torrodd Dylan ar ei thraws.

'O'n i'n gweitho yn Sabrina's Cave. O'n i'n gorfod mynd yn ôl i Gymru achos bod 'nhad angen gofal. Ma fe wedi ca'l strôc.'

'Cymru? Soniodd Mam rywbeth am Gymru – bod 'nhad yn Gymro.'

Rhaid i mi weld y fenyw yma, meddyliodd Hayley.

'Ble ma dy fam?'

Sgrytiodd y llanc ei sgwyddau. 'Dwi heb weld hi ers sbel.'

'Odi hi'n gwbod lle wyt ti?'

Ychwaneg o sgrytian.

Roedd y stafell yn tywyllu'n fwy byth, wrth i'r haul fynd yn is ac wrth i'r ochr yma i'r stryd gael ei llyncu gan y cysgodion. Prin y gallai Hayley weld wyneb Dylan erbyn hyn.

'Be arall ddwedodd dy fam wrthot ti, am dy dad?'

'Dim lot. Soniodd sut cafodd ei theulu eu hel o lle oedden nhw yng Nghymru a bu'n rhaid iddyn nhw ddianc ar frys. Fe wnaeth rhyw foi lleol ymosod arnyn nhw. Llosgi eu stwff a bygwth eu lladd nhw.'

Dai Hodges, myn uffern i, meddyliodd Hayley. Roedd e'n hen ddigon dwl i wneud rhywbeth fel'na. Fe o'dd bia'r chwarel 'na lle o'n nhw'n gweud bod Dylan yn mynd i weld yr hipis.

143

Roedd y darnau'n sydyn yn disgyn i'w lle: Dylan yn ymweld â mam y bachgen 'ma yn y chwarel; Dai Hodges yn ymosod arnyn nhw a hwytha'n ffoi; Dylan yn torri ei galon a mynd ar eu holau nhw. Roedd yr hanes mor syml yn y bôn. Ac ar un wedd roedd ei brawd wedi ymddwyn yn anrhydeddus iawn – ac eto doedd dim sicrwydd ei fod yn gwybod am unrhyw fabi cyn cychwyn ar ei daith. Dim ond dilyn ei gariad oedd o. Tybed lle aeth y trywydd yn oer?

'Pryd ma dy ben-blwydd di?'

'Pam?'

'Plis, Dylan. Wedes i bo' fi ddim eisie busnesa ond ma rhai pethe dwi'n gorfod gwbod. Ma fy mrawd bach i ar goll ers pymtheng mlynedd. Ma'n amser hir heb atebion.'

'Mehefin.'

Digon posib felly nad oedd Dylan yn gwybod ei fod ar fin bod yn dad.

Er ei gwaetha, cymerodd lwnc arall o'r lager ffiaidd. A dyma ribidirês o gwestiynau newydd yn tasgu ohoni, y naill ar ôl y llall.

'Be wyt ti'n neud yma, Dylan? Shwt wyt ti'n byw? Pwy sy'n gofalu amdanat ti?'

Edrychai'n syn i ddechrau ac wedyn bron na fedrech chi glywed y caead yn clepian i'w le.

Y tu allan daeth sŵn car yn arafu ac yn stopio. Diffoddwyd yr injan a chlywyd drws yn agor a chau.

'*Shit!* Rhaid i ti fynd... rŵan. Drwy'r cefn.'

'Pwy sy 'na? Y *basket case* ife?' meddai Hayley gan godi ar ei thraed ac ofn yn dechrau ymledu drwy'i gwythiennau.

'Paid â gadael iddo fo dy glywed di'n galw hynna arno fo.'

'Na, ocê. Lle ma drws y bac?'

Ond rhy hwyr. Clywodd y drws ffrynt yn agor. A dyma

ddyn yn camu i'r parlwr ac yn sefyll o'u blaenau. Edrychodd o'r naill i'r llall.

'A-ha,' meddai o'r diwedd. 'Dylan, cyflwyna fi i dy ffrind, plis.' Roedd y llais yn glinigol ddigynnwrf.

Amser i'r fodryb ddiogelu'i nai, meddyliodd Hayley. Camodd yn nes at y ffigwr gan ymestyn ei llaw. Synnai nad oedd i'w gweld yn crynu fel yr oedd ei hymysgaroedd.

'O shw ma'i? Hayley dwi. Dwi'n byw… yng Nghymru. Ro'n i'n arfer bod yn ffrindie 'da tad Dylan slawer dydd.'

'Tad Dylan?'

'Ie, sneb wedi clywed wrtho fe ers… blynydde, o's e, Dyl?'

Ddywedodd Dylan ddim byd. Roedd rhyw olwg ddigon nerfus ar ei wyneb.

Be wna i? Be wna i? meddyliodd Hayley. Shwt o'dd dod mas o hyn nawr?

Ond dyma'r dieithryn fel pe bai'n ymlacio. Serch hynny, ni wnaeth unrhyw ymgais i afael yn llaw Hayley.

'Sut 'dach chi, Hayley? Vilis Weiss ydw i. Fi ydi perchennog y tŷ yma.'

'O, da iawn.'

Hyd y gallai Hayley ei weld yn y gwyll, roedd Vilis yn gwisgo dillad smart iawn. Siaced olau, crys leilac, slacs llwyd a sgidiau syber, Ewropeaidd eu golwg. Siaradai mewn Saesneg eitha crachaidd ond gyda thinc o acen estron. Weiss? Almaenwr falle. Nid y math o berson y byddai rhywun yn ei gysylltu'n syth â'r stad arbennig yma lle mai digon prin o hyd oedd nifer y rhai oedd yn berchen ar eu tai eu hunain.

Roedd Dylan wedi sleifio heibio i Vilis ac allan drwy'r drws.

'Wel, mi ddweda i hwyl nawr…'

'Da bo chi, Hayley. Braf cwarfod chi. Gobeithio y bydd ein

llwybrau'n croesi eto rywbryd.' Estynnodd Vilis ei law. Llaw fân feddal a'r ewinedd wedi'u trin yn dwt. Roedd ei afael ychydig yn rhy debyg i drafod sgodyn gwlyb ym marn Hayley, ond cyn tynnu ei law i ffwrdd, gwasgodd Vilis ei bysedd yn dynn. Gallai deimlo modrwy drom ar ei fys yn gwasgu'n boenus yn erbyn cnawd ei llaw hithau. Roedd yn rhy dywyll yn y cyntedd erbyn hyn i gael cip go iawn arno ond synhwyrai Hayley mai dyn tal, sgwyddau sgwâr oedd o. Clywai oglau rhyw stwff ôl-eillio digon dymunol o'i amgylch.

'Ie, wel, hwyl Dylan,' gwaeddodd Hayley i gyfeiriad cefn y tŷ. 'Cofia fi at dy fam.'

Ddaeth yr un ateb gan Dylan.

Y tu allan roedd hi'n noson anarferol o felfedaidd a mwll i fis Medi ac anadlodd Hayley yn ddwfn mewn ymgais i glirio ogleuon y tŷ o'i ffroenau a'i phen. Roedd hi'n nosi'n gyflym ac yn sydyn teimlai ychydig yn bryderus yng nghanol yr holl dai.

Sgrialodd ambell gar heibio mewn ffordd ddigon peryglus. Gwelodd ambell ffigwr annelwig yn llithro i'r cysgodion neu'n cnocio drysau tai tywyll. Delwyr falla? Ai barwn cyffuriau oedd yr hen Vilis 'na? Gobeithiai'n arw y gallai ffeindio ei ffordd yn ôl i'r safle bysiau i ddychwelyd i'r dre.

A dyna pryd y dechreuodd y drymio, y sŵn a glywsai ar ei noson gynta yma. Sŵn roedd hi heb ei glywed ers hynny. Roedd yn uwch yma rywsut ac roedd yn amhosib dweud o ba gyfeiriad yn union y deilliai'r tabyrddio ffyrnig. Teimlai fel pe bai'r sŵn yn cael ei chwipio gan wynt uwch-naturiol o gwmpas corneli'r stad ar hyd yr aleau bach a redai rhwng y tai. Gallai glywed dwndwr y briffordd o'i blaen. Dechreuodd gerdded yn gynt ac yn gynt nes ei bod ar duth bron, ei chalon yn pwnio, ei hanadl yn drwm. Cynyddu wnâi twrw'r drwm a

dim ond wrth iddi ddynesu at y troad i'r briffordd y dechreuodd
y curiad ostegu a chilio i ymylon ei synhwyrau. Hanner can
llath ar hyd y briffordd safai'r arhosfan wydr fel rhyw seintwar
hudol rhag ysbrydion y gwyll.

Ond yn sydyn, roedd hi'n ymwybodol bod car yn dod
yn ara deg ar hyd ymyl y pafin yn union y tu ôl iddi. Oedd
rhywun yn meddwl taw putain oedd hi? Llamodd ei chalon
i'w gwddw o'r newydd mewn braw. Aeth y tuthian yn garlam.
Pwy ddiawl oedd yn ei stelcian fel hyn? Ife'r *basket case* Vilis
'na? Y drymiwr... Roedd y car reit wrth ei hochr. Rhedeg,
meddyliodd, rhaid i mi jengid o fan hyn.

'Ho! Hayley,' bloeddiodd llais dwfn Islandaidd yn ei chlust
drwy'r ffenest agored.

Dim ond yr adeg honno nabyddodd siâp digamsyniol y
Deux Chevaux.

29

'VILIS WEISS... VILIS Weiss... Enw dwyt ti byth yn ei anghofio rywsut,' meddai Bragi a thraw rhyfedd yn ei lais.

'O'dd 'na rywbeth eitha annifyr amdano fe,' meddai Hayley gan sipian ei gwin. Amheuthun pur oedd blas iasoer y Chenin Blanc ar ôl y lager llugoer yn lle Dylan. 'Dim byd alla i roi bys arno fe, cofia,' ychwanegodd. 'O'dd e'n gwrtais iawn ond o'dd 'na rywbeth yn hala'r cryd arna i hefyd. Bach yn oeraidd falle.'

'Dwi'n ei gofio fo'n iawn...' meddai Bragi mewn llais tawel.

'Shwt 'ny? Hei, be sy'n bod, Brags?'

'Fo oedd y Junior Registrar ar ddyletswydd yn yr ysbyty – y noson y bu farw Mitch.'

Cododd ei ben, ei lygaid yn llaith yng ngolau meddal patio'r dafarn ger yr afon, yr atgof am farwolaeth ei bartner yn amlwg yn dal yn boenus. Rhoddodd Hayley ei llaw fechan ar ben ei law fawr gnotiog yntau a'i gwasgu'n dyner.

Gwenodd Bragi gan ymwroli ychydig a bwrw ymlaen â'i stori.

'Mae'n debyg ei fod o wedi dod draw o Frasil i hyfforddi yma, ond yn Latfia mae gwreiddiau'i deulu ar y ddwy ochr. Gadawodd ei dad y wlad honno ar ddiwedd yr Ail Ryfel Byd a'i heglu hi draw i dde America. Sdim eisiau dweud mwy, nag oes?'

'Wel, o's… sori,' meddai Hayley yn ansicr.

'Helpu'r Natsïaid roedd ei dad, saff i ti. Lle felly oedd Latfia yn y rhyfel – miloedd ar filoedd yn cefnogi'r ffasgwyr ac yn ymuno â chatrodau'r Waffen SS.'

Doedd Hayley ddim yn gyfarwydd â'r hanes. Doedd hi ddim yn hollol siŵr ei bod hi'n gwybod yn union lle'r oedd Latfia – tua Rwsia rywle?

Roedd Bragi'n llawn rhyw straeon fel hyn. Yn treulio gormod o amser ar ei ben ei hun ar y we siŵr o fod, meddyliodd Hayley.

Daliai ei ffrind ati â'i hanes.

'Llawfeddyg enwog oedd tad Vilis Weiss, mae'n debyg, ac yn perthyn i ryw foi arall o'r enw Voldemar Weiss oedd yn un o hoelion wyth y cydweithrediad â'r Natsïaid yn Latfia.'

Doedd Hayley ddim yn amau beth roedd Bragi'n ei ddweud wrthi. Ond hen hanes oedd hyn i gyd. Wedyn cofiodd am bamffledi'r BNP ar y soffa yn Harlescott Grange. Cyn iddi fedru sôn wrth Bragi roedd wedi ailgydio yn hanes Mitch a Vilis:

'Ti'n gweld, tra oedd Mitch yn cael sgan a rhyw brofion eraill, roedd hyn tua hanner wedi dau y bore, cofia, mi fues i'n sgwrsio â'r Vilis Weiss 'ma. Ar y dechrau roedd yn ddymunol iawn, yn fy nghalonogi ac yn siarad yn ddoeth ac yn dyner am yr hyn oedd wedi digwydd a'r goblygiadau posibl i Mitch. Wedyn, heb i mi sylwi bron, dechreuodd o siarad am rai o'i gyd-weithwyr a staff yr ysbyty a gwneud sylwadau digon annifyr am eu tras – lliw eu croen, a'u crefydd, os ti'n deall beth sy gen i,' meddai Bragi gan edrych yn syth i'w llygaid hithau.

Nodiodd Hayley. Roedd hi'n hoffi angerdd Bragi wrth sôn am bethau fel hyn. Dyn egwyddorol iawn, meddyliodd. Rhywbeth oedd ar goll yn achos ei chyn-bartner, Eddie.

Be sy'n bod arna i? dwrdiodd ei hun yn sydyn. Ma fe'n hoyw ac yn ddigon hen i fod yn dad i fi! Ond roedd yn werth bod yn ei gwmni.

Roedd Bragi'n dal i draddodi ac roedd golwg eitha ffrom ar ei wyneb erbyn hyn gan atgoffa Hayley o lun o dduw taran y Llychlynwyr, Thor, a gofiai o lyfr oedd ganddi pan oedd hi'n fach – Thor gyda sbectol ffrâm aur a throwsus bach oedd ei ffrind wrth gwrs!

'Gofynnodd Vilis Weiss i mi sut o'n i'n nabod neu'n perthyn i Mitch a deudais i mai partneriaid oedden ni. Wel, mi edrychodd arna i fel 'swn i'n faw isa'r domen. Ddeudodd o ddim byd wedyn, dim ond sbio o'i gwmpas â'i freichiau ymhleth yn dynn dros ei frest, a phan ddaeth rhyw feddyg arall heibio aeth draw ato a 'ngadael i heb yngan yr un gair arall wrtha i.'

'Y rhacsyn bach! Twll ei din e!'

Edrychodd Bragi arni gan wenu'n wantan cyn mynd rhagddo eto â'i stori.

'O'n i ar 'mhen fy hun wedyn am sbel hir cyn i ddoctor arall – dynes fach annwyl iawn o India – ddod ata i i ddweud wrtha i fod Mitch wedi marw ar ei ffordd i'r theatr.'

Edrychodd ar Hayley â'i lygaid mawr glas yn stond yn ei ben. Roedd y llygaid 'na'n dipyn o ryfeddod, meddyliodd Hayley, a'u glesni yn rhoi iddi ryw ymdeimlad â'r holl rew a thân yng nghynefin Bragi yng Ngwlad yr Iâ.

'Wel, ma fe yma o hyd,' meddai hi o'r diwedd. 'Ond be ma fe'n neud ar stad Harlescott Grange er mwyn popeth? So fe'n byw yno?'

'Na. Mae'n gweithio yn Ysbyty Gobowen erbyn hyn fel ymgynghorydd ac yn byw mewn clamp o hen blasty ar gyrion Croesoswallt... ac yn hybu gwaith y BNP, yn ôl pob tebyg.

Mae'r BNP wedi cael tipyn o bleidleisiau yn ardal Croesoswallt, cofia.'

Am sbel eisteddodd y ddau mewn tawelwch. Deuai sŵn yr afon i'w clustiau. Roedd lleuad Fedi enfawr wedi codi'n hamddenol braf uwchben hen dre Pengwern a'i golau'n ariannu dyfroedd tywyll Hafren wrth iddynt lithro o dan Bont y Cymry.

Ystyriodd Hayley hynt a helynt ei diwrnod. Yn sicr, roedd wedi camu ymlaen o ran ei chwest, a darn neu ddau arall o'r jig-so wedi disgyn i'w lle ac eto teimlai ymhellach oddi wrth ganfod y gwirionedd am ei brawd coll nag erioed.

Yfory byddai'n rhaid iddi fynd yn ôl i'r Fenni, yn ôl i'r drefn o ymweld â'i thad a mynd i'w gwaith yn ei swydd newydd yn y Ganolfan Groeso ger yr orsaf fysiau. Doedd wybod lle y byddai Dylan erbyn y tro nesa iddi ddod i fyny ffordd hyn. A dyn yn unig a ŵyr pryd y gwelai Ozi, os o gwbwl.

'Well i fi fynd, siŵr o fod, Bragi. Rhaid i mi ddal y trên cynnar a rhaid i ti neud mwy o waith palu ar y safle stecslyd 'na.'

'Mi fydda i'n falch o 'madael â'r hen le 'na,' meddai Bragi gan godi ar ei draed a chynnig ei fraich i Hayley.

30

YCHYDIG DROS FIS yn ddiweddarach roedd Ozi yn sownd mewn ciw arall; y tro yma ychydig i'r dwyrain o Wellington ar yr M54 ar ôl taith arall i Lille.

Roedd yn gyrru car gwahanol eto – Skoda Superb SE L Executive newydd sbon danlli – ac roedd wedi gadael ei deithwyr, gŵr a gwraig a'u babi o Iran, mewn cyfeiriad yn Dudley. Bu'n gyrru ers oriau gyda'r babi'n nadu ac yn brefu nerth esgyrn ei ben am gyfnodau hir, a'r gŵr a'r wraig yn dadlau'n ffyrnig ar adegau yn y cefn nes bod pen Ozi wedi'i fwydro'n rhacs a'i amynedd yn edefyn o denau.

Pwysai'r diffyg cwsg yn affwysol arno ac erbyn hyn doedd o ddim yn hollol siŵr sut byddai'n cadw yn effro drwy'r dydd.

Roedd wedi gobeithio cyrraedd adre mewn da bryd i gael ychydig oriau o gwsg a chawod a newid dillad cyn cwrdd â Hayley oddi ar y trên yng Ngobowen. Ond bu oedi mawr wrth fynd drwy'r twnnel dan y sianel ac wedyn roedd lori wedi mynd ar dân ar y draffordd a'r traffig yn stond am ddwy awr gan ymestyn yn ôl am ryw bedair milltir a mwy.

Roedd yna ryw deimlad crafog annifyr y tu ôl i'w lygaid a bu'n dylyfu gên yn ddi-baid ers ymuno â'r draffordd. Go brin y byddai'n *fit for purpose* wrth gwrdd â'r ferch o'r Fenni tuag amser cinio. Roedd jyst â chlemio eisiau bwyd hefyd a doedd o ddim yn siŵr a oedd ganddo unrhyw beth i'w fwyta yn y tŷ.

Agorodd gil y ffenest a gadael i'r awel fwyn – rhyfeddol

o fwyn am yr adeg o'r flwyddyn – lyfu ei wyneb ac adfer ei synhwyrau. Caeodd ei lygaid a dechrau breuddwydio am y tro nesa y câi gyfle i fynd am dro ar y mynydd gyda Celt. Doedd o ddim wedi'i eni i fod yn ddyn tacsi, yn enwedig i bobol estron na ddylai gael dod i'r wlad yma beth bynnag – yn gyfreithlon nac yn anghyfreithlon, ym marn Ozi.

Byddai'n braf iawn gweld Hayley. Yn newid llwyr o'r teithio a'r nerfau tyn a nodweddai hynt ei fywyd ar hyn o bryd.

Tan ychydig yn ôl, bron nad oedd Ozi wedi rhoi'r ffidl yn y to y byddai'n clywed ganddi eto ac wedyn tua chanol mis Hydref dyma e-bost yn glanio; e-bost cynnes ac agored, yn esbonio ac yn ymddiheuro am ei distawrwydd a'i hoedi wrth ateb.

Dechreuodd y ciw o'i flaen symud dow-dow am ychydig – ymhellach na'r tro diwetha sylwodd...

Roedd tad Hayley wedi marw, meddai Hayley yn ei e-bost, ac roedd y golled yn un drom iddi – er, wrth gwrs nad oedd hi am ei weld yn dioddef yn hirach. Erbyn hyn roedd hi yng nghanol holl adladd ymadawiad yr hen foi ac angen toriad llwyr o glirio'i stwff.

'... sai'n gwbod be dwi am neud yn y tymor hir,' ysgrifennodd, 'ond am y tro dwi jyst isie brêc bach o fagie duon a llwch, hen luniau ac atgofion sy'n corddi pob math o hen deimladau diflas. Os yw dy gynnig di i weld Clawdd Offa ac ymweld â thre dy febyd yn dal i fod yn agored, wedyn ma fe'n swno'r feri peth i 'nghadw fi ar y rêls. Bydd e'n lot o hwyl. Diolch. Mae'n debyg y bydda i'n aros yn lle Bling a Blitz yn Amwythig – fel arfer bydden i'n aros yn Pengwern Villa gyda'r boi oedd yn byw dros y landin ond mae fe bant yn Sgotland am gwpwl o wythnosau.'

Doedd Ozi ddim yn gyfarwydd iawn â Bragi ac roedd y syniad bod Hayley yn barod i fwrw'r nos yng nghwmni rhyw ddyn diarth – wel, diarth i Ozi, beth bynnag – yn codi rhyw fymryn o ofid, rhywle rhwng cenfigen a drwgdybiaeth. Ond doedd hi ddim yn dod drosodd fel rhywun oedd yn chwarae o gwmpas fel'na, meddyliodd. I'r gwrthwyneb. Roedd hi i'w gweld yn ddynes gall ac egwyddorol iawn.

Roedd wedi gwirioni hefo'r e-bost. Doedd neb wedi sgwennu e-bost fel'na ato erioed, na llythyr chwaith o ran hynny – a dim un cyn hired, yn sicr. Roedd wedi'i ddarllen a'i ailddarllen nes bron nad oedd pob sill ar gof a chadw ganddo. Roedd rhywbeth yn dechrau plycio y tu mewn iddo ac er gwaetha ei holl addunedau i osgoi mynd din-dros-ben yng ngwe Gwener eto byth fel petai, roedd y rhagarwyddion yn rhai gorgyfarwydd iddo.

Roedd yr ysfa i weld Hayley yn cryfhau bob gafael. Gadawodd i'w hwyneb lenwi ei feddwl a cheisiodd gofio cymaint ag y gallai am ei phryd a'i gwedd a thraw ei llais soniarus. Roedd y darlun bron â bod yno pan ddeffrodd yn sydyn o'i bensyndod wrth i gorn ganu'n ddiamynedd y tu ôl iddo. Rhwbiodd ei lygaid gan agor y ffenest yn lletach wrth danio'r injan a chychwyn ar ei ffordd.

O'r diwedd ac yn hollol ddisymwth, roedd y dagfa'n dechrau chwalu fel mwg yn y gwynt.

Llamodd y Skoda yn ei flaen gan larpio'r ychydig filltiroedd oedd yn weddill er mwyn adennill cymaint o'r amser a gollwyd ag yr oedd yn bosib. Roedd yr enwau lleoedd ar yr arwyddion yn cyhoeddi pa mor agos oedd o i'w gynefin.

Gyda lwc, byddai'r cwsg a'r gawod arfaethedig o fewn cyrraedd iddo. Teimlai calon Ozi'n sgafnach am y tro cynta ers dyddiau.

31

Tynnodd Hayley ei chôt a setlo am y daith fer ar y trên o Amwythig i Gobowen. Roedd hi'n fwndel o gyffro, er ei bod wedi'i hatgoffa'i hun droeon taw menyw yn ei hoed a'i hamser oedd hi, ac nad oedd ymddwyn fel croten ysgol ar ei dêt cynta'n beth priodol iawn iddi – ond pwff i hynny i gyd! Roedd angen brêc go iawn arni ym mhob ffordd. Roedd hi'n ysu am gyfle i chwerthin a joio.

Bu neithiwr yn dipyn o laff gyda Bling a Blitz ac yn werth y sgileffeithiau anochel wrth lusgo'i hun o'i gwely y bore 'ma. Allasai'r ddau ddim wedi bod yn fwy croesawus. Lle gwallgo oedd eu tŷ, yn llawn rhyw anhrefn chwaethus ac er bod golwg flêr ar y lle, o graffu'n ofalus roedd rhywun yn gweld bod yna le i bopeth a phopeth yn ei le mewn gwirionedd. Roedd pob silff yn drwch o wrthrychau difyr a diddorol a heliwyd ar deithiau mynych y cwpwl i bedwar ban byd, ac roedd paentiadau a defnyddiau lliwgar yn hongian o'r nenfwd hyd at y llawr ar bob wal. Roedd pob cilfan bach yn cynnwys rhyw eitem ecsotig. Ac eto yng nghanol yr holl drugareddau os oedd Bling eisiau rhoi ei llaw ar nodwydd ac edau neu eitem benodol arall roedd hi'n gwybod yn syth lle i gael hyd iddynt.

'Ty'd i mewn, cariad! Ty'd i mewn!'

Roedd croeso Blitz yn heintus o frwd. Roedd yn rhaid iddo floeddio uwchben dwndwr y gerddoriaeth decno a fygythiai ysgwyd y pryfed cop yn un gawod o ddistiau'r tŷ.

'Be ti isio i yfed… neu smocio wrth gwrs?!' gwaeddai gan chwerthin fel bachgen bach.

Er mai digynnwrf fyddai ymarweddiad yr Awstriad fel arfer, pan oedd Blitz mewn hwyliau partïo roedd o wir yn mynd amdani go iawn.

A dyma Bling yn ymddangos fel rhyw dduwies o'r cynfyd mewn pabell amryliw o wisg hipïaidd, hi a'r babell fel ei gilydd wedi'u trimio'n hael ac yn helaeth â'r 'bling' ethnig bondigrybwyll arferol.

'Blitz, tro'r sŵn annynnol 'na i lawr, er mwyn y cread. Hayley, 'mach i, sut wyt ti? A chroeso. Sut daith gest ti? Roedd yn wir ddrwg gynnon ni glywed am dy dad druan. Sut mae pethau'n mynd? Mae cymaint i'w wneud ar adegau fel hyn, yn does? Oes rhywbeth y gallwn ni neud i helpu?'

'Y'ch chi'n helpu'n barod drwy 'ngha'l i sefyll yma,' meddai Hayley, ei llais yn brwydro'n ofer yn erbyn y tecno a'r emosiwn a ddaliai i gydio yn ei gwddf bob tro y byddai rhywun yn sôn am ei diweddar dad.

'Blitz!' rhuodd Bling mewn llais a fynnai ufudd-dod digwestiwn.

'Ocê, ocê,' meddai hwnnw'n glustlipa gan sleifio'n anfoddog o'r golwg. Eiliadau'n ddiweddarach llaciodd y pwnio yn erbyn yr asennau a gallai pawb gyfathrebu'n gall unwaith eto.

Yn nes ymlaen, wedi bwyta eu gwala o'r wledd ryfeddol a baratowyd gan Blitz a thra oedd yr Awstriad bach yn golchi'r llestri, cafodd Bling a Hayley gyfle i daflu eu hunain ar ben cwpwl o glustogau meddal anferth yn y lolfa. Roedd Bling wedi llwyddo i ddisodli tecno'i phartner ar y system sain ac erbyn hyn roedd llais Natalie Merchant yn gyfeiliant ychydig yn fwy cydnaws â'u sgwrs.

'So, shwt ma Sabrina's Cave?' gofynnodd Hayley, gan

fwynhau'r cocŵn ymlaciol a grëwyd o'i hamgylch gan yr holl win coch roedd wedi'i yfed ers cyrraedd ynghyd â'r teimlad diogel ei bod yng nghwmni ffrindiau.

'Gweddol, ti'mod. Mae digon o bobol yn dod drwy'r drws – dim lot o bobol gyffredin ond digon o deips dosbarth canol fatha ti a fi.'

Hmm, meddyliodd Hayley. Fasa gan ei thad rywbeth i'w ddweud am y diffiniad hwnnw o'i ferch!

'Y staff ydi'r broblem,' aeth Bling yn ei blaen.

'Be? Ddim yn gadael i Blitz whare ei decno yn lle'r stwff Oes Newydd arferol?' mwmiodd Hayley'n dafod tew i gyd.

Chwarddodd Bling cyn difrifoli.

'Na, mae fel 'se pob un sy'n gweithio yno'n dod o ben draw'r byd, rywsut. Nid bod eu tras yn ein poeni, wrth reswm pawb, ond dydi'r bobol 'ma ddim yn aros yn hir, ac yn bendant, dydyn nhw ddim yn hapus iawn. Ti'n methu tynnu unrhyw sgwrs â nhw o gwbwl, fel y bachan o Affganistan sy'n helpu yn y caffi a'r gegin.'

'Fe gwrddes i ag e y tro diwetha. Bach o sychbren os ti'n gofyn i fi.'

'Yn union. Does fawr o sgwrs ganddo ond yr unig dro i mi dorri ychydig eiriau hefo fo, wel, roedd ei Saesneg yn gaboledig iawn ac mae'n amlwg bod y boi'n beniog tu hwnt ac nad jyst gweithiwr caffi cyffredin ydi o.'

Cofiodd Hayley y dyn ifanc â'r marciau dan ei lygad a'i wyneb fel pe bai o dan gwmwl o hyd.

'Be ti'n feddwl ydyn nhw 'te? Ffoaduriaid? Mewnfudwyr anghyfreithlon?'

'O, rhywbeth fel'na heb os, a dydi rhywun ddim eisio tynnu gormod o sylw atyn nhw. Wedi'r cwbwl, twyll sy'n dod â nhw yma yn y bôn. Y gred mewn rhyw fan gwyn fan draw yr ochr yma i'r Sianel sy'n cael ei hwrjio gan y diawliaid sy'n eu smyglo nhw. Pobol yn manteisio ar eu hawydd i neud rhywbeth gwell â'u bywydau.'

'Ife smyglwr yw Jamie?'

'Synnwn i fwnci. Mae ei bump ym mhob brywes, tydyn? Mae'r lle wedi newid dros y blynyddoedd. Ar y dechrau roedd rhywun yn teimlo bod Mr Wray'n dipyn o enaid hoff cytûn, yn cyd-fynd â'n hegwyddorion o ran yr amgylchedd a chydraddoldeb a phob dim. Ond peryg mai dim ond cyfalafwr bach barus ydi o yn y bôn.'

Tawodd Bling a thynnu'n eithaf blin ar ei sbliff a'i gynnig i Hayley a sgydwodd ei phen.

'Dim diolch.'

'Where in the hell can you go,
far from the things that you know...'

canai Natalie Merchant, ei llais cryf yn argyhoeddi, a sgubodd ton o dristwch drwy Hayley.

Daeth wyneb Nahom i'w meddwl. O'dd e'n un o'r bobol 'ma? Siŵr o fod. O'dd Jamie wedi ceisio ei amddiffyn, ond aeth yn aberth i ddyfroedd Hafren fel Sabrina gynt – ymhell o'i wlad, ymhell o'r pethe cynefin? Roedd Hayley yn ymwybodol, er gwaetha'r gwin a chysur y croeso, fod yna gefnfor o emosiwn amrwd yn lapio ar gyrion ei chocŵn alcoholaidd; cefnfor a allai ei chipio a'i boddi mewn amrantiad.

Roedd hi wedi ymlâdd â'r cyfan oedd wedi digwydd dros y misoedd diwetha. Roedd salwch ei thad a'i farwolaeth wedi effeithio arni'n ddyfnach nag y sylweddolai eto.

Pan fu farw ei thad, rhyddhad oedd ei hymateb cynta. Rhyddhad na fyddai Aneirin yn gorfod dioddef ymhellach wrth gwrs, ond hefyd rhyddhad bod rhai o rwymau'r trallodion oedd wedi digwydd ym mywyd y teulu bellach wedi'u torri a'i bod hi'n gallu gwneud dewisiadau lle nad oedd rhan ohoni'n gorfod cynnal rhywbeth oedd eisoes wedi'i ddryllio y tu hwnt i bob achubiaeth.

Efallai y byddai cwrdd ag Ozi yfory yn cychwyn ar ryw bennod newydd. O'r ychydig roeddent wedi sgwrsio â'i gilydd, deuai drosodd yn ddyn hyfryd – yn gynnes ac yn gwrtais – a doedd y gwahaniaeth oedran ddim fel pe bai wedi mennu dim ar y ffordd roeddent yn siarad â'i gilydd. A dweud y gwir, prin ei bod yn sylwi ar hynny o gwbl.

Cysur mawr iddi oedd bod Ozi yn rhywun oedd i'w weld yn poeni am yr amgylchedd ac am ddyfodol ei gynefin, yn ddyn oedd yn hoffi beth oedd gan fyd natur i'w gynnig i ddynoliaeth y tu hwnt i'r cyfoeth byrhoedlog a ddeuai o anrheithio'i adnoddau hyd yr eithaf drwy'r amser.

Roedd Ozi wedi rhannu ei freuddwyd mawr â hi, sef ei awydd i gael bod yn berchen ar ei dyddyn ei hun dros y ffin yng Nghymru ac wrth i'r trên i'r gogledd dynnu allan o orsaf Amwythig, fflachiai pob math o bosibiliadau drwy ei meddwl. Yn bendant, roedd mwy o obaith yng nghalon Hayley nag a fu ers amser maith.

32

B U'R DIWRNOD GYDAG Ozi yn un arbennig iawn.
Roedd ysbryd Hayley wedi gwywo braidd wrth gamu
o'r trên yng ngorsaf fach Gobowen, gan edrych o gwmpas am
ei chip cyntaf ar Ozi.

Dim sôn amdano.

Aeth allan i weld oedd o wedi parcio o flaen yr adeilad.

Dim sôn eto.

Tsieciodd ei ffôn.

Dim negeseuon.

Grêt! Be nesa, Hayley Havard? Dal y trên cyntaf yn ôl
i Amwythig, casglu'i stwff o dŷ Blitz a Bling a theithio'n ôl
i'r Fenni am noson unig yn Nhŷ Tyrpeg yng nghanol yr holl
lanast ac atgofion prudd?

Cerddodd allan o'r orsaf a thrwy'r maes parcio a sefyll
ger croesfan y lein. Roedd ei thrên hi'n prysur ymbellhau
i'r gogledd erbyn hyn gan ruthro ar ei hynt tua'r Waun,
Rhiwabon a Wrecsam, gan groesi'n ôl dros y ffin unwaith eto.
Gwrandawodd arno'n clecian i'r pellter nes i'w sŵn ymdoddi'n
llwyr i'r wlad bob ochr i'r cledrau.

Edrychodd draw ar y rhes o dai brics coch cymen a safai
i'r dde o dafarn o enw'r Hart and Trumpet. Efallai fod Ozi
yn aros yn y dafarn yn cael llymed o rywbeth i sadio'i nerfau
yntau!

Roedd rhwystrau'r groesfan yn codi a'r traffig yn llifo
unwaith eto.

Iawn, mi wna i aros hanner awr a...

Canodd corn, a sleifiodd car llwydlas smart iawn ei olwg i stopio reit wrth ei hymyl.

Pwy yw hwn nawr?

A dyna hi'n clywed llais yn gweiddi ei henw.

'Hayley!'

Ozi!

Agorodd Hayley ddrws y Skoda ac i mewn â hi. Teimlai ychydig yn od. Roedd Eddie wedi hoffi ei geir smart hefyd ond rywsut doedd hi ddim wedi cysylltu Ozi â char fel hwn.

'Ddrwg gen i 'mod i'n hwyr,' meddai wrth droi'r car ym maes parcio'r orsaf.

Roedd yn ogleuo'n lân a gwelai fod ei wallt yn dal i fod ychydig yn wlyb.

'Jiw! Mae'n iawn! Newydd gyrraedd o'n i. Gwaith ife?' meddai gan ryw nodio tuag at lyw'r car.

'Ia, mewn ffordd.'

'Be ti'n neud erbyn hyn?'

'Dreifio.'

'Dim cwcan?'

'Na, ma hyn yn talu'n well.'

'Car y cwmni ife?'

'Ia.'

Tawelwch.

O diar, meddyliodd Hayley, dyw hyn ddim yn addawol iawn. O'r blaen roedd y sgwrs rhyngddyn nhw wedi llifo'n ddiymdrech ond heddiw roedd fel pe bai rhyw len annisgwyl o swildod wedi syrthio rhyngddyn nhw.

Ond dyma Ozi'n gofyn:

'Sut siwrne gest ti?'

'O da iawn. Ma'n hawdd iawn o Amwythig. Rhyw daith ugain munud.'

'Ia, byddwn i'n dal y trên yn amal pan oeddwn i'n hogyn…
i weld y pêl-droed. Wyt ti'n dilyn pêl-droed?'

'Rygbi yw'r gêm o ble dwi'n dod.'

'O, dwi'n dilyn rygbi hefyd. Wel, pencampwriaeth y chwe
gwlad a phethau fel'na. Dwi'n leicio gweld Cymru'n ennill.'

'Neu'n colli,' meddai Hayley'n smala ond syrthiodd hyn ar
dir caregog.

Tawelwch.

'Ddrwg gen i am dy dad, gyda llaw.'

Ar ei ben fel'na.

'O, ie… Diolch.'

Roedd ei thafod fel pe bai wedi'i glymu. Roedd derbyn
cydymdeimlad yn anodd. Daliai i deimlo fel pe bai'r gwynt
yn cael ei wasgu ohoni bob tro. Hynny a'r cyffro o fod yng
nghwmni boi roedd hi'n ffansïo. Doedd ryfedd ei bod yn cael
trafferth wrth gael trefn ar ei meddwl a'i geiriau.

Tawelwch eto.

O mawredd, am faint fydd pethe'n cario mla'n fel hyn,
meddyliodd. Be wedwn ni nawr?

Dechreuodd y ddau siarad yr un pryd:

'Dwi'n cofio pan fu far—' meddai Ozi.

'Ma rhywun yn cael ei ddala—' dechreuodd Hayley.

'Sori,' meddai'r ddau.

Saib.

'Cer di gynta,' anogodd Ozi.

'Ble ni'n mynd?'

'Croesoswallt. Meddwl gallen ni gael tipyn o ginio ac wedyn
os bydd y tywydd yn dal gallwn ni fynd am dro ar Glawdd
Offa – os tisio?'

'Odw, dwi'n gwisgo'r pethe iawn beth bynnag,' meddai gan
bwyntio at y sgidiau cerdded call am ei thraed bach twt.

Gwenodd yn hunanymwybodol ac fe wenodd yntau wên fawr fachgennaidd. Roedd hi wedi anghofio cymaint roedd hi'n hoffi ei wên.

33

ROEDDEN NHW WEDI ciniawa mewn tafarn o'r enw'r Welsh Gate yn un o strydoedd cefn Croesoswallt.

'Dyma lle ces i fy ngeni a 'magu,' meddai Ozi wrth dynnu i mewn i'r maes parcio. 'Ein gardd ni oedd y maes parcio yma erstalwm. Rhesi o ffa, pys, tatws, moron.'

Roedd Hayley yn rhannu ei siom. Astudiodd y safle a cheisio dychmygu'r holl gynnyrch yn tyfu yno, y cwbwl dan darmac erbyn hyn.

'Dy eni yn y dafarn ei hun? Cŵl!'

Edrychai'r adeilad yn hen ac yn llawn cymeriad.

'Do, ac mi oedd hi'n hwyl ar adegau, ond prin 'mod i'n nabod y lle y tu mewn na'r tu allan erbyn heddiw. Mae'r bwyd yn reit dda serch hynny... medden nhw, yntê?'

'Fan hyn ti'n dod â'r merched i gyd ife?' cellweiriodd Hayley gan braidd gyffwrdd â'i fraich.

Ddywedodd Ozi yr un gair ac roedd Hayley yn ei diawlio ei hun am sylw mor hurt. Daliodd Ozi ddrws y dafarn yn agored iddi fynd i mewn. Cofiodd Hayley eu cyfarfyddiad cyntaf a'r fraich yn dod dros ei hysgwydd i ddal drws cegin y caffi iddi.

Dros ginio gofynnodd Hayley:

'O'dd dy rieni'n dod o Groesoswallt 'te?'

'O bentre Llansilin. Heb fod ymhell o Sycharth. Ti 'di clywed am Sycharth?'

'Sori... O'n i'n anobeithiol mewn daearyddiaeth yn yr ysgol.'

Chwarddodd Ozi.

'Hanes fyse'r pwnc pan ma rhywun yn sôn am Sycharth. Tasen nhw mond yn dysgu hanes go iawn i'n plant ni. Sycharth oedd un o gartrefi'r Cymro mwya erioed.'

'Aneurin Bevan?' awgrymodd Hayley – arwr mawr ei thad-cu oedd wedi enwi'i fab ar ei ôl o wrth gwrs.

'Owain Glyndŵr!' meddai Ozi, yn ddiamynedd braidd. 'Ti 'di clywed am Owain Glyndŵr i lawr yn ne Cymru 'na?' meddai'n fwy coeglyd byth. Sylwodd Hayley ar y min yn ei lais.

'O, odw. Ma fe i'w weld ar gefn ei geffyl ar dapestri yn Ysgubor y Degwm yn y Fenni. Fe es i weld e sbel yn ôl a dwedodd y fenyw wrth yr ymwelwyr taw hen racsyn drwg o'dd e a sneb yn gwbod lot amdano fe.'

Doedd yr ateb na sylw'r tywysydd ddim yn plesio. Cymerodd Ozi lwnc o'i ddiod a newid y pwnc:

'Lle gest ti dy eni 'te?'

Gorffennodd Hayley y bwyd roedd newydd ei roi yn ei cheg a dechrau ar ryw fersiwn dalfyredig o'i hanes.

Gallai weld fod Ozi'n gwrando'n astud gan wylio'i hwyneb drwy'r amser wrth iddi siarad ac yn porthi'n uchel wrth glywed y gwahanol droeon anffodus oedd wedi britho hanes ei theulu, gan holi'i pherfedd am hanes ei brawd coll.

Mor daer roedd yr holi, dechreuodd Hayley deimlo ychydig yn amddiffynnol ond rywsut mentrodd sôn ychydig am Dylan y nai.

'Felly, yr hogyn 'ma sy'n byw ar stad Harlescott Grange, doedd o ddim yn gwbod dim byd am ei dad?'

'Nag o'dd. Ambell ffaith, 'na'r cwbwl. O'dd e ddim yn gwbod ble o'dd ei fam e erbyn hyn chwaith – wel, dyna wedodd e, ta p'un. A gweud y gwir ma fe'n neud i fi deimlo bach yn isel wrth siarad amdano fe. O'dd y lle mor ddigalon a dwi eisie joio heddiw… Beth am weud mwy wrtha i am dy hanes di, Ozi? Faint o deulu sy 'da ti?'

Roedd llond trol o dristwch yn hanes Ozi hefyd. Yn debyg i Hayley, roedd ei fam yntau wedi marw pan oedd yn weddol ifanc, ychydig yn hŷn na Hayley, gan adael ei dad i fagu Ozi a'i ddwy chwaer. Roedd un o'r rheini wedi'i lladd mewn damwain ffordd rhwng Gobowen a Chroesoswallt ac roedd Ozi wedi colli cysylltiad yn llwyr â'r llall ond yn credu ei bod hi'n byw yn Glasgow erbyn hyn. Hi oedd y fenga ac roedd Ozi wedi gadael y nyth pan oedd hi tua naw oed.

'Rhaid dy fod ti'n gweld eisie'r ddwy.'

'Ar y môr o'n i pan laddwyd Veronica, a ges i wybod bod Lisa wedi gadael Croesoswallt pan ddes i adre un tro a galw heibio lle'r oedd hi'n byw a ffeindio bod rhywun diarth yno. Rhaid bod hi ddim eisio i mi wybod lle'r oedd hi. Dim syniad pam.'

Bu saib yn y traethu. Dim byd i'w glywed ond crafu cyllyll a ffyrc ar eu platiau. O'r diwedd rhoddodd Ozi ei rai yntau i lawr, gorffen yr hyn oedd yn ei geg, cymryd llwnc o'i ddiod ac ailgydio yn y stori.

'Yn ôl y sôn roedd hi wedi rhedeg i ffwrdd hefo'i bòs. Dwi ddim yn gwybod. Ysbryd rhydd fuodd Lisa erioed a digon diarth oedden ni wrth reswm ar ôl i mi adael gartre achos do'n i ddim yn gallu dod yn ôl yn aml am wahanol resymau.'

Ond doedd anlwc Ozi ddim yn dod i ben gyda'i chwiorydd chwaith.

Cymerodd Hayley hithau lwnc o'i seidr. Chwerthin a joio? Wel, ddim cweit, ond roedd yn ymwybodol eu bod yn dechrau closio a'r swildod ar y cychwyn wedi'i ddiosg. Roedd rhyw ymddiriedaeth a chynhesrwydd cynhenid yn dechrau tyfu rhyngddyn nhw.

'Do, ddwywaith,' oedd ateb Ozi i'w chwestiwn am sawl gwaith oedd o wedi bod yn briod. Roedd y mater wedi codi rywsut pan oedden nhw'n gweithio yn Sabrina's Cave ond roedd hi jyst eisiau bod yn siŵr mai dwywaith oedd hi a bod ei stori'n gyson! Roedd wedi nabod ambell fachan oedd wedi rhaffu sawl fersiwn o hanes ei fywyd yn nyddiau cynnar y berthynas. Roedd Eddie wedi bod yn euog o hyn ar y dechrau ond wedi difaru a chyfaddef ei fai yn nes ymlaen a digon diniwed oedd ei drosedd – rhywbeth am daith hollol ddychmygol i Rwsia!

Y tro cynta roedd Ozi wedi priodi â dynes o Singapore – Tamil o dras.

'Ifanc o'n i ac yn hynod o ddiniwed. Ro'n i wedi fy swyno'n lân. Yn rhy wyrdd i sylweddoli mai priodas er cyfleustra oedd hi er mwyn iddi gael dod i Brydain. Cyn gynted ag y cyrhaeddodd hi yma, dyma hi'n codi pac a symud at ddyn arall, dyn busnes cyfoethog o India.'

'O druan ohonot ti!' meddai Hayley gan weld y boen yn crychu am ennyd drwy'i lygaid tywyll. 'Rhaid dy fod ti'n teimlo'n ofnadw – ca'l dy fradychu a stitsho lan.'

Nodiodd cyn cael hyd i'w dafod eto.

'Mi es i drwy gyfnod reit anodd, a deud y gwir. Yfed gormod, yn rhy barod hefo fy nyrnau, colli gwaith, mynd i drafferth hefo'r heddlu, mynd i gadw cwmni criw digon doji a gwneud tipyn o bethau mae gen i gywilydd ohonyn nhw bellach. Dyna'r adeg roedd 'nhad yn marw hefyd... a wel, mae dipyn o gwilydd arna i na fues i'n fawr o help iddo fo. Dyma'r adeg wnes i ymddieithrio â Veronica – ro'n ni wedi bod yn dipyn o ffrindiau pan o'n ni'n iau. Ac wedyn cafodd ei lladd cyn bod cyfle i unioni'r rhwyg oedd rhyngddon ni.'

Mae pob teulu â'i helbul, meddyliodd Hayley. Doedd hi ddim yn siŵr y gallai hi fod mor agored am ei phrofiadau hi gydag Eddie a'i thad a Dylan...

'Beth am yr ail briodas 'te?' gofynnodd Hayley, ei gên yng nghwpan ei dwylo, wrth blygu ymlaen dros y bwrdd.

Edrychodd Ozi ar ei wats.

'Tybed os ydyn ni am fynd am dro, dylen ni ei throi hi neu mi fydd hi'n nos arnon ni.'

Gadawsant yr Welsh Gate gydag Ozi'n talu am y bwyd. Aethant yn y car ryw filltir neu ddwy y tu allan i'r dre gan barcio a dechrau ar y llwybr at y Clawdd.

Roedd Hayley wastad yn meddwl ei bod hi'n dipyn o foi o ran nabod a sylwi ar deithi byd natur pan fyddai hi allan am dro ond roedd Ozi'n anhygoel – yn sylwi ar bopeth, a'i wybodaeth yn ddihysbydd. Yn fuan iawn penderfynodd Hayley na fedrai gystadlu a bodlonodd ar fwynhau'r profiad o ddilyn ôl troed gwladwr o'r iawn ryw.

Er mai mond hanner peint o seidr roedd hi wedi'i yfed amser cinio gan dybio y byddent yn cerdded yn y prynhawn, golygai'r gyfeddach y noson cynt a chynhesrwydd anarferol yr haf bach Mihangel tanbaid ei bod wir yn gollwng stêm bron erbyn cyrraedd brig y Clawdd ac yn falch o'i thaflu ei hun i lawr i edrych draw dros wastadeddau Swydd Gaer.

Gorweddodd ar wastad ei chefn ar y crawcwellt crin, ei dwylo'n cysgodi ei llygaid gan ddrachtio o wres a golau gogoneddus yr haul.

Roedd Ozi'n cyrcydu ychydig draw oddi wrthi. Amneidiodd ar yr olygfa tua'r dwyrain.

'Dyma ffin ein gwlad yntê?' meddai. 'Dyma ble wnaethon

ni eu stopio nhw. Dydi hi ddim wedi symud lot ers hynny.'

Doedd Hayley ddim cweit yn deall bwrdwn ei eiriau, ond yn sicr roedd yr olygfa a'r tywydd yn odidog ac ar ôl y dringo egnïol, roedd ei phen yn teimlo'n gliriach nag y bu ers tro a'i hysbryd wedi llonni drwyddo.

Drwy gil ei llygaid edrychodd draw ar Ozi. Yn silwét cadarn yn erbyn yr awyr, roedd golwg rhyw wyliwr oesol ar y ffin arno. Roedd yn foi smart yn bendant.

Yn uchel fry roedd cudyll yn cylchdroi'n ddiog, ei adenydd ar daen uwchben y llethrau heulog, pob cylchdro'n ymestyn yn ehangach na'r un blaenorol.

'Dyw'r boi 'na ddim yn becso am ffinie 'no,' meddai Hayley.

Edrychodd Ozi i fyny a gwylio'r aderyn.

'Eryr Pengwern.'

'Be?'

'Eryr mae sôn amdano fo yn hen lenyddiaeth y Cymry.'

Mae'r dyn fel Wicipedia, meddyliodd Hayley.

'Beth am yr ail wraig yma?' gofynnodd Hayley, yr hin braf yn rhoi rhyw hyder iddi.

'Camgymeriad mawr.'

'Un arall.'

'Do'n ni ddim yn siwtio'n gilydd o gwbwl.'

'Oes gen ti blant?'

'Oes. Dau. Bachgen a merch yn eu hugeiniau erbyn hyn.'

'Ti'n eu gweld nhw'n aml?'

'Byth. Aeth eu mam â nhw pan o'n nhw'n fach.'

Mowredd! Ma hwn wedi ca'l ei siâr o ofidie.

'Ma'n siŵr bod hynny'n brofiad ofnadw.'

Atebodd o ddim.

'Beth amdanat ti?' gofynnodd o wedyn gan symud i eistedd ar y ddaear yn nes ati. 'Dy dro di rŵan.'

169

Edrychodd Hayley i fyny i'r awyr las hydrefol oedd eisoes yn tywyllu tua'r dwyrain. Llyncodd a bwrw ati.

Cylchodd y cudyll uwch eu pennau ryw ddwywaith eto cyn penderfynu nad oedd unrhyw gelanedd na phrae iddo yn y fan honno a hedfan yn ôl dros y ffin i'w guddfan yn y bryniau i'r gorllewin.

34

Wedi colli'r trên ola. Wela i ti fory. H xxxx

DYNA'R TECST AETH at Bling am hanner awr wedi un ar ddeg y noson honno.

Pan fyddi di yng nghanol dy dri degau fel fi, neu bron yn hanner cant fel Ozi, elli di ddim fradu amser ar adege fel hyn, rhesymodd Hayley wrth edrych arni hi ei hun yn y sgwaryn bach o ddrych yn ystafell molchi bwthyn Ozi. Drych eillio oedd o a chwyddai ei hwyneb mewn ffordd oedd, er yn ddoniol ar un wedd, yn peri rhyw anesmwythdod iddi.

Crynodd.

Roedd diwrnod crasboeth wedi ildio i noson glir a rhyw awgrym o farrug yn yr awyr.

Aeth ysgryd arall drwyddi. Allai hi ddim loetran yn rhy hir yn oerfel y bathrwm. Llithrodd o'i dillad a'u hongian ar gefn cadair simsan ger y gawod. Roedd tipyn o ddŵr ar y llawr oedd yn tystio i ymweliad Ozi â'r gawod gynnau fach. Doedd y system ddim yn bwerus iawn a dim ond llugoer oedd y dŵr. Rhyfedd meddwl sut roedd hi wedi chwysu'n stecs drwy'r prynhawn ar y mynydd ond erbyn iddi gamu o'r gawod roedd ei dannedd yn clatsien fel castanéts.

Ar gefn y drws, hongiai côt nos gochddu drwchus – côt nos Ozi oedd hon. Roedd yn gwynto o – doedd hi ddim yn hollol siŵr o be – ond doedd yr oglau ddim yn annymunol. Yn eitha sbeislyd rywsut.

Sbeciodd yn y drych unwaith eto a dal y gôt nos yn agored i weld sut olwg oedd arni, ond er gwaethaf maint chwyddedig y ddelwedd a syllai arni, mor fach oedd y drych ei hun fel na allai hi weld yn is na'i sgwyddau. Roedd sefyll yn yr oerni'n codi croen gŵydd drosti, rhywbeth nad oedd rhywun yn ei ddymuno efallai wrth gwtshio'n noeth ym mreichiau cariad newydd am y tro cynta.

Caeodd y gôt yn frysiog, diffodd y golau a mynd yn ôl i'r coridor tywyll a arweiniai at lofft Ozi.

Roedden nhw wedi siarad am dros awr ar ben Clawdd Offa nes i'r haul ddechrau dowcio y tu ôl i fynyddoedd Cymru a bu'n rhaid iddyn nhw droedio'n ôl yn ofalus rhwng dau olau drwy'r coed tywyll at y man lle'r oedd y car.

Roedd Hayley wedi llithro mewn un man ac roedd Ozi wedi estyn ei law i'w hatal rhag cwympo a heb ollwng ei afael wedyn nes eu bod yn ôl wrth y car. Teimlodd ei law'n eitha garw ond roedd ei afael yn ddigon tringar a chlosiodd Hayley at ei gesail wrth iddynt gamu ar hyd y rhan ola o'r llwybr tua'r maes parcio.

'Mae'r lle'n dipyn o dwlc a dweud y gwir,' meddai Ozi wrth dynnu'i wregys diogelwch dros ei ysgwydd yn y car. 'Ti'n ffansïo mynd am ddiod neu rywbeth arall i fwyta?'

'Dwi'n iawn o ran bwyd, diolch,' meddai Hayley ac roedd hi'n dweud calon y gwir. Roedd ei chinio yn dal i bwyso arni er gwaetha'r holl ymarfer ac yn sicr roedd hi wedi'i gorwneud hi'r noson cynt yn lle Bling a Blitz. 'Ond os wyt ti moyn rhywbeth i'w fyta...' awgrymodd ond sgydwodd Ozi ei ben. 'Liciwn i weld lle ti'n byw,' ychwanegodd Hayley. 'Mewn tyddyn bach digon sang-di-fang ges i fy magu, cofia – yn ferch i fenyw sipsi ac un o fois y lein. Sdim lot dwi heb weld... o ran annibendod. O'dd bedrwm Dylan 'y mrawd fel maes y gad yn aml.'

Ochneidiodd Ozi. Doedd o ddim eisiau colli gafael ynddi heno – ond nid y bwthyn oedd y lle delfrydol i fynd â hi. O, wel...

Roedd Celt ar ben ei ddigon o weld Ozi yn ei ôl. Trybowndiodd o'i gwt a neidio i fyny i groesawu Hayley – bron nad oedd o wedi bwrw'r ddynes fechan drosodd mor frwd oedd ei giamocs.

A dweud y gwir, doedd y bwthyn ddim mor flêr ag roedd Ozi wedi ei ofni. Ychydig o lestri budron, haenen go lew o lwch dros bobman, llif gadwyn a chan olew ar y bwrdd bwyd, papurau newydd ar daen ac mewn pentyrrau, a hen fwced o dan y twll yn y to, ond roedd y stof goed yn barod i'w chynnau, celc mawr o gwrw dan y grisiau a chyn pen dim roedd y lle'n ddigon clyd.

Aeth y sgwrsio yn ei flaen, yn llifo fel afon, wedi'i iro gan y cwrw cryf gyda thipyn o dost bara cartref Ozi i leinio'r stumog. Dan ddylanwad yr alcohol, magodd Hayley ddigon o blwc i sôn yn huawdl am ei theimladau angerddol am yr amgylchedd a sut na allai byth fod wedi aros gydag Eddie oherwydd ei agwedd ddi-hid at bethau fel newid yn yr hinsawdd a'r ffordd roedd y diwydiant olew'n ymddwyn ym mroydd pobloedd frodorol Canada a mannau eraill.

Bu'r dadleuon rhyngddi ac Eddie yn rhai chwerw a gallai weld bod Eddie'n hollol ddiddeall sut y gallai rhywun fod mor ddigyfaddawd ei barn â hithau. Torrodd ei galon pan ddywedodd wrtho na allai aros gydag o, a daliai'r atgof i'w thrwblu. Ond er gwaetha'r loes a wnâi hynny iddi hi, roedd y rhyddhad yn aruthrol.

Ond roedd Ozi fel petai'n cyd-fynd ac yn deall i'r dim.

'Mae'n ofnadwy, tydi? Maen nhw'n methu gweld ymhellach na'u byd bach eu hunain,' oedd ymateb Ozi.

'Cyhyd eu bod nhw'n iawn, sdim eisio poeni am ddim byd na neb arall.'

Profiad amheuthun i Hayley oedd gallu trafod y pethau 'ma'n agored, a sôn am ei gofidiau a'i gobeithion pan oedd pawb arall yn rhy brysur â'u problemau beunyddiol i boeni rhyw lawer am y darlun mawr – neu'n rhy barod i gladdu eu pennau yn y tywod.

Ymdroellai'r sgwrs fan hyn a fan draw fel ffrwd yn ymddolennu drwy ddolydd gwyrddlas ar ei ffordd i'r cefnfor, meddyliodd Hayley yn freuddwydiol wrth wylio'r fflamau yn y stof.

'Roedd brodorion America wedi'i dallt hi i'r dim,' meddai Ozi ar un adeg, ei lygaid bellach ynghau, gan bwysleisio'r geiriau wrth i'w fysedd daro curiad ysgafn ar gefn ei llaw hithau. 'Maen nhw'n credu mai ein mam ydi'r ddaear, a bod yr hyn sy'n digwydd i'r ddaear yn digwydd i'w holl feibion a merched.'

Penderfynodd Hayley ei bod hi'n hollol hapus aros y nos – a dweud y gwir doedd unman arall y dymunai fod.

35

Wᴿᵀᴴ ɪᴅᴅɪ ɴᴇsᴀ́ᴜ at ddrws llofft Ozi yn y tywyllwch, teimlodd Hayley rywbeth yn gwthio yn erbyn gwaelod ei ffolennau. Dychrynodd ac wedyn sylweddoli mai Celt oedd yno'n synhwyro plygion defnydd y gŵn.

Daliodd Hayley ei ben trwm a cheisio'i gyfeirio'n ôl at y stafell fyw.

'Cer o 'ma, Celt!' hisiodd. 'So ti'n ca'l dod miwn yma heno, boi. *No way!*'

Daeth rhyw sŵn diamynedd braidd o wddf Celt ond ciliodd yn ôl i ben arall y bwthyn heb ymyrryd ymhellach.

Tapiodd Hayley ar y drws a'i wthio'n agored. Llosgai lamp fechan yn isel ar y bwrdd ger y gwely. Roedd naws dwym braf yn y llofft er gwaetha oerni gweddill y tyddyn. Wrth i'w llygaid ymgyfarwyddo â'r golau, gallai weld bod Ozi yn ôl pob golwg yn cysgu'n drwm ar ei ochr, ei law dros hanner ei wyneb fel plentyn bach.

Gwenodd Hayley. Beth fydde ymateb Sarah petai'n dweud wrthi fod ei noson ramantus yn y bwthyn heb arwain at y sioe tân gwyllt arfaethedig gan fod ei darpar garwr yn cysgu'n sownd?

Diosgodd y gŵn llofft a throi dillad y gwely'n ôl ar yr ochr wag. Mowcath! Roedd y shîts yn oer-rrrr! Blydi hel! Cafodd ei themtio i gydio yn y cysgadur wrth ei hochr ac ymgolli yn syth yn ei wres ond rheolodd yr awydd a gorweddodd yno gan edrych o'i chwmpas.

Doedd dim rhyw lawer i ddangos perchenogaeth Ozi ar y stafell. Yr unig arteffact y gallai hi ei weld – a byddai'n anodd ei fethu – oedd baner Draig Goch enfawr a orchuddiai'r wal a wynebai'r gwely. Fel arall, doedd affliw o ddim personol i'w weld. Dim lluniau, dim trugareddau o unrhyw fath. Ar y llawr roedd rhyw dri bocs llawn llyfrau a dyna fo.

Rhyfedd, meddyliodd. Roedd hi wedi disgwyl rhywbeth ychydig yn wahanol. Ond efallai gan nad oedd Ozi'n bwriadu aros yn y lle am yn hir nad oedd wedi trafferthu i fuddsoddi rhyw lawer mewn rhoi ei stamp ei hun ar bethau – ac eithrio'r llif gadwyn ar y bwrdd bwyd, wrth gwrs!

Yn gyn-forwr, roedd yn gyfarwydd â chadw popeth yn daclus ac o'r golwg mewn llefydd cyfyng, dim gormod i'w golli pe bai'r llong yn suddo mewn storom! Pwy a ŵyr?

Wel, man a man i fi fynd at y busnes mewn llaw, meddyliodd, a throi i edrych ar Ozi yn ei gwsg. Dyn pert o'dd e reit dy wala. Llithrodd ei llaw draw a thros ei glun gynnes... a darganfod bod y diawl bach yn ddigon effro ac yn barod i berfformio.

36

ROEDD Y TAWELWCH pan ddeffrodd yn ei hatgoffa o'i
dyddiau cynta pan symudodd ei theulu o Wolverhampton
i Gymru i fyw pan oedd hi'n ferch fach. Yn yr un modd â'i bore
cyntaf hwnnw gallai glywed yr adar yn canu, ceiliogod yn
ymrysona a brefu'r gwartheg a'r defaid yn y cae. Twriai bysedd
yr heulwen hydrefol i gorneli tywyll y llofft, brychau bach o
lwch yn nofio yn y pelydrau llachar. Pan oedd hi'n groten
fach, credai mai gweld Duw oedd hi pan welai'r brychau hyn.
Erbyn hyn fe wyddai'n well.

Trodd ei phen i edrych ar ei chymar newydd a ddaliai i
gysgu'n sownd wrth ei hochr. Roedd ei wyneb wedi'i gladdu
yn y gobennydd a'i wallt brithddu trwchus yn cyferbynnu'n
amlwg yn erbyn yr hen gasyn gobennydd tyllog a'r dwfe
melynwyn.

Buasai'r caru'n bleserus gyda'r ddau wedi'u hamddifadu ers
cyhyd a chymerodd hi fawr o dro iddynt ymgynefino â llanw
a thrai defodau'r cnawd, cerhyntau cyfarwydd, y tensiynau
gorffwyll a'r gollyngdod oesol.

A'i chorff yn dal i ymdonni i rythmau'r nos, gorweddai
Hayley yng nghesail ei charwr, yn glyd fel drogen, a
sylweddoli nad oedd hi, am y tro beth bynnag, yn poeni am
ddim byd.

Fe wyddai'n iawn, wrth gwrs, fod yna bethau i boeni yn eu
cylch a chyn bo hir byddai hi'n cofio amdanyn nhw mewn un

fflyd, ond am yr ennyd fer hon, roedd hi'n hollol fodlon ei byd. Yn wir, am y tro, y gwely hwn wrth odre Clawdd Offa yng nghwmni Ozi Bryce oedd hyd a lled ei bydysawd cyfan.

Gwyliodd Ozi wrth iddo orwedd yn llonydd, ei freichiau bellach wedi'u taflu boptu i'w ben ar y gobennydd. Yn fuan iawn, fodd bynnag, rhaid ei fod wedi synhwyro ei threm yn ei gwsg ac agorodd ei lygaid. Edrychodd arni'n ddigynnwrf a hithau arno fo am ychydig eiliadau heb ddweud dim. Wedyn, gwenodd Ozi.

'Helô chdi.'

'Helô ti,' atebodd Hayley.

Teimlai'r ysfa i garu eto'n codi ynddi'n syth bron fel gwaed o glwy sy'n gwrthod ceulo. Tynnodd ei hun ar ei ben a phwyso ymlaen i'w gusanu.

'Bzz! Bzz!' suai'r teclyn bach ar y bwrdd wrth y gwely.

Fe'i teimlodd yn rhewi dani, ei fraich yn ymbalfalu i gydio yn y ffôn.

'Gad e, Ozi,' mynnodd Hayley wrth rwbio'i hwyneb yn erbyn ei frest blewog. 'Os yw'n bwysig, fe ffonan nhw eto.'

'Bzz! Bzz!'

A dyma Ozi'n codi odani fel morfil o'r dyfnderoedd nes ei bod yn gorfod rholio o'r neilltu. Cododd heb air a gafael yn y ffôn.

Ochneidiodd Hayley a rhythu arno yn llwydolau'r llofft gyfyng wrth iddo ddarllen y neges, ei osgo'n ei hatgoffa o gerflun clasurol noethlymun.

Pan drodd yn ôl, roedd y siom yn amlwg ar ei wyneb.

'Dwi wir yn sori, Hayls, ond rhaid i fi fynd...'

Siomedig oedd Hayley hefyd ond gallai weld o wyneb Ozi ei fod yn wirioneddol edifar ac nid o'i ddewis roedd hyn i gyd yn digwydd.

'Gwaith ife?' meddai gan geisio peidio â swnian yn rhy grac.

Nodiodd.

'Ar ddydd Sul?'

'24/7.'

'Pwy y'n nhw 'te?'

'Y bobol sy'n talu 'nghyflog i, gwaetha'r modd,' meddai wrth adael y llofft. Fe'i clywodd yn ymlwybro drwodd i'r stafell molchi am bisiad.

Tynnodd Hayley y dwfe'n ôl dros ei phen a griddfan yn dawel rhwng ei dannedd.

Ho-hym, meddyliodd. O'dd e'n rhy dda i bara, sbo. Sgwn i beth yw'r gwaith 'ma? Ma fe i gyd dipyn bach yn *cloak 'n dagger*. Ond na 'fe.

Daeth Ozi yn ôl i'r llofft, cerdded draw ati yn y gwely a phlygu drosti i'w chusanu'n hir ac yn ara.

'Mi wna i brynu brecwast i ti ar y ffordd a mynd â chdi'n ôl i'r dre wedyn,' meddai.

''Nhro i yw prynu bwyd i ti,' protestiodd Hayley.

Ystumiodd Ozi â'i ddwylo i ddangos ei fod yn diystyru'i chynnig yn llwyr a throi at ei ddillad oedd wedi'u plygu'n dwt ar y gadair.

Arhosodd Hayley lle roedd hi am sbel yn ei wylio.

'Ozi?' gofynnodd o'r diwedd mewn llais a swniai'n fwy plentynnaidd nag y bwriadai.

'Hayley?' meddai yntau wrth dynnu ei drôns dros ei ben ôl.

'Y'n ni'n mynd i weld ein gilydd 'to?'

Tynnodd grys tsiec glas dros ei ben cyn ateb ac yna cerdded draw ati a'i chusanu eto'r un mor dyner â'r tro o'r blaen – ar ei gwefusau ac wedyn ar ei thalcen.

'Wrth gwrs. Rŵan, tân dani os dwi am gael brecwast hefo ti hefyd...'

Llamodd Hayley o'r gwely, yr hyder ar godi unwaith eto.

*

Ddwy awr yn ddiweddarach roedden nhw'n dynesu at ganol Amwythig. Roedd pethau wedi cymryd mwy o amser na'r disgwyl ac ar ôl llowcio brecwast sydyn yng Nghroesowallt bu'n rhaid iddyn nhw fynd â Celt at ffrind i Ozi mewn pentre cyfagos. Gallai Hayley weld bod Ozi yn dechrau anesmwytho.

Wrth deithio i gyfeiriad Amwythig roedd y sgwrs rhyngddyn nhw wedi hesbio; nid oherwydd nad oedd ganddyn nhw ddim byd i'w ddweud wrth ei gilydd, dim ond eu bod ill dau'n dechrau sylweddoli y bydden nhw'n gwahanu cyn bo hir, a hynny mor fuan ar ôl dod i nabod ei gilydd a bod mor agos.

Roedd y traffig yn drwm ar y ffordd i mewn i'r dre ac roedd Hayley yn synhwyro bod Ozi'n ysu am gychwyn ar ei siwrnai gyda'i waith ac yn cipio ar y cloc bob munud ac yn drymio'i fysedd yn ddiamynedd ar y llyw pan oedden nhw'n sownd yn y tagfeydd.

'Af i mas fan hyn,' dywedodd Hayley o weld lle gwag yn ymyl y cwrbyn. 'Dwi'n ffansïo cer'ed a gweud y gwir.'

'Ti'n siŵr?' gofynnodd Ozi gan dynnu i mewn i'r gofod cyfleus. 'Alla i fynd â chdi'r holl ffordd yn ôl i le Bling a Blitz os tisio.'

'Na. Sai moyn i ti fod yn hwyr ar gyfer dy waith... beth bynnag yw e!' meddai'n ffug bryfoclyd.

Chwarddodd Ozi'n ysgafn a rhoi ei law ar ei braich.

'Fel ddywedais i wrthat ti, dim ond rhyw ddyn tacsi crand

ydw i yn y bôn. Cario pobol fusnes gyfoethog o gwmpas y lle. Gwaith diflas ar y naw ond mae'n talu'n eitha da.'

Rhythodd Hayley eto ar y siwt ddrud a wisgai. Roedd yn gweddu'n dda iddo ond roedd wedi cael tipyn o sioc pan ddaeth i'r fei ynddi yn y bwthyn.

Edrychodd Hayley yn ôl ar y traffig o'u blaenau.

Ych y pych. Dyma fe – yr awr fawr, amser ffarwelio. Daeth rhyw banig drosti a dechreuodd deimlo'n fach ac yn unig. Doedd hi ddim eisiau dangos dim o hyn iddo. Doedd hi ddim eisiau iddo feddwl ei bod hi'n rhywun oedd am gydio'n rhy dynn yn rhy fuan – rhag ofn ei fod yn cael braw ac oeri. Roedd hi'n ffyddiog y bydden nhw'n gweld ei gilydd eto, ond roedd yr ysfa i ddal gafael yn gryf.

Tynnodd Ozi hi ato a'i chusanu.

'Sori bo' fi'n gorfod mynd. Mi fasa'n grêt mynd am dro arall hefo ti a'r tywydd mor braf. Mi wna i gysylltu eto… cyn gynted y bydd y job 'ma drosodd. Ymhen ychydig ddyddiau, siŵr o fod. Dwi wedi mwynhau'n fawr efo ti, cofia.'

'A fi,' crawciodd Hayley ar ôl clirio'i gwddw a llyncu'n lletchwith.

Roedd ei eiriau wedi lleddfu rhywfaint ar ei gofidiau. Roedd ganddi rywbeth i angori ei gobeithion, rhywbeth i edrych ymlaen ato. Gwasgodd ei law cyn agor y drws a mynd o'r car.

Trodd i gau'r drws a dweud 'Hwyl' unwaith eto. Gallai weld bod Ozi eisoes yn llygadu'r traffig a'r car yn cripian yn ei flaen wrth iddo aros am fwlch i ymuno â'r lli er ei fod yn dal gafael o hyd yn y drws agored.

'Hwyl!' meddai Hayley mor hwyliog ag y gallai a chau'r drws. Doedd hi ddim yn siŵr a oedd hi wedi clywed unrhyw ymateb.

Sleifiodd Ozi i ganol y traffig gan ganu'r corn yn siriol a

chodi'i law. Yn fuan iawn fe ddiflannodd y tu cefn i lori Spar a bws Arriva a phan symudodd y rhain yn eu blaenau eto doedd dim golwg ohono.

Am ychydig safai Hayley ar y pafin yn ansicr beth i'w wneud nesa. Yna ysgwyddodd ei phac a cherdded tua'r grisiau a arweiniai at Bont Frankwell.

Teimladau digon cymysg oedd yn corddi drwyddi wrth iddi groesi'r bont grog am Frankwell, 'y fwrdeistref fach' fel y'i gelwir, yr ochr draw i'r afon. Dyma safle'r lanfa wreiddiol ar yr afon yn y dyddiau cyn dyfodiad y rheilffordd pan gâi holl anghenion bywyd y wlad eu cludo ar ddyfroedd prysur afon Hafren.

Roedd Hayley yn hoffi Frankwell. Gwyddai y câi ychydig o lonydd yno, gan ddianc o sŵn a thawch traffig y dre a chael cyfle i gloriannu digwyddiadau'r pedair awr ar hugain diwetha.

O flaen adeiladau'r Cyngor trodd Hayley i'r dde a dilyn y llwybr draw am gaeau Ynys yr Aethnen – ynys fach gorslyd a grëwyd gan hen gamlas a chored bysgod erstalwm a oedd bellach yn gartre i wyddau a hwyaid gwyllt o bob math. Dyma un o'i hoff ardaloedd yng nghyffiniau Amwythig yr oedd wedi'i darganfod yn wreiddiol ar un o'i hymweliadau cynta ar ôl i Dylan fynd ar goll.

Rhedai'r llwybr ar hyd ceulan y ddolen fawr ddiog yn yr afon. Roedd yr haul yn ei anterth, ei belydrau'n ffrwydro'n boeth, ac yn dallu wrth daro ffenestri'r adeiladau ar yr ochr draw. Roedd hi'n fwy mwll o lawer na ddoe. Dan bwysau ei phac, er nad oedd hwnnw'n drwm iawn, roedd ei chefn yn wlyb diferu ac roedd syched mawr arni erbyn hyn.

Cyrhaeddodd y goeden – coeden y rhubanau, fel y meddyliai amdani. Doedd Hayley ddim yn gwybod pa fath o goeden oedd hi. Roedd golwg gydnerth arni gyda'i bonyn praff a'i dail mân hirgrwn yn addurno'r affro blêr o frigau oedd yn gapan arni. Byddai Ozi'n siŵr o wybod pwy fath o golfen oedd hi. Rhaid iddyn nhw ddod ffordd hyn gyda'i gilydd rywbryd...

Roedd drysni brigau'r goeden yn frith o rubanau amryliw.

Ti wedi dechrau tipyn o drend fan hyn, Hayley Havard, meddyliodd.

Bymtheng mlynedd yn ôl pan ddaethai ffordd hyn gynta, roedd hi wedi eistedd ar y tyweirch mwdlyd yng nghysgod y goeden yma, ei brigau'n noeth yn heth y gaea, gan syllu ar yr afon wrth geisio chwilio am atebion i'w holl gwestiynau yn sgil diflaniad Dylan. Roedd hi wedi clymu darn o ddefnydd, tamaid o hen liain sidan lliwgar o eiddo eu mam, wrth un o ganghennau'r goeden gan addo iddi'i hun y deuai hi'n ôl yma bob blwyddyn nes iddi gael gwybod beth oedd tynged ei brawd.

Roedd ei sgrepyn defnydd hi wedi hen fynd wrth gwrs ond dros y blynyddoedd roedd llwyth o rubanau tebyg wedi ymddangos ar y goeden – pob un yn cofnodi rhyw hanes bach digon trist, bid siŵr. Roedd gweld y rhubanau eraill wedi rhoi cysur iddi a'i helpu i sylweddoli mai peth anorfod sy'n gyffredin i bawb yw colled neu ddioddefaint.

Erbyn hyn roedd mainc dderw wedi'i saernïo'n grefftus o un darn o bren wrth ymyl y goeden lle'r oedd wedi eistedd ar y ddaear ynghynt. Tynnodd Hayley ei phac ac eistedd arni gan ryddhau'i chrys T llaith o'i chefn chwyslyd. Chwiliodd yn y bag am y botelaid o ddŵr oedd ganddi ddoe. Roedd ychydig ar ôl a llyncodd y cynnwys llugoer yn farus.

Ar ôl eistedd yno am ryw bum munud, doedd hi ddim wedi llwyddo i roi unrhyw fath o drefn ar ddim byd. Daliai'r delweddau ac atgofion i lifo drwy'i meddwl mor ddiatal â llif yr afon o'i blaen. Oedd, roedd wedi'i chyffroi'n lân gan yr amser roedd wedi'i dreulio gydag Ozi ac eisoes yn meddwl yn nhermau rhyw fath o ddyfodol i bethau, ond eto doedd hi ddim yn gallu ymlacio a gadael i'r teimladau hyn ei chario at ryw gyflwr gwynfydus. Roedd hi'n rhy fuan, siawns. Neu falle fod gormod yn digwydd yn ei bywyd, gormod o 'sŵn gwyn' iddi gael signal clir digamsyniol y gallai hi ymddiried ynddo.

Rhaid bod yr awyr yn llaith gan fod tarth yn dechrau codi o'r ddôl yn y gwres. Nage, nid tarth, ond mwg. Coelcerth o ryw fath? Ffermwyr yn llosgi hen ffeg ac eithin falle?

Roedd y mwg yn dywyll ac yn fudur ac yn codi o'r goedlan a safai rhwng Ynys yr Aethnen a thai Frankwell ei hun. Erbyn hyn, gallai ei flasu – blas chwerw a theimlai ei llygaid yn dechrau dyfrio a llosgi ac roedd oglau cemegol cryf yn llenwi'r awyr. Cododd ei phac a brysio yn ei blaen ar hyd y llwybr o gwmpas cyrion y ddôl tuag at y dreflan – y ffordd gyflymaf iddi fynd yn ôl i Frankwell, ond hefyd ffordd fel y dechreuodd sylweddoli a oedd yn mynd â hi'n agosach i darddiad y mwg.

Bellach roedd sŵn seirens yn yr awyr o gyfeiriad Amwythig ei hun.

Dringodd y llethr o'r ddôl at y llwybr cul a'r lôn ddidarmac a arweiniai i mewn at y tai. Roedd y mwg yn tewychu gan ddal yn ei gwddw a gallai glywed sŵn lleisiau ofnus, merched a phlant, ac yn sydyn fe'i cafodd ei hun yng nghanol mintai o bobl Asiaidd eu golwg, tair dynes a thua phump o blant a grafangai'n dynn wrth ddillad carpiog y merched.

'Be sy'n digwydd? Odych chi'n iawn? Lle ma'r tân?'

'Fy ngŵr i,' meddai un o'r gwragedd gan gydio ym mraich Hayley.

'Ble ma fe?'

Tynnodd y ddynes ar fraich Hayley, a gafael ei breichiau tenau'n syndod o gryf, gan ei llusgo ar hyd y lôn bridd. Dechreuodd y ddwy besychu a'r peth nesa roedd y lôn yn cael ei rhwystro gan gawr o ddyn tân a wisgai offer anadlu.

'Cerwch o 'ma!' gorchmynnodd y ddrychiolaeth arallfydol yma, ei lais wedi'i bylu gan y masg.

Sgrechiodd y ddynes Asiaidd gan ollwng ei gafael ar Hayley a gwiwera heibio iddo. Ceisiodd Hayley ei dilyn ond gafaelodd y dyn tân ynddi a'i phwyntio'n ddiseremoni i gyfeiriad y ffordd y daethai.

'Ewch yn ôl, madam. Mae'n beryg bywyd yma. Ewch yn ôl, plis.'

Erbyn hyn roedd Hayley'n ei chael yn anodd anadlu ac roedd ei llygaid yn dyfrio'n ddi-baid fel prin roedd hi'n gallu gweld yn glir. Fiw iddi aros yma. Baglodd yn ôl ar hyd y llwybr ac i lawr y llethr lle'r oedd y mwg yn llai trwchus ac anadlu ychydig yn haws.

Daliai i glywed sŵn sgrechfeydd a lleisiau main y merched a'r plant i fyny ar y lôn. Yn y pellter clywai udo gwyllt rhagor o gerbydau brys yn dynesu. Ar y ddôl roedd y gwyddau wedi cynhyrfu'n lân ac yn dechrau codi i'r awyr i ddianc.

Yn raddol cliriodd y mwg nes ei fod yn gyfyngedig i golofn gochddu hyll a godai'n syth i'r entrychion gan ymdoddi i'r haenen denau o gymylau oedd bellach yn ymledu ar draws yr awyr. Erbyn hyn gallai weld fflachiadau oren y fflamau drwy'r goedlan.

A'i chalon yn curo, curo, curo a phyliau o besychu'n rhathu yn ei gwddw, rhuthrodd yn ôl ar hyd llwybr y geulan i'r maes parcio o flaen swyddfeydd y Cyngor lle'r oedd torf chwilfrydig wedi ymgasglu ac yn syllu ar y golofn fwg gan wylio'n stond wrth i ambiwlans arall sgrialu heibio i gyfeiriad y tân.

37

Galwad wedi'i cholli.

TSIECIODD Y RHIF, ei gobeithion yn isel, ond daliai'r siom i bigo wrth weld mai Sarah oedd wedi'i ffonio.

Roedd pythefnos wedi mynd heibio ers i Hayley fod yng nghwmni Ozi ac ers y tân, a hithau bellach yn ôl yn y Fenni ac yn teimlo'n bur ddigalon.

Dal y slac yn dynn roedd hi yn y Ganolfan Groeso erbyn hyn wrth i nifer yr ymwelwyr leihau a gwyddai y byddai'n rhaid iddi gael hyd i swydd arall cyn bo hir. Ond beth oedd yn ei phoeni'n fwy na hynny oedd ei bod heb glywed yr un gair gan Ozi.

Roedd hi wedi'i decstio'n syth ar ôl cyrraedd adre noson y tân. Roedd yr hanes yn dew ar y newyddion. Pump o fewnfudwyr anghyfreithlon wedi marw yn y fflamau a rhagor yn yr ysbyty, rhai mewn cyflwr gwael, a'r heddlu'n sôn am 'siop chwys' i gaethweision ar lannau Hafren. Roedd Hayley yn nabod yr adeilad oedd wedi mynd yn wenfflam. Roedd wedi cerdded heibio iddo droeon dros y blynyddoedd. Cofiai weld arwyddion coch mawr yn sôn am gŵn gwarchod yn cael eu codi gwpwl o flynyddoedd yn ôl ynghyd â ffens weiren bigog uchel.

Roedd Ozi wedi sôn na fyddai pwynt iddi geisio cysylltu ag o am sbel oherwydd ei fod yn mynd i rywle lle na fyddai signal ffôn. Serch hynny, teimlai Hayley y rheidrwydd i rannu'r stori ag o'n syth a dweud wrtho faint roedd hi wedi mwynhau'r amser yn ei gwmni.

Fe aeth hi'n wythnos; fe aeth hi'n bythefnos a dim smic ganddo. Doedd hi ddim yn deall. Roedd o wedi bod mor gadarnhaol. Rhaid bod rhywbeth wedi digwydd iddo. Oedd o wedi cael damwain ymhell o gartref, mewn gwlad dramor falle? Roedd wedi sôn cyn gadael y bwthyn fod rhaid iddo gofio ei basbort, ond rywsut yn anfodlon ymateb i'w chwestiynau am ble'n union roedd yn mynd.

Doedd hi ddim yn teimlo fel rhannu ei gofidiau â Sarah. Gallai Sarah fod yn rhy barod weithiau i gymryd drosodd a chynnig cyngor ac yn ddi-os roedd hynny wedi bod yn fuddiol yn y gorffennol pan oedd Hayley wedi bod mewn cymaint o wewyr a chyfyng gyngor na wyddai lle i droi am y gorau. Ond y tro yma, roedd Hayley yn teimlo'n fwy hyderus ynddi'i hun ac yn awyddus i beidio â gadael i'w ffrind gipio'r awenau.

'Mae ei waith yn ei gadw fe'n hirach ar yr hewl nag o'dd e wedi meddwl,' oedd ei hymateb i gwestiynau diddiwedd Sarah am y sboner newydd.

Teimlai'n wael yn dweud anwiredd wrth ei ffrind ac ofnai y byddai'n rhaid iddi gyfadde hynny yn y pen draw os na chlywai ddim gan Ozi cyn bo hir.

Ei phrif gwnselwr drwy gyfrwng Skype oedd Bragi.

'Be? Ti ddim wedi clywed dim byd gan y gwalch?'

Ysgydwodd Hayley ei phen. Gallai weld yr anhapusrwydd yn ei hwyneb ei hun yn y llun bach yng nghornel isa'r sgrin.

'Hmff!' rhochiodd Bragi'n ddirmygus. 'Rhag ei gwilydd.'

'Dwi'n ofni fod rhywbeth wedi digwydd iddo fe…'

'Dydi o ddim yn swnio'n iawn os oedd o mor awyddus i dy weld di ag wyt ti'n dweud ei fod o.'

'Dwi'n meddwl dod lan i edrych ar y bwthyn lle ma fe'n byw.'

'Wel, os galla i helpu – rhoi lifft i ti. Mi gadwa i o'r golwg paid â phoeni,' meddai dan ddal ei ddwylo i fyny a thynnu'n ôl ychydig i ddangos y byddai'n cadw'i bellter.

Chwarddodd Hayley – y chwerthin go iawn cynta ers sbel.

'Sdim ots 'da fi. Dwi wedi gweud wrtho fe aboiti ti.'

'Ti'n gneud i mi swnio fatha hen gariad neu rywbeth.'

'Ti'n gariad i gyd, Bragi, cred ti fi.'

Roedd saib yn y sgwrs a gallai weld bod Bragi'n edrych braidd yn anghyfforddus gan rwbio'i drwyn â'i figyrnau a'i lygaid yn gwibio i bob man. Doedd bosib bod ei sylw bach diniwed wedi'i bechu rywsut?

'Dwi'n… dwi'n rhyw… ym, feddwl… symud ymlaen a deud y gwir.'

'Be? Gadael Amwythig?' Roedd hyn yn sioc iddi.

Nodiodd ac edrych arni unwaith eto, y llygaid mawr glas yn ansicr y tro yma.

'Ond… ond… wedest ti dy fod ti am aros yn y dre – er cof am Mitch.'

'Ia, ia, wn i,' meddai Bragi tan ochneidio. 'Ond ar ôl siom y cloddio a hyn a'r llall, dwi'n meddwl a' i'n ôl i Wlad yr Iâ dow-dow.'

'Dow-dow?! Shwt ma rhywun yn mynd yn ôl i fan'na dow-dow? Rhwyfo?'

Chwarddodd Bragi.

'Na – jyst dyna lle bydda i yn y pen draw. Dydi iechyd fy chwaer ddim yn rhy glyfar erbyn hyn a does ganddi neb arall i ofalu amdani. Efallai wna i dreulio tipyn o amser yn yr Alban yn y flwyddyn newydd yn gweld ffrindiau a ballu. Mi glywais eu bod nhw'n chwilio am wirfoddolwyr ar gyfer dig archaeolegol ar Ynysoedd Orkney ac roedd gen i ffansi ymuno â nhw ddechrau'r ha' a'i throi tua Gwlad yr Iâ yn yr hydre.'

'Bragi, be wna i hebddot ti, gwed?' Roedd pryder go iawn yn ffrwtian yn ei bol a'i llais wedi meinio fel plentyn.

'Wel, gei di aros gyda Blitz a Bling...'

'Wrth gwrs 'ny, ond nage dyna'r pwynt. Ma fel 'se pawb yn 'y mywyd yn diflannu. Mam, Dylan, Dad, Ozi a nawr ti.'

Roedd hi'n gwybod bod hynny'n swnio braidd yn or-ddramatig ond dyna oedd y gwir a dyna sut oedd yn teimlo. Roedd y newydd yma'n dipyn o ergyd ac yn tanseilio pob dim arall.

'Mae'n wir ddrwg gen i, Hayley. Yli, ty'd i fyny gynted gei di gyfle ac mi awn ni i weld lle mae'r diawl bach 'ma wedi mynd. Fydd o ddim am dy golli di – os oes unrhyw sens gan y boi.'

'Iawn,' meddai Hayley'n dawel, yn dal i ddygymod â newyddion ei ffrind.

'O ie,' cofiodd Bragi'n sydyn, 'wrth sôn am bobol yn diflannu, dyna pwy sydd wedi cymryd y goes ar ôl y tân 'na, neb llai na'n cyfaill Dr Vilis Weiss. Sdim sôn amdano fo, mae'n debyg. Wedi mynd yn ôl i Frasil siŵr o fod.'

'Be o'dd 'da'r doctor i'w gwato 'te?' holodd Hayley wrth gofio'r cyfarfyddiad sydyn a gafwyd yn nhŷ Dylan ar stad Harlescott Grange.

''Wnaethon nhw ffindio mai fo oedd perchennog yr adeilad. Wedi'i brynu oddi wrth neb llai na Jamie Wray. Felly, synnwn i ddim nad yw'r Glas wedi bod yn holi Mr Wray hefyd.'

'Jamie? Beth am Sabrina's?' Aeth meddwl Hayley yn syth at Bling a Blitz.

'Ro'n i yno echdoe ac roedd golwg go brysur ar y lle, felly mae'n bosib bod digon o gysylltiadau o hyd gan Mr Wray â'r heddlu i'w gadw allan o'r ddalfa am y tro.'

Roedd Hayley ar fin gofyn a oedd Bragi wedi gweld ei nai o gwbwl ond yn ddirybudd rhewodd y sgrin a chrashiodd ei gliniadur.

'O, cachu hwch!'

Gwyddai o brofiad y cymerai oes i ailsefydlu'r cysylltiad ar ôl i bethau fynd yn ffradach fel hyn. Ystyriodd ffonio ond roedd hi'n mynd yn hwyr.

Edrychai Hayley am yn hir ar wyneb Bragi wedi'i rewi o'i blaen. Roedd y ddelwedd wedi'i dal mewn ffordd eitha comig, ei wefusau wedi'u pletio, a'i lygaid fel pe baen nhw'n rholio yn ei ben.

Ochneidiodd Hayley. Roedd popeth yn dechrau milwrio yn ei herbyn. Mewn ffordd roedd hi'n byw mewn limbo ar hyn o bryd. Byddai'n rhaid iddi wneud ambell benderfyniad cyn bo hir ynglŷn â lle'r oedd hi am fod a beth roedd hi am ei wneud gyda'i bywyd. A dweud y gwir, roedd yn teimlo fel pe bai heb symud cam o sut roedd hi cyn mynd i ffwrdd i Amwythig – yn dal i fod yn yr un olygfa yn yr un ddrama, dim ond bod y set a rhai o'r prif gymeriadau wedi newid bron yn llwyr.

Aeth ysgryd drwyddi. Roedd y tŷ'n oer heno, yr ystafell lle eisteddai'n dywyll. Y gaeaf ar ei ffordd ar ôl yr hydref hirfelyn tesog. Doedd ganddi ddim calon cynnau tân heno. Gwely cynnar amdani... a noson ddi-gwsg arall o'i blaen.

38

R OEDD GOLWG HOLLOL anghyfannedd ar y lle.
    Syllai Hayley ar y glaw'n ffrydio i lawr y ffenestri tywyll. Anodd iddi oedd dygymod â pha mor wahanol oedd amgylchiadau'r ymweliad yma â thyddyn Ozi o'i gymharu â'r tro cynt. Bellach, roedd wythnosau wedi mynd heibio ers eu noson o serch dan do'r bwthyn bach a dim siw na miw gan Ozi.

Roedd y cyfnod diwethaf wedi bod fel yr wythnosau a'r misoedd cyntaf ar ôl i Dylan fynd ar goll – rhyw anghrediniaeth annifyr a theimlad disgwylgar yn cyniwair drwy'i phen. Doedd dim arwydd bod neb wedi bod ar gyfyl y tyddyn ers sbel. Roedd cwb Celt yn wag a dim golwg o'r ci yn unman. Roedd Ozi wedi sôn mai Jamie Wray oedd perchennog y tyddyn ond go brin y gallai hi fynd at hwnnw i gael gwybod mwy. Doedd hi ddim yn gallu meddwl am neb arall a allai roi mwy o hanes Ozi iddi. Falle dylai hi fynd at y tŷ lle'r oedd Ozi wedi gadael Celt y bore hwnnw cyn teithio i Amwythig, ond doedd ganddi ddim clem lle'r oedd y tŷ – rhywle ar ei ben ei hun i lawr rhyw gefnffordd gul, dyna'r oll a gofiai. Roedd ei meddwl ar bethau eraill ar y pryd.

O'r diwedd, a'i chalon fel y plwm, trodd ei chefn ar y lle a dechrau sblisian-sblasian yn ôl drwy'r pyllau dŵr dwfn ar y rhodfa fwdlyd at y lle'r oedd Bragi'n aros allan o'r golwg yn y Deux Chevaux. Roedd yn amlwg mai seithug fu ei hymweliad a phan gamodd hi'n ôl i'r car, ddywedodd Bragi'r un gair, dim ond cydio yn ei llaw fach oer a syllu drwy'r angar a'r diferion glaw ar y ffenest o'i flaen.

Gallai Hayley deimlo'r dagrau'n dechrau pigo'i llygaid. Roedd hi wedi blino gormod i'w hatal ond brathodd yn galed ac yn ofer ar ei gwefus.

'Be wna i, Bragi?' meddai mewn llais bach oedd yn codi cywilydd arni.

Ystyriodd Bragi. Doedd o ddim yn siŵr oedd hi'n sôn am y sefyllfa o ran Ozi neu ei bywyd yn gyffredinol. A dweud y gwir doedd Hayley ddim yn gwybod chwaith.

Aeth cyfnod hir heibio heb i'r un ohonyn nhw ddweud dim.

'Dwi'n mynd i brynu campyr fan,' meddai Bragi o'r diwedd.

Tynnodd Hayley hances bapur o boced ei chôt a chwythu'i thrwyn heb gymryd fawr o sylw o'i eiriau. Sniffiodd a syllu i'r mwrllwch y tu allan.

'Un o'r rhai mawr 'na. Nid un newydd, wrth gwrs, mae'r rheini tua £60,000.'

'Allet ti bob amser werthu hwn,' cellweiriodd Hayley, gan gnocio metel drws y Citroën. Ond wedyn dechreuodd deimlo'n ddiamynedd.

'Bragi, pam ti'n gweud hyn wrtho i? Sda fi ddim lot o ddiddordeb a gweud y gwir. Dwi jyst isie gwbod be dwi fod i neud nesa 'da 'mywyd i – dim beth wyt *ti*'n mynd i neud nesa.'

Daliai Bragi i syllu o'i flaen.

'Cynnig oedd gen i.'

'Pwy gynnig?'

'Bod ti'n dod 'da fi... i'r Alban... yn y campyr fan.'

Teimlodd Hayley ei cheg yn agor heb yr un sŵn yn dod ohoni. Edrychodd ar y dyn mawr wrth iddo syllu i'r gwyll cynyddol.

Yn y pen draw rhoddodd Hayley ei llaw ar ben-glin noeth ei ffrind. Trodd ei ben i edrych arni a gwelodd hi fod ei lygaid yn llaith.

'O, Bragi,' meddai, 'ma hynny'n gynnig sobor o garedig... ond weithiai e byth. Cawr o foi fel ti. Bydden i'n mynd yn dy ffordd di drwy'r amser.'

'Ond...'

'Bragi, fedra i ddim. Ma eisie lle arna i hefyd. Dwi wedi bod ar 'mhen fy hun ers gormod o amser. Ond wir, ma fe'n lyfli o gynnig. Diolch yn fawr i ti.'

Plygodd draw a'i swsio rhywle yng nghanol drysni'i farf. Edrychai Bragi'n lletchwith iawn erbyn hyn.

'Reit 'te,' meddai Hayley. 'Awn ni'n ôl i Amwythig a dwi'n mynd â ti mas am swper yn y lle Eidalaidd 'na o dan yr eglwys ac wedyn awn ni am gwpwl o beints rywle a thrafod posibiliade.'

Yn anfoddog, taniodd Bragi'r injan a chyfeirio'r Deux Chevaux yn ôl tua'r briffordd.

39

ROEDD OZI WEDI panicio.
Ac yntau'n gyrru i gyfeiriad Southampton i ddal y fferi
i Cherbourg i gasglu rhagor o 'nwyddau', daeth y newyddion
am y tân yn Amwythig ar y radio. Wrth i'r adroddiad ddechrau
sôn am farwolaethau a rhai wedi'u hanafu'n ddifrifol, teimlai
Ozi don oer o ofn yn sgubo drwyddo. Trochwyd ei geseiliau a'i
dalcen mewn chwys a theimlai'r llyw'n sticlyd dan ei gledrau.

Roedd wedi tynnu oddi ar y draffordd yn syth gan droi'n
ôl i'r gogledd-orllewin a chadw at y cefnffyrdd gwledig. Ffoi
a chuddio oedd ei ymateb greddfol – ond i ble'r âi? I ogof yng
nghanol y Berwyn neu i berfeddion rhyw ddinas amhersonol
anghynefin?

Roedd yn difaru ei enaid; yn difaru ei fod erioed wedi
gwrando ar eiriau tafod arian yr hen Jamie Wray 'na.

'Mi gei di fwy o bres wrth wneud trip i ni ambell waith na
chei di drwy dy oes fel cogydd dwy a dimai mewn llefydd
fel hyn,' meddai dros lasiad o frandi Napoleon yn hwyr ryw
noson yn Sabrina's ar ôl i bawb fynd adre. 'Byddi di'n medru
prynu tyddyn dy freuddwydion lot cynt nag oeddet ti'n feddwl
fel'na – a does yr un ohonon ni'n mynd yn iau.'

A breuddwydio wnaeth Ozi – bob cam ar hyd y ffordd
brysur i Southampton ers gadael Hayley yn Amwythig ychydig
oriau ynghynt. Breuddwydio am setlo hefo hi mewn tyddyn
ar lethrau gwyrddlas Maldwyn. Fynta'n bugeilia, hitha'n

cadw gwenyn a ballu – wel, fe gâi helpu hefo'r wyna, wrth reswm...

Er gwaetha pob adduned i beidio â chwympo am yr un ddynes arall byth eto, roedd Ozi dros ei ben a'i glustiau hefo hon. Ni allai orffen y daith felltith yma'n ddigon buan i gysylltu â hi eto. Hwyrach fod y celc yn y banc yn ddigon mawr yn barod iddo roi ernes ar le bach.

Ond paniciodd wrth sylweddoli ei fod yn rhan o rywbeth oedd wedi arwain at farwolaethau ac anafiadau difrifol.

'Fydd 'na fawr o risg,' roedd Jamie wedi'i sicrhau. 'Bydd y fisas a'r tocynnau i gyd yn ddilys – wel, y nesa peth at fod yn ddilys. Nid rhyw gowbois di-glem sy'n trefnu hyn i gyd; nid rhyw riff-raff fyddi di'n eu cario, cofia, ond pobol sydd â'r math o arian sy'n siarad.'

Doedd o ddim wedi rhagweld dim byd fel hyn. Doedd o erioed wedi troseddu yn ei fywyd – wel, heblaw ambell i fân ddigwyddiad yn ei ddiod ac ambell sgêm ddigon diniwed yn ei ieuenctid. Gwelai'r rhwyd yn cau amdano a muriau carchar o'i flaen. Dim modd mynd i'r awyr agored; dim modd crwydro'r bryniau yng nghwmni Hayley a Celt.

O, Iesu Grist! Celt!

Petai o ddim yn ei gasglu oddi ar ei gymydog byddai hwnnw siŵr o fod yn sôn fod Ozi wedi mynd AWOL. Allai byth adael Celt yn ddiymgeledd yn y byd ym mhowrnd yr heddlu ac mewn peryg o gael ei ddifa.

Rhaid mynd i nôl Celt ac wedyn fe gâi benderfynu'r cam nesaf.

40

ALLAI HI BYTH fynd at yr heddlu.

I ddechrau roedd y syniad o wneud hynny'n corddi gormod o atgofion diflas. A be ddywedai, beth bynnag? Bod rhyw foi roedd hi wedi cael *one night stand* 'dag e heb ei thecstio ac wedi symud tŷ heb ddweud wrthi? Roedd yn nabod heddlu'r Fenni. Roedden nhw'n gwybod am hanes Dylan ac yn dal i'w chofio. Roedden nhw'n gwybod ei bod hi newydd golli ei thad.

'Druan ohoni,' fyddai hi. 'Wedi bod dan straen ofnadw. A nawr rhyw fachan arall wedi'i siomi. Pam wna'th hi ddim aros 'da'r boi Eddie 'na? Boi diogel, job dda, digon o arian, yn meddwl y byd ohoni.'

Trodd eto yng ngwely bach ei phlentyndod, y dwfe a'r blancedi'n mynd yn un cwlwm tyn am ei choesau gan adael ei chefn yn noeth dan lach aer rhynllyd ei llofft.

Roedd Hayley wedi slwmbran ychydig ar ôl dod i'r gwely gan freuddwydio'r breuddwydion mwya hurt amdani hi ac Eddie.

Dihunodd wedyn i sŵn y glaw... glaw... glaw. Pryd stopiai hi? Y mis gwlypa eto byth. Dyna ni, roedd yr hinsawdd yn newid...

Ac yn awr roedd meddyliau'r nos yn ymosod arni'n bla. Pam oedd hi wedi gadael Eddie? meddyliodd, mewn ymateb i gwestiwn tybiedig heddlu'r Fenni pe bai'n eu hysbysu am ddiflaniad Ozi. Oherwydd bod eu gwerthoedd nhw mor wahanol ac oherwydd ei bod hi wedi blino ar gyfaddawd. Ond faint elwach oedd hi? Oedd hi'n hapusach? Falle ei bod hi'n colli Eddie yn fwy nag oedd hi'n sylweddoli.

Ceisiodd gofio wyneb Ozi a sylweddoli ei bod hi eisoes yn cael anhawster wrth ddwyn y manylion i gof. Ar ôl ei breuddwyd ryfedd, roedd wyneb Eddie yn mynnu disodli wyneb Ozi yn ei phen drwy'r amser.

Cyneuodd y golau ger y gwely a ffwndro am ei ffôn. Roedd ganddi gwpwl o luniau o'r diwrnod ar Glawdd Offa.

Sut oedd hi wedi drysu fel'na? Roedd yr wyneb siriol a wenai arni o'r llun yn fyw iawn yn ei chof o hyd, dim ond rhyw hen dric yn y meddwl yn oriau mân y bore oedd yn gyfrifol am ei hanghofrwydd.

Wrth graffu ar y lluniau, cofiai ei llawenydd y diwrnod hwnnw. Pryd y câi gyfle fel'na eto? A pham byddai rhywun oedd yn edrych mor hwyliog ag yr oedd Ozi yn y lluniau yn penderfynu ffoi a'i gadael hi heb air o esboniad?

Erbyn hyn roedd hi'n ddigon effro i'w gorfodi ei hun o'i gwely a mynd i lawr y grisiau yn yr oerni i wneud paned o de camomeil iddi'i hun.

Wrth eistedd wrth fwrdd y gegin, drws nesa i gadair arferol ei thad, daeth yn ymwybodol iawn o ba mor wag y teimlai Tŷ Tyrpeg hebddo. Er mai digon stormus oedd y berthynas rhyngddi ac Aneirin ar brydiau, rhan annatod o'i chartref oedd presenoldeb ei thad ar yr aelwyd.

Allai hi byth aros 'ma.

Roedd hi wedi penderfynu ynghynt yn y flwyddyn y byddai hi'n codi ei phac yn y pen draw ond wedyn roedd yr holl fusnes gydag Ozi, a rywsut roedd hi wedi gadael llonydd i unrhyw gynlluniau o ran ei dyfodol am sbel. Ond yn awr, ar ôl i'r gwaith yn y Ganolfan Groeso ddod i ben, roedd wedi mynd am ambell jobyn glanhau ond doedden nhw ddim yn talu'n dda ac roedd angen arian arni. Ar ben hynny, roedd byw a bod yn Nhŷ Tyrpeg yn dechrau mynd yn anodd iddi.

Yfory byddai'n rhoi'r bwthyn ar y farchnad.

Ac roedd rhyw syniad bach arall wedi dechrau egino.

41

BLE ROEDD PENNAU rhai pobol?
A'r ffenest eisoes yn gilagored, y peth hawsaf yn y byd oedd ei chodi, gwthio'i fag drwodd a slywenna ar ei ôl gan ei ollwng ei hun i lawr ar ben un o'r *banquettes*.

Gorweddodd Dylan yr ieuaf yno'n llonydd gan wrando ar ysgub feddal y glaw mân yn slaesio yn erbyn to'r cerbyd. Arhosodd, gan ddal ei anadl.

Ie, dyna'r unig sŵn y gallai ei glywed.

Da iawn. Ymlaciodd.

Doedd dim arwydd bod neb wedi'i weld na'i glywed o'r tŷ. O dipyn i beth, gyda help goleuadau'r stryd ac wrth i'w lygaid ymgyfarwyddo â'r tywyllwch, daeth cynllun y cerbyd yn fwy eglur iddo.

Roedd yn eitha lysh – popeth fasa ei angen ar rywun; popty, oergell, tân. Cartre bach go iawn ar olwynion. Cŵl iawn. Yn well o lawer na rhai o'r cerbydau a fu'n gartre iddo wrth dyfu i fyny ar y lôn ac yn sicr yn well na lot o'r mannau lle bu'n llochesu'n ddiweddar wrth deithio i fyny i ogledd Lloegr ac yn ôl.

Y rheidrwydd i gefnu ar Amwythig yn sgil y tân oedd wedi'i yrru tua'r gogledd. Roedd Ajit Singh wedi'i ddal gan yr heddlu ar y safle pan aethai'r lle yn wenfflam a chafodd ei arestio yn y fan a'r lle. O fewn diwrnod, roedd Dr Vilis Weiss, ei 'landlord' honco, wedi diflannu ac roedd sôn bod yr heddlu'n awyddus i siarad â Jamie ac na fyddai hen gysylltiadau'r cyn-blismon yn ddigon i achub ei groen y tro yma. Teimlai Dylan fod rhyw rwyd annelwig yn cau amdano ac er nad oedd o ond yn bysgodyn bach disylw yn yr holl fusnes, bod amgylchiadau wedi troi'n hyll iawn a'r peth callaf fyddai cymryd y goes a gadael yr ardal.

Roedd wedi teithio mor bell â Chaerliwelydd lle'r oedd ei fam yn byw. Doedd Dylan ddim wedi trafferthu i gysylltu â hi ers sbel go hir ond yn wahanol i'r hyn roedd wedi'i ddweud wrth Hayley, roedd o'n gwybod yn iawn lle'r oedd hi.

Erbyn hyn roedd Skye yn lletya mewn semi parchus ar stad breifat lewyrchus, yn magu gefeilliaid (bachgen a merch o'i phartner blaenorol) a mab bach ei phartner presennol – dyn surbwch iawn oedd dipyn yn hŷn na hi a weithiai yn y diwydiant coed.

Er na fuasai Skye a Dylan yn ffrindiau mawr bob amser, y tro hwn roedd Skye i'w gweld yn ddigon balch o groesawu ei chyntaf-anedig oedd wedi glanio mor ddirybudd ar garreg ei drws. Roedd bywyd ar y stad yn unig a theimlai'n bur anghynefin yng nghanol lawntydd cymen a drysau caeedig y faestref yma, yn enwedig gan fod ei phartner i ffwrdd yn aml gyda'i waith. Roedd Dylan yn gwmni ac yn dipyn o gaffaeliad gyda'r plant a phob prynhawn bydden nhw'n mynd â'r rhai bach i'r parc gerllaw i chwarae ar y siglenni.

Roedd ffoi at ei fam fel hyn wedi rhoi cyfle i Dylan ofyn ambell gwestiwn roedd wedi bod yn cnoi cil arno ers ymweliad Hayley. Roedd cwrdd â hi wedi deffro rhyw chwilen yn ei ben i gael gwybod mwy am ei dad.

Bu'n sbel cyn iddo fagu digon o blwc i godi'r pwnc gyda Skye.

O'r diwedd, ar un o'u hymweliadau â'r parc a'r ddau'n

eistedd yn fodlon braf ar y glaswellt yn haul annisgwyl mis Tachwedd a'r plant yn chwarae ar y siglenni ar y tir gwastad ychydig islaw'r boncen, llwyddodd Dylan i lefaru'r geiriau a fu'n troi yn ei ben ers cyrraedd Caerliwelydd:

'Dwed wrtha i eto, pwy oedd 'y nhad?'

Nid atebodd Skye yn syth. Pletiodd ei gwefusau bach mefusaidd gan edrych o'i chwmpas fel pe bai'n disgwyl gweld rhywun yn clustfeinio ar eu sgwrs.

'Boi o Gymru o'r enw Dylan. Ti'n gwbod hynny. Dwi wedi dweud wrthat ti o'r blaen.'

'Ti'n gwbod lle mae o erbyn hyn?'

Cododd Skye ei sgwyddau a chwarae â'i breichledau amryliw.

'Mi glywais i ei fod o wedi diflannu – flynyddoedd yn ôl.'

'Nest ti erioed fynd i chwilio amdano fo?'

Tawelwch.

'Skye?'

Rhuthrodd un o'r gefeilliaid ati, y ferch, i gwyno am ryw annhegwch neu'i gilydd wrth chwarae â'i brodyr. Cododd Skye i ddatrys yr anghydfod – fel arfer yn ddiweddar byddai'n gadael gwaith cymodi o'r fath i Dylan. Gwyliodd Dylan hi'n ymresymu â'r plantos ac wedyn yn dychwelyd yn araf iawn i fyny'r boncen wair ato gan eistedd ychydig ymhellach oddi wrtho y tro hwn.

Am funud neu ddwy ni ddywedodd Skye yr un gair, dim ond syllu i lawr ar y plant, gan chwarae â'i breichledau.

'Ro'n i wastad yn gobeithio basa fo'n dod i chwilio amdanon ni,' meddai o'r diwedd mewn llais bach bregus.

A dyna'r tristaf roedd Dylan wedi gweld ei fam erioed. Roedd yr ing wedi'i sgythru ar deithi hardd ei hwyneb a arferai fod mor ddifynegiant. Edrychai'n hŷn yn sydyn.

'Sut foi oedd o?'

Chwythodd Skye anadl hir rhwng ei gwefusau. Wedyn cododd ei phen i edrych arno.

'Be ydi'r holl gwestiynau 'ma? Prin 'mod i'n cofio erbyn hyn – wel, ddim yn fanwl, beth bynnag.' Daliai i edrych arno. 'Rwyt ti'n debyg iawn iddo fo – o ran pryd a gwedd – ond lot talach,' meddai gan astudio wyneb ei mab mewn ffordd oedd hefyd yn anarferol o gariadus.

Distawrwydd byddarol eto.

'Dwi wedi cyfarfod â'i chwaer o.'

'Ei chwaer o?' meddai Skye yn ddryslyd.

'Hayley. Hayley Havard.'

'Ble?'

'Yn Amwythig. Roedd hi'n 'y ngweld i'n debyg iddo fo hefyd. Wedi meddwl ei bod hi'n fy nabod i. Meddwl mai fi oedd o am ychydig!'

Roedd y plant yn nadu eto ger y siglenni ond y tro yma chymerodd Skye ddim sylw ohonyn nhw.

'Dwi isio cyfarfod â hi… â Hayley.'

Ie, wel, dydi hynna ddim yn debygol o ddigwydd, nac ydi? oedd ymateb cyntaf Dylan. Doedd o ddim yn gwybod lle roedd hi na sut i gysylltu â hi. P'un ohonyn nhw fasa'n teithio'r holl ffordd i gwrdd â'r llall? Doedd o ddim am fynd yn ôl i Amwythig ar hyn o bryd.

Ond wrth i'r prynhawn fynd heibio ac wrth i'r hen wal oedd wastad rhyngddo a'i fam gael ei hailgodi, roedd fel pe bai rhyw hedyn wedi'i blannu yn ei ben – yr ysfa i berthyn, er na wyddai pa enw i'w roi ar y teimlad ar y pryd.

Roedd o wedi hoffi Hayley a doedd o ddim wedi bod yn arbennig o glên wrthi – heblaw cynnig can o Carling iddi. Pe bai pethau'n wahanol efallai gallai fod yn ffrindiau gyda'i fodryb a dysgu ychydig yn fwy am ei dad.

202

Yn anffodus, ni pharodd y cyfnod mis mêl yng Nghaerliwelydd lawer yn hirach. Pan ddaeth partner Skye yn ôl o daith fusnes, doedd o ddim yn bles o ddarganfod bod yna gyw gog yn y nyth – un a larpiai fwyd fel petai dim fory i'w gael. O fewn cwpwl o wythnosau roedd y twll tin blin o bartner wedi mynnu bod y gog yn hedfan y nyth.

Roedd Dylan wedi'i siomi braidd pan ofynnwyd iddo ymadael gan deimlo'n ddigon chwithig am y ffordd ddiseremoni roedd yn cael ei drin a'r ffaith nad oedd Skye wedi lleisio unrhyw brotest ac nad oedd y cyd-dynnu ar y dechrau fel pe bai wedi gwneud unrhyw wahaniaeth i'w perthynas yn y bôn.

Ond un fach od fu ei fam erioed yng ngolwg Dylan, a rhyw gwinc go iawn yn ei chymeriad. Roedd 'na rywbeth annaturiol o bell ynddi bob amser. Er nad oedd dim byd i'w weld yn ei chynhyrfu, doedd hynny ddim mewn ffordd ddymunol – nid mater o fod yn *chilled* a *laidback* felly, ond yn fwy fel pe bai dim ots ganddi am unrhyw beth oedd yn digwydd, er gwell neu er gwaeth, iddi hi na neb arall o'i chwmpas.

Ai dyna pam doedd ei dad byth wedi mynd yn ôl ati, tybed?

Cyn hyn, doedd o ddim wedi meddwl cymaint a chymaint am ei dad. Yn fachgen ifanc roedd Dylan wedi treulio llawer o amser yng nghwmni tad Skye, Niall, ac yn ei weld o'n fwy o dad nag o daid iddo. Niall oedd wedi dysgu iddo ddarllen ac ysgrifennu a hanfodion mathemateg, ynghyd ag amryw o sgiliau defnyddiol eraill.

Pan oedd Dylan tua deg oed, roedd wedi ymuno â Niall a Tiggy, ei nain, a'i ewythr ifanc, Tyrone, nad oedd ond rhyw ddyflwydd yn hŷn nag o, ar daith i lawr o'r ynysoedd i orllewin canolbarth Lloegr. Roedd mam Tiggy, oedd yn byw yn Swydd Amwythig, yn dechrau ffwndro yn ei henaint ac angen help arni. Roedd Skye yn rhy brysur yn canlyn tad y gefeilliaid, mynyddwr proffesiynol o Oban, i ymuno â'r daith. Roedd brawd arall Skye, Abel, yn ddigon hapus i aros gyda theithwyr eraill yn yr ynysoedd.

Ar ôl cyrraedd Swydd Amwythig, roedd Tiggy a Niall wedi gwahanu, gyda Tiggy yn penderfynu aros gyda Tyrone a Dylan i ofalu am ei mam.

Heb Niall o gwmpas y lle i'w fentora, trodd Dylan yn hogyn pur anystywallt. Ar gyfeiliorn yn llwyr, daeth mentor newydd ar ei draws, Jamie Wray, a'i grwmiodd a'i gyflogi fel rhyw Artful Dodger o was bach yn ei fusnes 'mewnfudo'. Ac yntau'n gallu symud yn rhwydd o dan radar yr awdurdodau, roedd y llanc yn sglyfaeth perffaith i rywun fel Jamie. Ac nid y fo oedd yr unig un.

Diolch i'w feistr newydd, roedd gan Dylan do uwch ei ben a modd i brynu bwyd a diod, ffags a gwair, ac roedd yn rhydd i rodio fel a fynnai gyda childwrn go lew yn ei boced ar yr amod ei fod yn fodlon rhedeg a rasio'n ddigwestiwn ar gais Jamie a'i raglaw anghynnes, Ajit Singh.

Ond roedd ei noddwr bellach wedi diflannu gyda'r golofn fwg a godai i'r awyr uwchben tre Pengwern ar ddiwrnod y tân.

Wrth adael cartref ei fam yng Nghaerliwelydd, roedd o mewn tipyn o gyfyng gyngor. Yn sydyn roedd ofn arno. O leia roedd ardal Amwythig yn fwy cynefin iddo nag un man arall. Hyd yn oed os nad oedd ganddo ffrindiau fel y cyfryw, roedd yn nabod mwy o bobol yn yr ardal ac yn fwy hyderus wrth ffeindio ei ffordd o gwmpas.

Hefyd roedd y cnonyn teuluol 'ma'n dal i dwrio, gan beri rhyw ychydig o newid yn y ffordd yr edrychai ar fywyd a'r byd o'i gwmpas.

Roedd o eisiau gweld Hayley eto. Roedd o eisiau dysgu mwy am ble cafodd ei dad ei fagu a chael gwybod mwy am ei nain a'i daid ar ei ochr yntau o'r teulu.

Tipyn o fenter oedd dychwelyd i Amwythig, serch hynny, yn enwedig os oedd Ajit Singh wedi canu wrth y Glas ar ôl cael ei arestio... neu Jamie Wray ei hun hyd yn oed. Ond rywsut roedd yr awydd i gael gwybod mwy am ei dad yn drech na'i bryder am gael ei lusgo i mewn i ymholiadau'r heddlu a cholli ei ryddid, ac roedd ganddo ryw lun o syniad ynglŷn â sut gallai ailgysylltu â'i fodryb.

A dyna pam roedd o wedi glanio yng ngherbyd gwersylla newydd Bragi Bragasson y tu allan i Pengwern Villa ar noson damp ar ddechrau'r gaeaf. Roedd wedi gweld Bragi a Hayley gyda'i gilydd ambell waith yn y cyfnod rhwng ymweliad ei fodryb â Harlescott Grange a'r tân yn y ffatri ac roedd yn gwybod mai fan hyn roedd Bragi yn byw.

Os oedd Dylan am ddod i gysylltiad â Hayley eto, rhesymodd, siawns na fyddai'r cawr barfog yn gwybod lle i gael gafael ynddi.

Roedd Dylan wedi tampio drwyddo wrth gerdded i Pengwern Villa ac yn dechrau oeri. Roedd yn methu gweld unrhyw ffordd o gynnau'r gwresogydd bach twt ar wal y cerbyd. Methodd â ffeindio unrhyw ddillad gwely heblaw cwpwl o flancedi crafog a ogleuai'n gryf o gamffor yng nghefn un o'r cypyrddau. Ond, fe wnaen nhw'r tro a byddai'n well nag ambell noson rynllyd roedd wedi'i phrofi yn ei fywyd. Pan oedd yn byw yn yr ynysoedd byddai'n deffro yn aml ag eira ar ei wely wedi'i chwythu i mewn drwy ffenest nad oedd yn cau'n iawn.

Efallai mai jyst cnocio wrth ddrws y tŷ oedd y peth calla er mwyn siarad efo'r boi mawr blewog 'na. Ond hwyrach y byddai hwnnw'n cau'r drws arno'n syth ac, wrth gael rhyw lanc hirgoes blêr fatha Dylan yn galw heibio yr adeg yma o'r nos, yn penderfynu galw'r cops.

O leia gallai Dylan gael lloches yn y cerbyd dros nos a gweld y boi yn y bore. Gyda lwc, tasa fo'n llwyddo i godi'n ddigon handi, gallai ddianc o'r fan cyn i neb sylweddoli ei fod wedi cysgu'r nos yno.

*

Yn gynnar fore trannoeth, teimlai Bragi'n fodlon iawn ei fyd wrth edrych i lawr ar ei gerbyd newydd o ffenest ei fflat. Er nad dyn materol oedd o mewn unrhyw ffordd, roedd wedi mopio â'i fargen arbennig oddi ar eBay – Mercedes Sprinter Lunar Landstar am bris anhygoel – tua £10,000 yn llai na basa rhywun yn ei ddisgwyl. Anrheg gŵr a gwraig i'w gilydd wrth ymddeol oedd y Landstar ond yn anffodus o fewn misoedd roedd y wraig wedi mynd yn sâl a marw. Roedd yr amgylchiadau'n boenus a theimlai Bragi'n euog braidd wrth fanteisio ar y brofedigaeth ond roedd gweld y fan yn mynd yn rhyddhad mawr i'r gŵr gweddw – roedd ei phresenoldeb yn segur o flaen y tŷ yn achosi gormod o loes iddo.

Brynhawn ddoe roedd Bragi wedi eistedd yn y cerbyd am awr a rhagor, yn rhedeg ei fysedd dros yr holl wynebau, yn gorwedd ar y *banquettes* ac yn edrych ar nodweddion y stof a'r oergell a'r holl gyfarpar arall. Roedd fel plentyn â thegan newydd.

Diflastod pur felly oedd agor y drws a darganfod Dylan yn domen flêr a drewllyd ar y *banquette*. Nid dyn treisgar oedd Bragi ond roedd yn gryf, a phan ysgydwodd Dylan, rhwng braw a nerth y sgwd, bu bron i hwnnw syrthio oddi ar y sêt gul i'r llawr.

'Pwy ddiawl wyt ti? Be uffarn wyt ti'n da 'ma?' Roedd y llais addfwyn arferol wedi troi'n chwa arw o wynt ffroen yr arth wen.

Gafaelodd Dylan yn ei fag a'i ddal fel tarian o'i flaen. Roedd golwg wyllt ar Bragi ac roedd Dylan yn dechrau gofidio go iawn.

'Welais i fod y ffenest yn agored. Dwi heb dorri dim byd, onest...'

'Dydi ffenest agored ddim yn golygu bod llety am ddim i ti, nac ydi?'

'Sori, bòs. Doedd gen i unman arall i fynd. Dwi wedi bod ar y ffordd ers pedwar diwrnod. O'n i wlyb ac yn oer...'

O synhwyro cyni cymdeithasol a rhywun o'r cyrion, pylodd y min yn llais yr Islandwr.

'Ble wyt ti'n arfer byw?'

'Eisio dy weld di o'n i. O'n i'n ofni cnocio'r drws 'cofn i ti alw'r cops.'

'Y? I be fasat ti isio 'ngweld i, d'wad?'

'Ti'n nabod Hayley Havard, yn dw't?'

Eisteddodd Bragi ar y *banquette* gyferbyn â Dylan ac amneidio iddo yntau wneud yr un fath. Eisteddodd Dylan ond cadw'i darian o'i flaen.

'Ydw,' meddai'n ofalus. 'Be 'di hynna i ti?'

'Dwi eisio'i gweld hi. Rhaid i mi siarad hefo hi.'

Craffodd Bragi arno â'i lygaid gleision.

'Dylan wyt ti?'

Doedd Dylan ddim yn disgwyl y byddai Bragi'n gwybod pwy oedd o.

Atebodd o ddim.

Daliai Bragi i syllu arno.

'Dwi'n gweld ychydig o debygrwydd, ydw wir... rhyngddo chdi a dy fodryb.'

Dim gair.

'Pam wyt ti eisio siarad hefo hi?'

'Fy musnes i ydi hynna,' meddai Dylan yn fwy haerllug – yn adennill ychydig blwc o sylweddoli nad oedd yn mynd i gael ei gweirio ac nad oedd Bragi'n debygol o fynd at yr heddlu.

'Dydi Hayley ddim yn Amwythig,' meddai Bragi. 'Mae hi wedi mynd adre.'

'I'r Fenni – wn i,' torrodd Dylan ar ei draws, 'ond rwyt ti'n gallu cysylltu â hi, wyt ti? Hi ydi dy gariad di?'

Gwenodd Bragi er ei waetha. Cwestiwn plentyn oedd hwn bron.

'Jyst ffrindia,' meddai i dawelu chwilfrydedd y bachgen.

'O,' meddai Dylan fel pe bai'n derbyn y cwbwl.

'Reit,' aeth Bragi yn ei flaen yn ddigon stowt gan afael yn dynn ond yn dyner ym mraich y bachgen. 'Dwi eisio ti o 'ma.'

'Ond... ond...'

Doedd dim modd i Dylan ddal ei dir wrth i Bragi ei lywio'n gadarn drwy'r drws.

'A dwi ddim eisio dy weld ti ar gyfyl y fan 'ma eto, dallta? Dydi o ddim yn rhyw loches am ddim i bob dihiryn digartre yn Amwythig.'

'Ond rhaid i mi siarad hefo... fy modryb,' ymbiliodd Dylan.

Petrusodd Bragi. Roedd rhwng dau feddwl a ddylai gynnig mwy o gymorth i Dylan. Trefnu iddo sgeipio Hayley efallai? Roedd yn difaru'n syth iddo gyfeirio mor ddifrïol at bobol ddigartre ond roedd o wedi myllio braidd. Be fyddai Hayley eisio iddo'i wneud i'w nai? Roedd golwg andros o denau ar y bachgen – yn enwedig ac yntau'n hogyn mor dal. A ddylai gynnig powled o uwd a phaned iddo fo?

'Mi wna i sôn wrthi hi,' meddai'n gloff.

Roedd Dylan yn sefyll wrth y giât erbyn hyn. Dyma Bragi'n rhoi cynnig arall arni.

'Tisio tamad o frecwast? Uwd? Iogyrt? Tost?'

'Na,' meddai Dylan dros ei ysgwydd wrth droi i fynd.

'Ond sut fydd Hayley yn cysylltu â chdi? Sut fydd hi'n gwbod lle wyt ti?'

Oedodd Dylan.

'Allith hi adael neges ar yr hysbysfwrdd yn Sabrina's falle?' awgrymodd Bragi.

'Na, na,' meddai Dylan yn syth.

'Wel, be wneith hi 'ta?'

Ystyriodd Dylan eto.

'Mi geith hi adael neges gyda'r dyn sy'n gwerthu tocynnau ar gyfer y cychod ar y cei pan fydd hi yn Amwythig nesa. Jyst deuda wrthi am ddeud wrth hwnnw fod Hayley'n chwilio am Dylan ac mi wna i ffeindio hi wedyn.'

'Sut?' gofynnodd Bragi.

Ond roedd Dylan eisoes wedi mynd, yn brasgamu ar hyd y pafin i gyfeiriad Monkmoor.

Gwyliodd Bragi nes iddo fynd o'r golwg. Aeth yn ôl i mewn i'r cerbyd a hel yr hen flancedi roedd Dylan wedi'u defnyddio. Claddodd ei wyneb yn y defnydd – o, mam bach, byddai'n rhaid eu golchi. Aeth o gwmpas y fan i wneud yn siŵr bod y ffenestri i gyd wedi'u cau'n dynn cyn mynd allan a chloi'r drysau.

Am ychydig safodd yn edmygu siâp lluniaidd ei gartre newydd. Anwesodd ei ystlys arian sgleiniog a bu bron iddo roi sws iddo ond llwyddodd i wrthsefyll y temtasiwn a dychwelyd i'r tŷ.

42

CYRHAEDDODD HAYLEY ymyl y dibyn ac edrych drosodd.
Doedd ganddi ddim ffordd o wybod wrth gwrs mai
dyna'n union a wnaethai ei brawd dros bymtheng mlynedd
ynghynt ac wrth edrych dros ochr y graig, iddo gael ei gip
cynta ar y gwersyll bach a ffigwr mam y mab na châi fyth
gyfle i'w nabod.

Roedd yn ddiwrnod llwm a llonydd; y glaw ar stop am
ychydig ond y cymylau'n pwyso'n fygythiol o hyd, y ddaear
yn socian a phyllau mawr dwfn yn gorchuddio'r llwybrau am
lathenni ar y tro mewn mannau.

Doedd Hayley ddim yn cerdded cymaint y dyddiau hyn ag
y byddai ar un adeg – wedi cefnu ar yr arfer rywsut. P'run
bynnag, roedd hi wedi bod mor gaeth i'r tŷ'n ddiweddar a'r
glaw'n ei rhwystro rhag symud yn rhy bell. Bu hefyd yn didoli
ac yn sbriwsio'r bwthyn – ychydig o baent fan hyn a fan draw
a golchi llenni a charpedi a chael digon o ffwdan wrth geisio
sychu'r rheini dan yr amodau bythol wlyb y tu allan.

A dweud y gwir roedd hi wedi troi'n dipyn o feudwy dros
yr wythnosau diwetha gyda baich y cymhennu'n teimlo'n
drymach ac yn troi'n fwy obsesiynol bob dydd.

Prin ei bod wedi siarad â neb arall, heblaw pobol yn
ymwneud â'i gwaith yn y gwesty a'r llety henoed lle'r oedd
hi eto byth yn glanhau. Doedd hi ddim wedi ffonio na
thrafferthu i e-bostio neb ac eithrio pobol oedd yn ymwneud

â gwerthu'r bwthyn a syndod mawr iddi oedd cyn lleied roedd yn colli'r arferiad.

Doedd hi ddim chwaith wedi edrych ar y newyddion. Roedd hi wir wedi encilio i'w chragen. Roedd hyd yn oed Sarah wedi rhoi'r gorau i geisio cysylltu â hi ond roedd Hayley yn rhyw amau y byddai'n galw heibio cyn bo hir i gael gwybod beth oedd o'i le.

Am faint fyddai hi wedi aros fel hyn, doedd hi ddim yn siŵr – ond ddoe, wrth i gyfeiliant y glaw gyrraedd crescendo newydd yn erbyn ffenestri Tŷ Tyrpeg, daeth gwaredigaeth ar ffurf galwad ffôn gan yr asiant tai i ddweud bod y pâr diwetha i ymweld â'r tyddyn wedi gwneud cynnig am y lle, a hwnnw'n gynnig oedd yn gyfwerth â'r pris roedd yn gofyn amdano. Lwcus iddyn nhw weld y lle ar yr unig ddiwrnod heulog y mis hwnnw, meddyliodd Hayley.

Dyma'r sbardun oedd ei angen i glirio'r felan o'i phen ac, yn debyg i glaf yn cael stumog yn ôl yn dilyn salwch, daeth awydd sydyn i wneud pob math o bethau. A thrannoeth wrth ddihuno heb y cymylau duon arferol yn chwyrlïo o gwmpas ei phen, penderfynodd, gan fod y glaw wedi peidio dros dro, fod yn rhaid iddi wneud rhywbeth i ddathlu'r troad yma yn y rhod.

A daeth y syniad i'w phen y dylai gerdded i weld yr hen chwarel lle'r oedd Dylan wedi cwrdd â mam ei blentyn, ei nai hithau. Roedd hi wedi bod yno unwaith o'r blaen flynyddoedd yn ôl a gwyddai ei bod yn daith eitha pell – cwpwl o oriau o waith cerdded egnïol. Roedd ganddi feic ond roedd rhywbeth o'i le ar y llyw a hithau heb fod ar ei gefn nac â'r amynedd i'w gael o wedi'i drwsio ers amser maith. Na, fe wnâi cerdded les iddi'n bendant. Roedd ei chorff yn ysu am gael stwytho a symud.

Dipyn o laddfa fu'r daith iddi ar y cychwyn, gyda diffyg ymarfer yr wythnosau diwethaf yn golygu bod ei thraed a'i choesau'n teimlo fel pe baen nhw'n llusgo mewn cadwyni bob cam, a'i gwynt yn teimlo'n fyr iawn ar brydiau wrth ddringo ambell ripyn bach yn y llwybr. Ond yn raddol dechreuodd ei chorff ymateb ac ymaddasu i rythm y daith. Cyrhaeddodd yr uchelfannau a dechrau cael blas arni.

Yn debyg i Dylan yr holl flynyddoedd yn ôl, fe ddisgynnodd i lawr y llwybr o ben y chwarel nes cyrraedd y giât ar y gwaelod. Erbyn hyn roedd honno wedi sigo a'r pren dan drwch o gen glaslwyd a'r rhan fwyaf o'i barrau wedi pydru. Doedd dim sôn am y clo a'r gadwyn a welsai Dylan yr adeg honno. Gwthiodd Hayley y giât a chwympodd un o'r hen brennau i'r llawr gyda gweddillion y ffrâm yn pwyso'n drymach byth ar yr un hen getyn rhydlyd a'u daliai wrth y cilbost.

Cerddodd Hayley yn ei blaen. Roedd y coed o boptu'r hen lôn drol at y chwarel wedi gordyfu'n aruthrol, y canghennau wedi plethu'n dynn drosti nes ffurfio rhyw fath o geuffordd ddirgel. Yn sydyn, aeth Hayley yn ymwybodol iawn ei bod yn troedio tir ac iddo gryn arwyddocâd – tir sanctaidd bron, yn chwedloniaeth ei theulu. Ceisiodd ddychmygu ei brawd yn dod ffordd hyn, yn chwilio am antur, yn chwilio am eneidiau hoff cytûn.

Oedd e wedi gweld pobol yn y cwar o'r top? Siŵr o fod. Beth yn union oedd wedi'i ddenu atyn nhw? Beth ddwedon nhw wrth ei gilydd pan gwrddon nhw? Wnaeth e sôn amdani hi ac Aneirin?

Erbyn hyn roedd y gelli dywyll wedi ymagor a safai Hayley yng nghanol y chwarel ei hun lle bu'r gwersyll, y lein ddillad a'r teulu bach yn chwarae gynt, ond lle heddiw nad oedd ond rwbel, mieri a choed drain gwynion yn drwch ym mhobman.

Edrychodd o'i chwmpas a gwrando ar sŵn y pistyll yn tasgu o'r graig fel a wnaethai'n ddi-baid bob diwrnod ers i Dylan fod yma ac ar glwcian gyddfol cigfran rywle uwchben.

Felly, o'dd yr hen Hodges wedi'u hala nhw o 'ma, meddyliodd. O'dd Dai Hodges wedi marw sawl blwyddyn yn ôl erbyn hyn. Buodd ei thad yn yr angladd. Boi garw ond yn ddigon poblogaidd. O'dd e ddim wedi cynnig unrhyw wybodaeth pan ddiflannodd Dylan chwaith – ond roedd yr anaf gafodd ei brawd yn awgrymu bod yna ryw wrthdaro wedi bod. Ai Hodges a'i ddynion oedd yn gyfrifol? Neu falle tad y ferch o'dd yn cario plentyn Dylan pan gafodd e wybod ei bod hi'n disgwyl.

Eisteddodd Hayley ar dwmpath o dir ger y pistyll. Roedd y lle'n swynol iawn hyd yn oed o dan yr wybren blwm heddiw. Yn gysgodol iawn ac yn anghofiedig. Lle braf i wersylla, yn bendant.

Doedd hi ddim wedi gwersylla digon yn ei bywyd. Ambell waith gyda'i chefndryd pan oedd hi'n fach. Un tro, cofiodd, roedd storom fellt a tharanau ofnadwy wedi torri yng nghanol y nos gan chwalu eu pebyll bach a bu'n rhaid iddyn nhw gysgodi mewn hen gwt bugail. Pa mor hen fydden nhw? Bydde pobol iechyd a diogelwch neu wasanaethau cymdeithasol yn ca'l haint 'sen nhw'n clywed am blant bach ar y mynydd ar eu pennau eu hunain fel'na. Ond dyna shwt o'dd pethau – y rhyddid i rodio. Diolchodd amdano.

Byddai Dylan wrth ei fodd yn gwersylla, yn ei weld ei hun yn debyg i'w fam, y Roma grwydrol, yn cysgu dan y sêr, yn mynd o fan i fan heb fod yn gaeth i'r un tŷ. Doedd dim rhyfedd ei fod e wedi mynd fel'ny mewn ffordd. O'dd e yn ei waed... yn ysfa doedd dim modd ei ffrwyno... yn dilyn yr ysbryd.

Ac yna heb sylwi bron, roedd hi'n crio. Roedd hi wedi crio

ei gwala dros y blynyddoedd ar wahanol adegau ond y tro hwn teimlai'n wahanol. Doedd neb i'w gweld, neb i'w chlywed, dim ond creigiau'r chwarel a'r cigfrain. Dim angen cuddio na mygu sŵn yr igian – jyst gadael fynd. Doedd dim ots am faint fyddai hi'n wylo fel hyn. Gallai ei hwylo ei hun yn hesb nes bod y dafn olaf wedi'i hidlo ohoni.

O'r diwedd ymlonyddodd a rhu'r pistyll oedd yr unig sŵn unwaith eto.

Anadlodd yn ddwfn, yr awel fain a'r gollyngdod emosiynol yn ei meddwi braidd ac wrth eistedd yno fflachiodd syniad ar draws llun ei meddwl. Synnai nad oedd syniad o'r fath wedi'i tharo o'r blaen a'i bod wedi cymryd teithio i'r lle yma iddo wawrio yn ei phen. Yma lle'r oedd ei brawd wedi ymdrwytho mewn ffordd o fyw oedd yn gynhysgaeth naturiol iddo, roedd hithau hefyd yn sydyn yn effro i'r un gynhysgaeth a'r un cyneddfau.

Yr hewl oedd bia hi o hyn ymlaen.

Dim rhaid iddi boeni am brynu tŷ arall na phenderfynu ar rywle penodol i ymgartrefu. Byddai'n ymddihatru o'r holl stecs oedd wedi bod yn faen melin am ei gwddf ers cyhyd – yr holl drugareddau ac eiddo diwerth, yr holl 'stwff' diangen.

Roedd y prynhawn byr yn tynnu i'w derfyn. Byddai'n rhaid iddi hastu os oedd hi am gyrraedd gartre cyn iddi dywyllu go iawn.

O'r diwedd roedd ganddi reswm i aildanio'i laptop.

43

ROEDD POPETH YN mynd o chwith.

Hayley oedd eisiau rhoi syrpréis i Bragi wrth gyrraedd yn ei cherbyd newydd. Ond hi gafodd y syrpréis. Roedd hi wedi gobeithio parcio ar rodfa Pengwern Villa ond pan drodd iddi beth oedd yn swatio yno yn ei holl ogoniant, yn ariannaidd sgleiniog i gyd, gan hawlio pob modfedd sgwâr o ofod parcio o flaen y tŷ, ond y blydi Lunar Landstar.

Rhegodd Hayley a rholio'n ôl i'r briffordd.

Cymerodd hanner awr iddi wedyn gael hyd i rywle addas i barcio a doedd hi ddim yn yr hwyliau gorau wrth gerdded yn ôl i'r tŷ.

Ychydig lathenni o'r fynedfa canodd ei ffôn:

'Helô?'

Clywodd sŵn sgrablo ac wedyn rhyw dôn unsain ddolefus wrth i'r cysylltiad gael ei dorri.

Tsieciodd y rhif – wedi'i atal, yr un fath â'r ddwy alwad flaenorol. Y tro cynta roedd y galwr wedi gadael neges mewn rhyw sibrwd cryglyd, annealladwy. Ozi? Er ei bod wedi symud ymlaen ychydig ers siom yr hydref, rhaid bod rhyw obaith tenau'n dal i ffrwtian yn ei chalon. Ond siŵr o fod dim byd mwy na rhyw alwadau niwsans cyffredin oedd y rhain... ond hefyd, fel y digwyddai bob tro y câi alwad o'r fath, dyma ryw rith o obaith ofer yn plycio yn ei bol efallai mai ei brawd oedd yno. Profiad oedd wedi gwanio dros y blynyddoedd ond fyddai byth yn diffodd yn llwyr.

Camodd i rodfa Pengwern Villa. A beth oedd yn ei hwynebu ond pen ôl nobl mewn pâr o siorts llac – Bragi ar ei bedwar yn edrych o dan y Landstar.

Pesychodd Hayley ac ymsythodd Bragi a throi ati'n syn.

'Hayley? Do'n i ddim yn meddwl y byddai'r trên yn cyrraedd am awr arall. O'n i wedi meddwl mynd i gwrdd â chdi yn yr orsaf i ti gael reid yn hon!' meddai gan wenu'n fendithiol ar y Landstar. 'Ond dydi hi'r peth hardda welaist ti erioed?'

'A finne'n falch o dy weld ti 'fyd, Bragi,' mwmiodd Hayley'n goeglyd. 'Be ti wedi'i golli?'

'Dim byd,' meddai'n lletchwith wrth godi ar ei draed. 'Jyst yn tsiecio odani.'

Nodiodd Hayley a chraffu ar y Landstar.

'O'n i'n meddwl nag o't ti isie hala gormod o arian.'

'Bargen oedd hi, ar eBay.'

'Ar eBay?!'

'Gad i mi'i dangos i ti.'

Yn fwndel o falchder a chyffro, dangosodd Bragi bopeth iddi, yn ei holl fanylder.

'Wel, be ti'n feddwl?' gofynnodd wrth gau'r drws a'i gloi.

'Eitha neis,' meddai Hayley.

O'r diwedd, synhwyrodd Bragi ei diffyg brwdfrydedd.

'Be sy? Popeth yn iawn? O, gyda llaw, mae Dylan wedi bod yn chwilio amdanat ti.'

O hyd roedd clywed yr enw Dylan yn gyrru ias fach ddiflas drwyddi.

'Pwy? Fy nai Dylan?'

'Ia.'

'Ble welest ti fe?'

'Fan hyn. Torrodd o i mewn i'r hen Henrika 'ma.'

'I ble?'

'Henrika – y campyr fan.'

'O, reit. Wnath e lot o ddifrod, neu ddwgyd rhywbeth?' Yn sydyn teimlai Hayley ryw gyfrifoldeb teuluol am unrhyw gamymddwyn ar ran ei nai.

'Na, dim ond eisio lloches dros nos oedd o, a chael neges atat ti.'

'Neges? Pa fath o neges?'

Soniodd Bragi am sut roedd Hayley i fod i ddod i gysylltiad â Dylan drwy siarad â'r dyn a werthai docynnau ar gyfer y cychod ar y cei. Gwibiai meddwl Hayley fel gwennol.

'Beth yw'r amser nawr?'

'Fydd neb yno erbyn hyn. Gei di fynd bore fory falla. Ond beth oedd y syrpréis 'ma roeddet ti'n sôn amdano ar y ffôn neithiwr?'

'O, dim byd... Beth am ga'l dysgled, neu lasiad o win gynta?'

'Ia, siŵr. Cer di, ti'n gwbod y ffordd. Lle mae dy stwff di gyda llaw?'

'Gei di weld ar ôl i ni gael diod.'

Ac aethon nhw i mewn i'r tŷ.

Aeth y glasiad yn botelaid rhyngddyn nhw, i gyd-fynd â lobsgows blasus roedd Bragi wedi'i baratoi ar eu cyfer. Erbyn ei bod hi'n amser iddi gasglu ei bag o'i cherbyd, roedd yn dywyll ac roedd hi'n teimlo'n eitha meddw. Fraich ym mraich, cerddon nhw i ble roedd hi wedi parcio a chyflwynodd Hayley ei syrpréis:

'Ti bia hon?' gofynnodd Bragi'n gegrwth.

'Ie, hon yw nghartre i nawr.'

'Be ti'n feddwl, dy gartre di?'

'Wel, dwi wedi gwerthu Tŷ Tyrpeg ac wedi prynu hon a dwi'n byw ar yr hewl erbyn hyn.'

Edrychodd Bragi arni ac yn ôl ar y Mazda Bongo Van lliw cochbiws.

'Smart, on'd yw hi? Heledd yw ei henw hi, gyda llaw – ti'n meddwl fydd hi a Henrika yn ffrindie? Allen ni drafaelu mewn confoi nawr – fel y confois heddwch slawer dydd.'

Edrych yn syn ar y fan a wnâi Bragi o hyd.

'Be ti'n feddwl, Mr Bragasson? On'd yw hi'n bert!'

Gwyliai Hayley y dyn mawr wrth i'w lygaid soser gipio'n ôl ac ymlaen rhyngddi a'r fan. Rhedai ei fysedd drwy'i locsyn fel crib, rhywbeth a wnâi'n barhaus pan fyddai o'n ansicr neu dan straen. Symudai ei wefusau ond ddaeth yr un sŵn o'i geg.

O'r diwedd dyma'r geiriau'n ffrwydro o'i enau:

'Bendigedig. Llongyfarchiadau! Gwych!'

A gafaelodd ynddi wedyn a dawnsio polca bach rownd y fan a thraed Hayley'n codi i'r awyr wrth gael ei throelli'n gynt ac yn gynt.

*

Cysgodd Hayley yn fflat Bragi y noson honno a chysgu'n drwm hefyd. Nid nad oedd hi'n cysgu yn sownd yn y fan. A hithau'n bwten fach dwt o ran ei chorff, roedd y gwely cyfyng yng nghefn y Bongo'n cynnig gwâl gyffordus iawn iddi a hyd yn hyn doedd hi ddim wedi cael unrhyw achos i fod yn nerfus yn y mannau roedd hi wedi noswylio.

Yn fuan iawn roedd wedi gweld bod cymuned sylweddol o bobol debyg iddi ar y ffordd – amrywiaeth eang o ran oedran a rhyw, yn teithio hyd a lled y wlad mewn faniau a cherbydau o bob math. Pawb â'i stori, ond pawb yn parchu preifatrwydd ei gilydd, neb yn ymyrryd mewn unrhyw ffordd, neb yn gofyn cwestiynau. Ar ben hynny, roedd yr holl gyffro a deimlai wrth gychwyn ar ei hantur newydd yn drech nag unrhyw bryderon am y tro.

Er mor gyfforddus roedd hi â'i phenderfyniad i rodio fel hyn, roedd cael sêl bendith ei ffrind o Wlad yr Iâ yn hwb aruthrol iddi a dyma oedd wedi arwain at esmwythder a dyfnder arbennig ei chwsg y noson honno. Yn anffodus, buasai barn ac ymateb Sarah a ffrindiau a pherthnasau eraill yng nghyffiniau'r Fenni'n llai cadarnhaol.

Roedd Hayley wedi pechu go iawn gyda rhai – i'r fath raddau nad oedd Sarah wedi trafferthu i ddod i ddweud hwyl fawr wrthi – er iddi adael pecyn llawn danteithion o'r farchnad a cherdyn yn dymuno llwythi o gariad a phob lwc iddi yn y portsh y noson cyn iddi gychwyn ar ei thaith.

O feddwl, byddai ffarwelio yn y cnawd efallai wedi bod yn ormod iddyn nhw ill dwy. Roedd Hayley wedi anfon cwpwl o negeseuon testun ati ers hynny ond heb dderbyn unrhyw ymateb. Roedd hi'n ffyddiog y byddai'n clywed ganddi yn y pen draw ac y byddai chwilfrydedd Sarah yn mynd yn drech na hi.

Er iddi gysgu'n dda, tua'r wawr tasgodd strimyn o freuddwydion drwy'i phen yn llawn pob math o ddelweddau brawychus i aflonyddu arni, a'r cwbwl i gyfeiliant y drwm a glywsai ar ei noson gyntaf yn Amwythig.

Deffrodd mewn panig... a chanfod, er mawr ryddhad, dawelwch tangnefeddus y fflat wedi'i lapio'n gysurus braf o'i chwmpas. Prin bod y traffig i'w glywed yng nghefn y tŷ fel hyn ac yn sicr doedd dim drymio o unrhyw fath, dim ond sïo rhythmig y colomennod a sgarmesu achlysurol adar y to ar y landeri.

Yn raddol pylodd braw ei breuddwydion a setlodd ei meddwl. Gorweddodd yn llonydd am sbel, yna codi o blygion trwm y dwfe enfawr. Bragi oedd wedi mynnu mai hi oedd i gael y gwely y tro yma gan ei fod yntau'n gorfod codi'n fore iawn a doedd o ddim eisiau ei styrbio hi. Roedd o wedi hen fynd erbyn hyn ond wedi gadael coffi iddi mewn thermos Islandaidd ffansi ynghyd â croissants ffres a jam cartref roedd o wedi'i wneud o'r cynnyrch ar ei randir yr haf blaenorol.

Aeth draw i'r gawod. Roedd cael loetran ynddi ar ôl sawl diwrnod ar y ffordd yn bleser pur. Troellai'n araf o dan y llif crasboeth, pwerus gan fwynhau teimlad y dŵr yn ffrydio i lawr ei chorff a thrwy'i gwallt.

Dros ei brecwast, fe gofiodd, bron fel pe bai'n cofio un o'r breuddwydion od, am neges Dylan y nai a'i gyfarwyddyd dirgel ynglŷn â sut i gysylltu ag o. Pam bod y crwt eisie ei gweld hi tybed? Eisie arian? Neu eisie dweud wrthi ei fod wedi cofio rhywbeth am ei dad? Roedd hi'n amau bod Dylan heb ddweud popeth a wyddai wrthi am ei dad na'i fam yn ystod ei hymweliad – nac am ddim byd arall o ran hynny. Yn anffodus, doedd hi ddim yn gallu ei drystio. Be ddylai hi wneud ynglŷn â'r cais yma i gwrdd?

Af i lawr at yr afon, meddyliodd, a gweld sut olwg sydd ar ddyn y tocynnau.

Digon main oedd y gwynt y bore hwnnw ond tywynnai'r haul yn siriol o ganol diadell o gymylau gwlanog. Cerddai ar hyd llwybr glan yr afon, yn gorfod camu o'r neilltu drwy'r amser rhag cael ei sgubo i'r dŵr gan yr holl feiciau a wibiai yn hollol ddi-hid heibio iddi.

Ar gyrraedd Pont y Cymry, cafodd gip ar un o'r cychod pleser oedd newydd gychwyn ar ei thaith ar yr afon a gallai glywed y sylwebaeth dros yr uchelseinydd yn mynd a dod ar yr awel. Cofiai sut roedd Ozi wedi collfarnu'r sylwebaeth yma oherwydd ei bod un ai'n anwybyddu neu'n gwawdio cyfraniad y Cymry i hanes y dre. Diawl erioed, roedd hi'n dal i ffaelu stopio meddwl amdano. Rhaid iddi weithio'n galetach i anghofio amdano a symud ymlaen.

Arafodd ei cham wrth ddod yn nes i'r cei o le hwyliai'r cychod. Roedd ei hyder yn sydyn ar drai. Diflannodd yr haul a theimlodd frath y gwynt o'r newydd yn ymwthio drwy'i dillad. Roedd hi'n difaru ei bod heb wisgo rhywbeth mwy sylweddol na'i siwmper cnu tenau lliw ceirios.

Erbyn hyn gallai weld y bwth tocynnau. Roedd caffi dros y ffordd iddo. Pe bai hi'n cael disgled wrth un o'r byrddau y tu fas, gallai asesu sut olwg oedd ar y boi oedd yn gofalu am y bwth. Symudodd y cymylau unwaith eto gan oleuo a chynhesu'r cei, a chafodd Hayley hyd i fwrdd bach cyfleus yn llygad yr haul.

Safai'r tocynnwr ar osgo braidd fel na fedrai Hayley weld ei wyneb yn iawn ac wedyn am ryw reswm, dyma fo'n gadael y bwth yn gyfan gwbl. Un funud roedd o yno, a'r funud nesa roedd y bwth yn wag.

Gorffennodd Hayley ei choffi ac aros am ychydig yn disgwyl iddo ailymddangos ond doedd dim sôn amdano'n dychwelyd. O'r diwedd, a'r haul wedi'i lyncu drachefn y tu ôl i gnu go drwchus o gymylau, cododd Hayley ac ymweu drwy'r dorf i weld oedd unrhyw sôn amdano islaw'r cei ar fwrdd un o'r cychod. Fyddai hi ddim yn nabod ei wyneb wrth gwrs ond byddai'n nabod yr hen siaced guddliw a wisgai a'r het wlân streipiog.

Ond doedd dim arlliw ohono ger y cychod.

Roedd Hayley wedi oeri eto. Efallai ei bod hi'n macsu annwyd neu rywbeth? Neu ei bod yn agosáu at amser y mis. Diawl, doedd hi ddim wedi meddwl y gallai hi fynd yn sâl wrth deithio rownd y lle yn y Bongo. Fydde hynny ddim yn lot o hwyl.

Trodd yn ôl, yn barod i gerdded i fyny o lan yr afon i Pride Hill i roi tro ar y siopau a chael ei gwres yn ôl.

A dyna fo, roedd y dyn yn ei ôl yn y bwth. O ble y daethai, doedd ganddi ddim syniad. A'r tro hwn, roedd fel pe bai'n edrych yn syth arni hi, ei lygaid yn twrio iddi fel dau ebill.

Mowredd mawr! Dowciodd ei pherfedd mewn braw wrth weld pwy oedd o – neb llai na'r drymiwr ar Bont y Saeson erstalwm. Er ei fod fel petai'n syllu arni yn y ffordd fwyaf digywilydd, pan fentrodd Hayley gamu ychydig yn nes wnaeth o ddim cymryd arno ei fod yn ei nabod mewn unrhyw ffordd.

Bellach roedd Hayley yn sefyll yn union o'i flaen. Roedd golwg ddisgwylgar ar ei wyneb a bron nad oedd yn gwenu. Wrth ymyl y bwth gorweddai'r un hen sgrepyn o fwngrel oedd wedi cyfarth arni ar y bont ar ei noson gynta, ond doedd hwnnw ddim yn dangos affliw o ddiddordeb ynddi heddiw.

'Tocyn i'r cwch?' gofynnodd y dyn, ei lais yn grafog ond heb fod yn annymunol, wedi'i fwyneiddio gan lediaith y Gororau.

Oedodd Hayley, y syllu miniog yn aflonyddu arni braidd. Agorodd ei cheg ond ddeuai'r geiriau ddim i ddechrau.

'Ma ugain munud cyn y cwch nesa,' anogodd y tocynnwr. Roedd traw ei lais yn gymwynasgar ac yn hollol anfygythiol a'r wyneb coblyn a ddychmygai gynt wedi meddalu rywsut ac yn edrych yn fwy hoffus.

Cipiodd Hayley o boptu iddi rhag ofn bod clustiau yn y cloddiau.

'Ym… elli di weud wrth Dylan fod Hayley yma?' Bu bron iddi ychwanegu, 'Anti Hayley.'

Roedd pâr ifanc o Japan wedi cyrraedd y tu ôl iddi erbyn hyn. Safodd Hayley o'r neilltu'n syth, iddyn nhw gael mynd at y cownter.

'Dau, ia?' meddai'r dyn yn y bwth.

Cymerodd eu harian a rhoi'r tocynnau iddynt.

'Mwynhewch y daith. Dwi'n meddwl wneith y tywydd ddal i chi.'

Gwenodd gan ddatgelu rhes o ddannedd bach tlws, rhyfeddol o wyn. Wedyn edrychodd eto ar Hayley a'r tro yma roedd ei lygaid yn dynerach, yn flinedig bron.

'Iawn. Mi wna i ddeud wrtho fo pan wela i o nesa.'

'Shwt fydd e'n gwbod lle i ga'l gafael arna i?' Doedd hi ddim yn siŵr oedd hi eisiau datgelu'n union lle'r oedd hi'n aros i hwn – bachan pert ai peidio.

'Mi wneith o dy ffeindio di, paid â phoeni. Wyt ti am fynd ar y cwch?'

Roedd y cwestiwn yn annisgwyl ond ystyriodd Hayley am ennyd.

'Dim diolch. Dim heddi.'

'Ti'n siŵr? Ffrîbi bach – gen i.'

Swniai'r cynnig yn ddigon diffuant ond roedd Hayley yn eitha pendant ei meddwl.

'Na, mae'r gwynt yn rhy oer y bore 'ma.'

'Ty'd draw eto,' meddai'n siriol wrth estyn tocyn i'r cwsmer nesaf.

'Hwyl,' meddai Hayley a'i throi hi'n frysiog.

Daliai i gerdded ar lan yr afon am sbel heb wir ganolbwyntio ar le'r oedd hi am fynd nesa.

Ar ôl ychydig stopiodd a hel ei meddyliau. Yn bendant, teimlai'n well ynddi'i hun, fel pe bai siarad â'r drymiwr wedi chwalu rhyw swyn afiach. Anodd credu mai'r un dyn oedd y drymiwr a'r tocynnwr. Ai ei meddwl yn chwarae castiau bach gwirion oedd y tu ôl i hyn i gyd? Anadlodd yn ddwfn a throi i groesi'r ffordd tua'r grisiau a arweiniai at Pride Hill a holl ddifyrion H&M.

44

CELT, Y CAR, a chysylltu â Hayley.
Dyna oedd y materion oedd wedi troelli'n ddi-baid
drwy ben Ozi dros y misoedd ers y tân – rhai anhapus a
thywyll iawn iddo.

Ar ôl casglu Celt oddi wrth ei gymydog yn eitha hwyr y
noson dyngedfennol honno gan raffu stribyn o gelwyddau
lletchwith am orffen ei waith yn fuan ac awydd ychydig o
wyliau arno hefo'r ci yn Ardal y Llynnoedd, dychwelodd Ozi
i'r tyddyn. Ni wyddai a oedd ei gymydog wedi llyncu'r stori ai
peidio, ond gan mai newydd gyrraedd adre o'r dafarn roedd
hwnnw ac yn bur feddw, gobeithiai Ozi y byddai'r cwbl yn
dipyn o niwl iddo pe bai'n cael ei holi'n fanwl.

Roedd Celt ar ben ei ddigon o weld Ozi'n ei ôl mor fuan ac
yntau wedi arfer ond heb fodloni â'r drefn o fwrw sawl noson
gyda'r cymydog. Yn llamu o'r car dan goethi'n ddwl, roedd yn
amlwg bod hwyliau'r ci'n wahanol iawn i rai ei feistr wrth i
Ozi geisio ymgodymu â'r cwestiwn mawr:

Sut oedd o'n mynd i ddiflannu?

Wrth yrru'n ôl at y bwthyn, roedd holl oblygiadau ei
sefyllfa'n dechrau deor fel cynrhon bach ysig yn ei ben.

Yn yr oes sydd ohoni, nid rhywbeth y gall rhywun ei wneud
ar amrantiad yw diflannu. Mae angen misoedd o baratoi, a
rhyw ychydig oriau oedd gan Ozi fan bellaf. Yn aml cyn heno
byddai'n dwrdio ynglŷn â diffyg preifatrwydd yr oes, a'r ffordd

mae rhywun yn gallu cael ei hel fel llwynog drwy'r adeg gan adael trywydd annileadwy bob cam wrth ddefnyddio'r ffôn, y laptop, y car, cardiau credyd a debyd a chant a mil o ddyfeisiau eraill. Ac wedyn roedd gen ti'r holl gamerâu ym mhob twll a chornel dros y lle. Yn wir, doedd dim dianc i'w gael. Chwysai Ozi'n oerach byth wrth feddwl am sut yn y byd y gallai dorri'n rhydd o afael y we ymyrrol felltigedig yma.

A'i galon yn plymio'n is o funud i funud, aeth ati i hel ychydig o bethau at ei gilydd. O leia roedd ei brofiad fel llongwr yn golygu ei fod yn gyfarwydd â theithio'n weddol ysgafn.

Cyneuodd dân bychan mewn hen danc dŵr rhydlyd y tu allan i ddrws cefn y tŷ i losgi unrhyw beth y tybiai y gallent fod yn ddefnyddiol i bobol oedd yn chwilio amdano neu'n chwilio am dystiolaeth i'w gysylltu â'r busnes smyglo mewnfudwyr. Wrth lwc, roedd yr arian diweddaraf roedd wedi'i dderbyn am ddod â phobol draw o'r cyfandir – £2,700 mewn cant a phymtheg ar hugain o bapurau ugain punt – heb ei fancio. Fe wyddai fod ei gyfrif cyfredol yn y banc bron yn wag, felly doedd dim pwynt defnyddio ei gerdyn banc na'i gerdyn credyd a fyddai'n dangos union hynt ei ddihangfa. Rhag pob temtasiwn llosgodd y plastig gyda gweddill y papurach.

Ar ôl i'r fflamau ddarfod, llenwodd yr hen danc â dŵr a phridd a brwgaitsh o'r borderi. Yn llun ei feddwl gwelai gatrodau o arbenigwyr fforensig yn glanio yma wedi'u harfogi â'r offer a'r technegau diweddara i'w ddarganfod. Teimlai mai ofer oedd pob ystryw ar ei ran i gelu ei olion. Basa rhyw loeren filoedd o filltiroedd uwchben y ddaear yn cael hyd iddo jyst drwy glician llygoden...

Eisteddodd yn y gwyll a'i ben yn ei ddwylo. Gallai deimlo llanw'i helbul yn codi'n ddistaw bach yn y tywyllwch o'i gwmpas. Peryg y byddai'n rhaid iddo gefnu ar ei holl eiddo – ei lyfrau, ei ddillad, trugareddau o bedwar ban, ei holl freuddwydion am orffen ei ddyddiau yn ddyddynnwr bach diddig yr ochr gywir i'r ffin. Er nad oedd eiddo mawr ganddo roedd yr hyn oedd ganddo'n bwysig iddo ac yn ei sadio yn y byd rywsut.

Wrth y drws, gallai glywed sŵn Celt yn nadu ac yn crafu wrth ddisgwyl cael dod i mewn yn ôl ei arfer yr adeg yma o'r dydd.

Car, arian, ffôn, cyfrifiadur... diawl lle'r oedd dechrau arni? Oedd rhaid iddo'i miglo hi o gwbwl? Oedd o'n creu bwganod yn ddiangen? Allai swatio fan hyn a chadw'i ben i lawr am ychydig fisoedd?

Na – yn bendant. Doedd dim troi'n ôl. Byddai'r heddlu'n siŵr o holi'r mewnfudwyr yn y ffatri am bwy oedd wedi dod â nhw i'r wlad ac ni fyddai'n fawr o dro nes bod yr ymholiadau hyn yn eu harwain ato. Dianc oedd rhaid, ond doedd ganddo ddim amcan beth oedd y ffordd orau o fynd ati.

Cyfarthodd Celt – ddwywaith, yn methu dirnad ymddygiad ei feistr. Yna, distawrwydd.

Ar ôl ychydig mwy o amser yn sgathru o gwmpas y tyddyn yn chwilio am hyn, llall ac arall a allai ddatgelu rhywbeth amdano neu fod o fudd iddo wrth ddiflannu, aeth Ozi draw i'r stafell molchi ac edrych arno'i hun yn y sgwaryn annigonol o ddrych uwchben y sinc, y drych lle bu Hayley yn ystyried ei delwedd cyn mynd ati i'w garu gwta bedair awr ar hugain ynghynt.

Cyn pen dim roedd pentwr o gudynnau tywyll yn drwch am ei draed a thros y llawr ac yn glynu fel pla o elod bach duon ar hyd ei ddillad. Byddai'n tyfu neu'n eillio locsyn ar fympwy'n aml ac erbyn hyn roedd wrthi'n ceisio defnyddio'r rasal filain hen-ffasiwn a gafodd ar ôl ei daid i glirio'r lloffion blêr a adawyd gan anfadwaith siswrn y gegin oddi ar ei gorun. Roedd y cneifio brysiog wedi tynnu gwaed mewn sawl man.

Craffai yn y drych. Iesgob, petai'n mynd allan ar y stryd fel hyn byddai rhywun yn saff o riportio bod rhyw wallgofddyn o'r coed yn rhydd yn y fro.

*

Sawl mis yn ddiweddarach ac roedd y gwallt wedi aildyfu'n hir unwaith eto, ynghyd â homar o farf anystywallt yn gorchuddio'i enau. Daliai i edrych yn wyllt ac yn wallgo, meddyliodd wrth ddal cip ar ei wyneb main, melyn mewn drych hirgul yr ochr draw i'r caffi. Roedd ei lygaid yn ddwfn yn ei ben erbyn hyn a chysgodion dulas fel panda o'u hamgylch.

Ar y bwrdd o'i flaen roedd ffôn bach talu-wrth-fynd roedd wedi cael hyd iddo gwpwl o fisoedd ynghynt ar ochr y rheilffordd. Roedd ei hen ffôn a'i laptop wedi cael eu lluchio i ddyfroedd pwll gro ger Runcorn. Roedd wedi bacio'r car dros y ddau declyn cyn eu taflu mor bell ag y gallai i lonyddwch brawychus y llyn. Roedd wedi clywed bod yn rhaid berwi disg caled i'w lanhau'n llwyr. Doedd dim modd gwneud hynny. Rhaid ei siawnsio hi…

Roedd wedi gadael y bwthyn ar ei ben ei hun yn y pen draw, heb Celt. Bu'n fwriad ganddo fynd â'i gi hefo fo er gwaetha'r strach y basai hynny wedi'i achosi, ond pan chwiliodd amdano, doedd dim blewyn o sôn. Roedd fel pe bai wedi ymdoddi i'r nos. Yn ei gyflwr aflonydd, mae'n debyg bod Ozi wedi anghofio cau'r giât ac roedd Celt wedi laru ar y diffyg sylw gan achub y cyfle i gymryd y goes.

Ar ôl chwibanu a galw mor uchel ag y meiddiai am ychydig, mentrodd Ozi i dop y cae cefn lle arferai fynd â Celt am dro, ond doedd dim sôn am y labrador du yn unman. Ar ôl hanner awr o ofer chwilio, dyma Ozi'n gadael bwyd mewn powlen iddo ger ei gwt a dechrau ymbaratoi i adael. Llwynog fwy na thebyg fyddai'n llowcio'r bwyd yn y bowlen cyn i'r ci gael siawns i fynd ato ond be arall wnâi?

Wrth adael Celt fel hyn teimlai Ozi'n fwy cachlyd byth ond roedd greddfau achub ei groen ei hun yn drech na'r consýrn am dynged yr anifail.

O'r diwedd, am dri'r bore, sleifiodd y Skoda o'r buarth.

Aberdeen oedd ei nod. Roedd 'na rywrai yno oedd yn dal i'w adnabod o'i gyfnod ar y môr ac roedd yn weddol ffyddiog y gallai gael lle ar long yn y fan honno a âi ag o'n ddigon pell o'r holl helbul. Erstalwm roedd wedi gwasanaethu ar long gyda mwy nag un ar herw ymysg y criw.

Ond nid felly y bu.

Ar y dechrau roedd wedi meddwl dal gafael yn y car nes cyrraedd pen ei daith, gan deithio liw nos ar gefnffyrdd i'w gadw rhag llygaid y Glas. Gweithiodd y cynllun am ryw dridiau nes iddo gyrraedd ardal Fforest Kielder yn Northumbria – ardal o fynyddoedd a rhostir sy'n gorwedd ar ffin de-orllewin bryniau Cheviot ac sy'n cynnwys rhai o goedwigfeydd mwyaf Lloegr.

Roedd wedi gyrru'n ddwfn i'r fforest wrth iddi dywyllu gan ddefnyddio goleuadau bach y car yn unig. Roedd rhyw darth wedi setlo dros bob man, fel pe bai'r goedwig ar dân yn wir, ac roedd yn mynd yn gynyddol anodd dilyn y ffordd fel hyn. Ond o'r diwedd cyrhaeddodd lannerch eang lle byddai lorïau coed yn llwytho ac yn troi. Fe wnâi hyn y tro'n tsiampion. Roedd rhyw fath o gaban eitha sylweddol ar gyrion y llannerch. Hwyrach y câi fynediad iddo rywsut. Buasai hynny'n rhyddhad mawr ar ôl y nosweithiau anghyfforddus yn y car.

Roedd lwc o'i blaid, gyda drws y caban heb ei gloi ac yno cafodd hyd i degell a stof nwy potel. Roedd y caban wedi'i ddefnyddio'n eitha diweddar. Roedd yna drydan o hyd, ynghyd â the a choffi a phecyn o Jammie Dodgers wedi hen fynd heibio'r dyddiad penodedig ond doedd hynny ddim fel pe bai'n amharu ar y blas ac erbyn y bore roedd wedi sglaffio'r pecyn cyfan.

Llwyddodd hefyd i ymolchi gan ferwi dŵr yn y tegell ar ôl defnyddio hen fwced i ddod â dŵr o bwll mawnoglyd gerllaw.

Wnaeth o ddim cynnau'r golau ond gyda'i dortsh cafodd hyd i ffôn digon henffasiwn ei olwg. Cyffrôdd drwyddo. Câi ffonio Hayley. Roedd eisiau iddi wybod nad oedd yn rhyw hen gi drain unnos oedd eisiau cadw draw ar ôl cael ei damaid. Roedd wedi nodi'i rhif cyn taflu'r ffôn i ddyfnderoedd y pwll gro. Ond er mawr siom roedd y lein yn hollol farw, wedi'i datgysylltu ers tro siŵr o fod. Wrth ailosod y derbynnydd yn ei grud ar y wal, caeodd y distawrwydd llethol a deyrnasai dros bobman fel dwrn amdano.

Cysgodd yn weddol ddi-dor ond roedd yn effro cyn y wawr a stwmp ei ofidiau ar ei stumog yn blaguro o'r newydd.

Penderfynodd symud ymlaen cyn i ddynion y coed ddechrau cyrraedd y gwaith er doedd dim arwydd bod dim byd mawr yn digwydd yn y rhan arbennig yma o'r goedwig ar hyn o bryd.

I mewn ag o i'r car gyda'r bwriad o facio'n ôl ychydig er mwyn llywio o amgylch y pentwr o logiau roedd wedi cuddio'r cerbyd y tu ôl iddo wrth gyrraedd y noson cynt ac anelu at y ffordd allan o'r llannerch.

Y peth nesa a wyddai roedd andros o hergwd a chlec annisgwyl a dyna lle roedd o, yn syllu drwy'r ffenest flaen ar wybren rosliw'r bore, a chawod o fân wrthrychau'n hedfan ac yn llithro tua'r cefn. Heb glem beth oedd wedi digwydd, brwydrodd yn erbyn disgyrchiant i agor y drws a dod o'r cerbyd.

'O, cachu ffycin hwch!' griddfanodd, gan bwyso ei fysedd yn erbyn ei arlais.

O ddod o'r car, gallai weld yng ngolau gwan y bore bach ei fod heb sylwi ar y ffos ddraenio ddofn yn union y tu ôl i le roedd wedi parcio. Roedd yn amlwg na fyddai modd iddo achub y sefyllfa. Safai'r Skoda ar ei din bron yn y ffos fel rhyw gofeb smala i'w flerwch.

Wedi treulio cwpwl o ddyddiau ar y ffordd, roedd ei banics gwreiddiol wedi cilio ac erbyn hyn roedd Ozi'n gwneud pethau'n fwy greddfol a phwrpasol gyda phendantrwydd oedd yn ei synnu ar brydiau.

Llwythodd ei bethau pwysicaf i'w sach gefn a mynd ati i roi'r Skoda ar dân ac wrth i'r fflamau gydio go iawn, ei heglu ar draws y llannerch gan ddilyn llwybr a âi ag o'n ddyfnach byth i grombil y goedwig.

Roedd tarth y noson cynt yn dychwelyd gan fygu addewid cochi cynta'r bore ond roedd hyn yn dipyn o fendith iddo rŵan. Yn fuan iawn wrth iddo ymbellhau o'r llannerch cuddiwyd rhu'r fflamau ac ergydion y tân gan drwch y coed ar bob tu, ond clywai oglau'r petrol a'r deunyddiau eraill yn llosgi'n drwm yn yr awyr wrth garlamu'n ddall drwy ddrysfa ddiderfyn llwybrau'r goedwigaeth a'i mynych freciau tân.

★

Daeth y weinyddes at ei fwrdd a chlirio'r baned oddi yno. Roedd wedi bod yno ers hydoedd mae'n rhaid. Daeth yn ymwybodol bod y staff wedi dechrau sgubo'r llawr a chadw'r cadeiriau ar ben y byrddau. Cipiai'r weinyddes, lodes mor fain â styllen â thatŵ glöyn byw bach ar bob braich, arno'n ddiamynedd wrth glatshio ei brwsh yn flin yn erbyn coesau'r bwrdd lle eisteddai.

Gwenodd Ozi arni, ond go brin y gallai'r ferch weld y wên yng nghanol blew'r locsyn anferth. Symudodd yn ei blaen at y bwrdd nesa, yr un mor ddiamynedd.

Byseddodd Ozi y ffôn bach. Oedd digon o blwc ganddo y tro yma? Y tro cynta roedd wedi llwyddo i fynd drwodd ati ond swniai llais Hayley fel pe bai'n siarad o ben draw'r byd. Yn 'swyddfa' Constantin oedd o ar y pryd – ei 'fòs' newydd, yn gorfod sibrwd rhag ofn y deuai hwnnw'n ei ôl.

Cydiodd Ozi yn y ffôn bach ar y bwrdd. Doedd ganddo ddim syniad faint o gredyd oedd arno bellach ond fe roddai gynnig arall arni. Doedd o ddim wedi storio'r rhif ond rhedai fel hoff bennill drwy'i ben. Dechreuodd y ffôn ganu yn ei glust. Rhoddai ddeg caniad iddi... un... dau... tri...

232

45

DOEDD HAYLEY DDIM yn siŵr ble'n union oedd hi.

Dyna sut byddai Amwythig ar brydiau, meddyliodd. Dros y blynyddoedd roedd hi wedi ymlwybro drwy'i strydoedd ddwsinau o weithiau ym mhob cwr o'r dre ac o hyd byddai'n cael ei phlesio a'i chyffroi wrth daro ar ryw ardal oedd yn ddiarth iddi, fel darganfod trysor bach cudd neu lecyn annisgwyl mewn breuddwyd sy'n gyfarwydd ac eto'n wahanol iawn i'r unman y buoch chi ynddo o'r blaen.

Heno, fodd bynnag, gyda niwl tenau'n nadreddu am dalcenni'r tai a si'n dew drwy'r dre fod un o breswylwyr Carchar Amwythig ar ffo, doedd natur anghyfarwydd y strydoedd ddim mor bleserus ag arfer ac yn sydyn sylwodd Hayley fod ei hyder ar drai. Arafodd ei cham ac wedyn ei gyflymu drachefn, yn dyheu am weld rhyw nodwedd gynefin a ganai gloch.

Hyd yma, roedd heddiw wedi bod yn ddiwrnod perffaith.

Yng nghwmni Bragi, Blitz a Bling, roedd wedi dringo i gopa Din Gwrygon, y fryngaer a saif ar frigiad folcanig amlwg yng nghanol y gwastadedd i'r dwyrain o Amwythig. Roedd yn ddiwrnod delfrydol i wneud taith o'r fath, y cymylau'n uchel a'r awyr yn glir a'r olygfa'n ddiguro o ben y bryn dros glytwaith eang o gaeau amryliw, tua mynyddoedd Cymru yn y gorllewin a dinas Birmingham yn y dwyrain.

Safai Hayley ychydig ar wahân i weddill y criw, cudynnau ei gwallt tywyll, oedd wedi tyfu'n hir ac yn drwchus dros y misoedd diwethaf, yn mwytho ei bochau yn yr awel dyner. Troellai'n ara bach, ei breichiau wedi'u codi ychydig o boptu i'w chorff gan fwynhau teimlad y chwys yn oeri ar ei chefn ar ôl y ddringfa serth drwy'r coed. Yna, dyma hi'n sadio'r garwsél a thremio tua'r gorllewin. Y tro diwethaf iddi edrych ar y tiroedd hyn roedd hi'r ochr draw i'r ffin, neu reit ar ei phen hi a bod yn fanwl gywir, yng nghwmni Ozi.

Clywai ryw gosfa hiraethus yn ei bol wrth gofio amdano a'r oll a ddigwyddodd rhyngddyn nhw y diwrnod hwnnw. Teimlai mor bell yn ôl erbyn hyn – yr unig ddiwrnod o'r fath a gaen nhw gyda'i gilydd fyth bythoedd, mae'n debyg.

Draw ger y bwrdd dehongli, roedd Bragi'n traethu fel pwll y môr, yn ei seithfed nef wrth sôn am arwyddocâd hanesyddol ac archaeolegol y fryngaer a'r broydd o'i chwmpas. Tasgai ei frwdfrydedd fel rhyw ffynnon oesol o grombil y gorffennol tra gwrandawai Blitz a Bling yn astud dan swyn ei huawdledd heintus. Roedd y tri heb gwrdd o'r blaen, heblaw yn ystod ymweliadau achlysurol Bragi â Sabrina's Cave ond rodden nhw'n taro ymlaen yn dda.

Cofiai Hayley sut roedd Ozi hefyd wedi darlithio am hanes ar ben Clawdd Offa y diwrnod hwnnw. Rhaid bod rhywbeth yn yr ardal yma a fynnai ddehongli parhaus gan rai.

Chwifiai Bragi ei freichiau fel melin wynt a llygaid ei gynulleidfa'n gwyro o'r naill gyfeiriad i'r llall wrth iddo bwyntio'n frwd at wahanol safleoedd o bwys. Creai ddarlun byw iawn a bron na allen nhw weld yr amryfal ymfudwyr a goresgynwyr hynafol yn symud ar draws y tiroedd gwastad islaw a synhwyro ansicrwydd trigolion y gaer hon a cheyrydd cyfagos erstalwm wrth i'r llanw eu hamgylchynu. Tybed oedd rhywrai wedi gweld Pengwern ar dân o'r union fan lle safent? Heledd yn eu plith, hwyrach?

Ar ôl i'r ddarlith ddod i ben a Bragi a Blitz mewn trafodaeth fywiog am Geltiaid Halstatt, daeth Bling draw at Hayley.

'Ti'n iawn, Hayley?'

'O, ydw ydw,' meddai Hayley heb sylwi arni'n dynesu. Teimlai ei hwyneb yn gwrido a bod rhaid iddi ddweud rhywbeth i guddio'r ffaith mai meddwl am Ozi roedd hi.

'Jyst yn meddwl am yr holl bobol sy wedi croesi'r tiroedd 'ma. Yn chwilio am rywbeth, neu'n ffoi rhag rhywbeth. Dwi'n gweld fy hunan yn debyg rywsut... yn mynd off yn y fan. Yn rial sipsi... fel Mam.'

'Dwi mor genfigennus,' ochneidiodd Bling. 'Baswn i wrth fy modd yn gallu gwneud yr un fath, ond dwi'n ofni bod yr Arglwydd Blitz yn rhy hoff o gysuron ei aelwyd.'

'Sai'n siŵr bellach be dwi'n whilo amdano fe, cofia. Jyst mater o fodloni rhyw reddf falle. Byth ers i Dylan fynd mae pob man yn teimlo fel rhywle dros dro... bod yn rhaid codi'r pebyll a symud mla'n.'

Ac wedyn roedd Bragi a Blitz wedi crwydro draw, yn clemio eisiau bwyd ac yng nghanol rhyw ddadl ddigon ffyrnig am anian y Celtiaid – ai masnachwyr clên ac ystyriol oedden nhw, fel yr honna rhai, ynteu'r un mor farus a chreulon â phob ton arall o fewnfudwyr a ddaethai'r ffordd hyn?

*

Diwrnod i'r brenin yn wir, ond roedd digwyddiadau'r bore a'r prynhawn yn dechrau pylu braidd erbyn hyn. Roedd Hayley yn dal ar goll ac yn ceisio penderfynu pa droad i'w ddilyn yng ngwyll cynyddol y strydoedd cefn. Er y gwyddai'n iawn y byddai hi'n cael hyd i'r ffordd yn y pen draw, roedd y rhwystredigaeth yn dechrau mynd yn drech na'i nerfau.

Yna, canodd ei ffôn. Y rhif wedi'i atal eto fyth.

Rhoddodd y ffôn at ei chlust yn barod i roi llond pen, yn grac yn hytrach nag yn ofnus erbyn hyn.

'Helô... Hayley?' meddai llais petrus.

'Ozi? Ti sy yno? Ble wyt ti?'

'Mewn caffi.'

'Be? Yn Amwythig?'

'Na... Sut wyt ti?'

'Fi'n iawn? Ond beth aboiti ti? Ble ti 'di bod?'

Saib.

'Ozi?'

'Dwi eisio dy weld di.'

'Ie... ond ble wyt ti? Wyt ti'n ôl ffor' hyn?'

'Na – mae'n stori hir. O'n i jyst eisio i ti wbod... bo' fi'n meddwl amdanat ti... lot.'

Dechreuodd rhywbeth doddi y tu mewn iddi ac roedd hi ar fin adleisio bwrdwn ei eiriau yntau pan aeth y lein yn farw.

'Ozi? Ozi?'

Edrychodd ar y ffôn – dim gwasanaeth! Falle ffoniai eto. Roedd ei chalon yn curo'n gynt. Da oedd cael clywed ei lais... doedd dim modd gwadu.

'Dydi o ddim werth o, sti,' meddai llais arall cyfarwydd y tu ôl iddi.

Llamodd calon Hayley mewn braw y tro yma a throdd i weld Dylan ei nai'n eistedd ar wal isel o flaen tŷ ychydig lathenni oddi wrthi.

46

DYCHRYNODD OZI WRTH weld ffigwr cyfarwydd yn croesi rhiniog y caffi lle eisteddai.

Constantin! Ei 'fòs' newydd. Roedd y Rwmaniad yn amlwg yn chwilio amdano.

Trawodd Ozi y ffôn ym mhoced ei siaced a chadw ei ben i lawr, gan syllu ar y mỳg gwag ar y bwrdd nes i Constantin ei weld o a dod draw.

Anwybyddodd y Rwmaniad brotestiadau'r staff eu bod ar fin cau. Cerddodd draw at Ozi.

'Ocê?' gofynnodd yn fwy ffwr-bwt nag arfer. Byddai Constantin wastad yn swnio'n siriol ond roedd yn amlwg bod rhywbeth yn ei boeni heno.

Heb ateb, cododd Ozi a'i ddilyn o'r caffi.

Dros y stryd arhosai'r fan. Dringodd Ozi i'r cefn ac eistedd ar y sedd fach dynnu-i-lawr yng nghanol yr holl offer wrth i Constantin fynd i'r pen blaen i eistedd wrth ochr y gyrrwr.

Ddywedodd neb yr un gair wrth i'r fan dynnu i'r traffig a chychwyn ar ei thaith.

Doedd Ozi ddim yn nabod y gyrrwr heno. Doedd hynny ddim yn anarferol. Yn aml iawn byddai gyrrwr gwahanol wrth y llyw. Roedd o'n nabod Constantin Cojocaru wrth gwrs – ers iddo fwnglera ar ei draws wrth rasio drwy Fforest Kielder lle roedd Constantin gyda'i frawd, Dragos, a weithiai fel coediwr yno, wrthi'n trosglwyddo helfa'r noson cynt o fan wen Constantin i fan las Dragos.

Roedd syndod ac anesmwythyd amlwg yn gymysg ar wynebau'r tri. Bu saib hir gyda neb yn dweud na gwneud dim, neb yn symud. Yn y pen draw Constantin a dorrodd y garw:

'Pwy sydd ar dy ôl di, gyfaill?' gofynnodd yn ei Saesneg Ewropeaidd hyderus gan gymryd cam neu ddau'n hamddenol tuag at Ozi.

Digon hawdd oedd dyfalu o'r olwg flêr ar Ozi nad rhyw gerddwr bach diniwed ar gyfeiliorn oddi ar un o'r llwybrau dynodedig oedd y dyn hwn a safai â golwg be-wna-i ar ei wyneb ar ganol y lôn o flaen y faniau, ei ben newydd ei eillio a chrachod anniddig yn britho ei gorun.

'Pawb,' atebodd Ozi'n dawel er bod ei wynt yn ei ddwrn braidd. Roedd Constantin yn hoffi'r ateb hwnnw a chwarddodd o'i hochr hi.

Roedd ei wyneb yn atgoffa Ozi o ddraenog, gyda'i drwyn hirfain, llygaid cyrens duon a gwallt sbigog cwta. Ond, fel y dysgai'n fuan, dyna lle'r oedd y gyffelybiaeth yn darfod – giangster craff a hollol ddiegwyddor oedd Constantin yn y bôn ac yn ddyn peryg iawn o'i groesi.

Ond am y tro, roedd y ddau frawd, Constantin a Dragos, yn cynnig rhyw fath o achubiaeth i Ozi oedd bellach wedi ymlâdd ar ôl ymbalfalu drwy'r coed ers toriad y wawr ac yn teimlo ei fod yn dechrau ffwndro.

'Oes gynnoch chi rywbeth i'w yfed, mêts?'

Yn ei frys i adael y llannerch roedd Ozi wedi anghofio llenwi ei botel ddŵr.

Yn syth, dyma'r brodyr yn rhoi can o Red Bull iddo a gofyn a oedd eisiau rhannu eu tocyn bwyd. Derbyniodd y cynnig gan ofyn iddynt hwythau wedyn a gâi helpu gyda'r gwaith llwytho a dadlwytho.

Edrychodd y ddau frawd ar ei gilydd. Bu sgwrs fach

ddiwastraff rhyngddyn nhw yn Rwmaneg a dyma Constantin yn cerdded draw at Ozi gan sefyll reit o'i flaen yn astudio ei wyneb. Dyn cydnerth oedd y Rwmaniad ac yn ei flinder teimlai Ozi yn ddigon llywaeth dan ei drem.

'Ty'd yn dy flaen 'te. Gawn ni weld faint o iws wyt ti,' meddai dan chwerthin ac eto rhyw olwg ddigon milain yn fflachio drwy ei lygaid.

A buon nhw wrthi wedyn am ryw chwarter awr yn symud stwff o'r naill gerbyd i'r llall. Yn syth ar ôl i'r eitem olaf fynd i grombil y fan las, dyma Dragos yn neidio iddi, gan yrru i ffwrdd heb air o ffarwél fel cath o flaen cythraul.

Agorodd Constantin ddrws y fan wen gan gymryd ei le y tu ôl i'r llyw a thanio'r injan fel pe na bai Ozi yn bodoli mwyach.

Safai Ozi fatha llo cors ar fin y ffordd heb wybod beth i'w wneud am y gorau. Aeth y fan yn ei blaen ar unwaith heb i neb yngan yr un gair. Tri deg llath, hanner canllath, bron nad oedd wedi cyrraedd lle'r oedd y lôn yn gwyro o'r golwg... pan stopiodd.

Canodd y corn.

Dechreuodd Ozi gerdded ac wedyn rhedeg tuag at y cerbyd, ei draed yn sblasian yn y dŵr yn y rhychau dyfnion yn y ffordd. Wrth gyrraedd y fan dyna lle roedd Constantin yn aros amdano'n amyneddgar fel pe bai dyna oedd ei fwriad ar hyd yr amser.

'Tisio pàs?' meddai gan gnoi'n ddidaro ar ei ewinedd.

Petrusodd Ozi – ond dim ond am gwpwl o eiliadau. Lladron oedden nhw. Fawr o gamp i neb ddeall hynny, meddyliodd wrth duthian rownd pen blaen y fan at y drws yr ochr draw.

Roedd cefn fan Constantin, oedd bellach wedi'i gwagio, wedi bod yn llawn metel sgrap, pob math o fetel – ceblau copr yn bennaf ond hefyd roedd yna blwm o doeau eglwysi ac amryfal ddarnau o gysgodfa bysiau, cadwyni cain o ymyl rhyw fedd a cherflun efydd bach o filwr yng ngwisg y rhyfel byd cyntaf. Gyda metelau o bob math yn brin ar draws y byd, roedd y galw'n ddiderfyn a'r prisiau'n dda, a llond gwlad o ddelwyr sgrap yn barod i dalu pris y farchnad a thoddi'r cwbl heb ofyn unrhyw gwestiynau.

Petrusodd Ozi eto a'i law ar handlen y drws ond yna tynnodd arni ac i mewn ag o.

Fu fawr o sgwrs rhwng y ddau ddyn wrth i'r fan ddilyn drysfa o lonydd cyn gadael y goedwig a gyrru tua'r dwyrain. O'r diwedd gofynnodd Constantin:

'Tisio gwaith, a rhywle i aros?'

'Oes,' atebodd Ozi gan edrych yn syth o'i flaen. Roedd rhan ohono'n methu coelio ei fod yn cydsynio mor rhwydd a rhan arall yn ei longyfarch ei hun ar lanio ar ei draed. Am sbel cloffai rhwng y ddau nes i wres tanbaid y cab a rhythm yr olwynion ei suo i gwsg chwyslyd o drwm.

47

Fel arfer byddai Hayley yn cadw draw o'r traffyrdd. Doedd hi ddim yn eu hoffi. Nid gwibio cannoedd o filltiroedd y dydd oedd ei hamcan wrth deithio yn ei fan fach; drifftio dow-dow oedd y bwriad. Ond heddiw roedd yn awyddus i gyrraedd pen y daith mor fuan byth ag y gallai.

Erbyn hyn, gyda lorïau enfawr yn tyrru fel waliau castell o'i chwmpas, teimlai fel corcyn yn bobian ar drugaredd llif gwyllt y traffig. Roedd hi'n dechrau difaru, a theimlai'n unig a diymgeledd iawn.

Roedd wedi ceisio perswadio ei nai i ymuno â hi ar y daith ond doedd dim byd wedi tycio fan'na.

'Chdi mae hi isio gweld – dim fi,' meddai'n ddidaro.

'Ond so ti eisie gweld dy fam? Rhodda i lifft yn ôl i ti hefyd os ti moyn, cyn mynd lan i'r Alban i gwrdd â Bragi.'

Ond na, doedd o ddim eisiau gwybod.

Roedd Dylan yn gallu bod yn waith caled. Aeth meddyliau Hayley yn ôl i'r noson o'r blaen yn strydoedd cefn Amwythig.

Roedd hi wedi myllio yr adeg honno yn dilyn sylw bach slei Dylan am Ozi – nad oedd yn 'werth' o.

'Be ti'n feddwl? Pam ti'n gweud shwt beth?' heriodd yn syth.

'Dim byd.'

'C'mon, Dyl. So ti'n ca'l getawê â gweud rhywbeth fel'na,' meddai'n ddigon siarp, ei gwrychyn wedi codi go iawn. Roedd hi'n nabod y traw yn ei llais – llais y 'hwâr fawr' slawer dydd wrth roi row i'r brawd bach.

Rholiodd Dylan sigarét iddo'i hun.

'Tisio un?' gofynnodd gan gynnig y gêr iddi.

'Nagw,' meddai'n swta. Roedd hi'n ceisio meddwl sut fyddai Dylan yn gwybod amdani hi ac Ozi beth bynnag.

'Mi welais i chdi'n dod o'i gar. Ychydig cyn y tân,' meddai fel pe bai'n darllen ei meddwl.

Teimlad annifyr oedd meddwl am bâr o lygaid yn y dorf yn eu gwylio fel'na.

'Un o fois Jamie Wray ydi Ozi ti'mod,' ychwanegodd Dylan gan droi'i lygaid gwyrdd culion arni. Dyna'r tro cynta iddo edrych arni'n iawn a hwythau'n agos. Roedd y llygaid yn drawiadol iawn – nid llygaid ei dad oedden nhw, na'i dad-cu yn sicr.

'Be ti'n feddwl?'

Tynnodd Dylan ar y sigarét gan chwythu strimyn o fwg llwydwyn i'r awyr a'i wylio wrth iddo ymdoddi i'r niwl.

'Mae o'n rhan o'i gêm fach fudur o, tydi? Y busnes pobol estron 'ma.'

'Shwt ti'n gwbod?'

'Dwi'n cario negesa i Jamie ers digon o amser erbyn hyn i nabod y rhan fwya o'r bobol sy'n gweithio iddo fo. Un o bobol Jamie ydw i hefyd yn y bôn.'

Gwenodd a fflachiodd wyneb ei frawd i feddwl Hayley. Yn ddiarwybod, roedd y niwl fel pe bai wedi cripian i mewn i'w chorff hi a'i fysedd ymledol yn rhewi ei pherfedd yn gorn.

Rasiai ei meddyliau i bob man. Shwt allai hyn fod yn wir? Shwt allai'r dyn roedd hi'n meddwl ei bod yn ei nabod ac wedi'i anwylo yn ei chof a'i chalon ers misoedd, er gwaethaf ei absenoldeb a'i ymddygiad rhyfedd, fod ynghlwm â rhyw siaflach afiach? Ai hwn oedd y Cymro mawr a uniaethai â phobol y cenhedloedd cyntaf yn America a brodorion gorthrymedig ym mhedwar ban byd? Yn budr elwa ar drallod pobol fel Nahom a'r trueiniaid a fu farw yn y tân?

Roedd Dylan yn syllu arni o hyd.

'Dwi ddim yn malu cachu. Dwi'n deud y gwir. Mae o wedi'i miglo hi, tydi?'

Roedd yr olwg hunanfodlon ar wyneb y pwrs bach haerllug yn ormod iddi.

'Cer o 'ma, y... y... diawl bach!' Roedd gair cryfach o lawer ar flaen ei thafod ond roedd llais bach y tu mewn iddi yn ei hatgoffa mai modryb y crwt oedd hi ac y dylai ymatal rhag ei ddifenwi'n ormodol.

'Iawn 'ta,' meddai Dylan gan godi a dechrau cerdded i ffwrdd yn gyflym, y niwl yn dileu ei ffurf gyda phob cam wrth iddo ddringo'r llwybr a wyrai rhwng y tai i'r chwith.

'Dylan!' gwaeddodd Hayley. Prin y gallai ei weld o erbyn hyn. 'Dylan! Dere'n ôl... Plis!'

Dim smic. Roedd y niwl wedi'i lyncu. Rhuthrodd ton enfawr o siom a rhwystredigaeth drosti. Bu bron iddi ddechrau crio yn y fan a'r lle. Yna cofiodd yn sydyn:

'Dylan, mae gen i lunie o dy dad fan hyn...' gwaeddodd mor uchel ag y gallai, ond doedd y geiriau ddim yn cario drwy'r gwyll.

Plis dere'n ôl, meddyliodd. Ti yw'r unig linc sy 'da fi gyda dy dad. Hebddot ti ma'n draed moch arna i. Fydda i byth yn ca'l gwbod be ddigwyddodd.

Weithiau, bron na theimlai fel pe bai wedi anghofio bwrdwn ei chwest gwreiddiol a bod gormod o ddŵr wedi llifo dan y bont erbyn hyn, gormod o bethau eraill yn tynnu ei sylw, a'r caswir cynyddol ym mêr ei hesgyrn oedd y byddai bywyd yn haws pe bai'n hi'n gadael llonydd i hanes ei brawd unwaith ac am byth.

Ond gwyddai, o deimlo'r crafangu iasoer dan ei bron yn awr wrth iddi graffu i'r wal lwydwyn, mai ofer oedd ceisio esgus ei bod wedi llwyddo i symud ymlaen.

Powliai'r dagrau a phwysodd yn erbyn y mur anwastad â'i fframwaith crwca du a gwyn y tu ôl iddi gan godi ei llaw i'w hwyneb a chau'i llygaid.

'Gad i mi weld 'ta.'

Neidiodd Hayley ac agor ei llygaid.

Roedd Dylan fel cawr yn ymrithio o'i blaen yn y llwydolau, magïen ei sigarét fel llygad goch uwchnaturiol yn y gwyll. Am ennyd rhwng dau olau fel hyn, edrychai'n ofnadwy o debyg i'w thad, Aneirin, a llyncodd Hayley a thynnu ei hanadl yn siarp cyn callio a sylweddoli pwy oedd yno go iawn.

Ceisiodd sychu ei dagrau'n frysiog â chefn ei llaw gan snwffian a rhochian i glirio ei thrwyn. Doedd Dylan ddim fel petai'n malio iot ei bod hi dan deimlad fel hyn – dim ond aros yn ddigon amyneddgar o'i blaen nes iddi sadio'i hun a physgota am ei ffôn o boced ei chôt.

Dangosodd iddo ryw ddwsin a rhagor o luniau o wahanol aelodau o'r teulu – ei dad, ei dad-cu, ei fam-gu, Tŷ Tyrpeg, rhai o'i gefndryd... Ar ôl iddi orffen a heb ofyn cymerodd Dylan y ffôn oddi arni a sweipio'n ôl ac ymlaen dros y delweddau. Gwyliodd Hayley ei wyneb wrth iddo oedi uwchben y lluniau o'i dad ond ni allai weld unrhyw ymateb yno. O'r diwedd rhoddodd y ffôn yn ôl iddi.

'Ie, be ti'n feddwl?' mentrodd. 'Ma'n brofiad od, siŵr o fod. Gweld llunie o dy deulu am y tro cynta fel hyn.'

Cododd ei sgwyddau.

'Tisie copïau?'

Atebodd o ddim.

'Mae Skye eisio dy weld.'

'Skye?'

'Fy mam.'

Doedd Hayley ddim yn cofio oedd o wedi dweud beth oedd enw ei fam o'r blaen. Penderfynodd beidio ag edliw iddo am sut roedd wedi honni na wyddai lle'r oedd ei fam y tro diwethaf iddi ei weld yn Harlescott Grange.

'O, grêt. Pryd, ble?'

'Caerliwelydd. Yn fuan.'

'Caerliwelydd?'

O feddwl, roedd hynny'n ddigon cyfleus. Roedd hi a Bragi'n bwriadu teithio mewn confoi i'r Alban tua diwedd y mis. Digon hawdd fyddai dargyfeirio i Gaerliwelydd – rhywle roedd hi heb fod o'r blaen.

*

Ac erbyn hyn roedd yr arwyddion yn darllen 'Carlisle 15'.

Llifai'r afon fetelaidd yn ddiwrthdro tua'r gogledd. Roedd ei breichiau'n brifo, mor dynn oedd ei gafael ar y llyw. Diawl, roedd hi wedi danto ar deithio fel hyn. Roedd hi'n dyheu am ryw lôn fach dawel yng nghefn gwlad. O leia roedd Skye wedi trefnu iddyn nhw gwrdd mewn parc...

Canodd y ffôn. Damo! Erbyn iddi gael cyfle i weld pwy oedd wedi ffonio a chodi neges efallai, byddai amser yn carlamu yn ei flaen. Doedd hi ddim eisiau bod yn hwyr a chael bod Skye wedi mynd adre erbyn iddi gyrraedd eu man cyfarfod yn y parc.

48

'Hayley? Ffonia fi'n ôl plis. Mae'n bwysig. Mae rhywbeth wedi digwydd.'

Taflodd Ozi y ffôn i'r sedd wrth ei ochr a thynnu ei ddwylo dros ei wyneb. Roedd ganddo gur pen ac erbyn hyn roedd ei fol yn un cwlwm o ofn ac ansicrwydd.

Unwaith eto roedd o ar ffo – y tro hwn rhag y dihirod yn ogystal â'r heddlu.

Roedd wedi tynnu oddi ar y lôn mewn cilfan dan gysgod coedlan o dderi ar ganol gwlad wastad ddinodwedd fel arall. Roedd yr haul yn treiddio drwy haenen o gymylau beichus gydag ambell bluen o eira yn y gwynt a lynai am ennyd neu ddwy wrth y ffenest flaen cyn toddi. Dyma'r math o ddiwrnod yn y gaeaf lle y byddai Ozi wrth ei fodd ar foelni llwm mynyddoedd y Berwyn yng nghwmni Celt druan, lle câi wylio'r golau a'r cysgod yn chwarae mig am yn ail dros grawcwellt a brwyn yr ucheldir a chael ymdoddi i'w hunigeddau godidog ac ymgolli yn eu hanes anghofiedig.

Ond yn lle hynny roedd mewn uffar o dwll o hyd a heb fod yn siŵr sut i'w stopio rhag mynd yn ddyfnach.

Roedd y cyrch ar y blwch signalau neithiwr wedi troi'n llanast ac eto wedi cynnig dihangfa iddo. Bu Constantin ar bigau wrth iddyn nhw ddod yn nes i ben draw eu taith a tharged y lladrad. Buan y diflannai ei ymarweddiad digynnwrf arferol wrth wneud jobyn fel hyn.

Parciwyd y fan mewn llannerch ar ben lôn drol droellog tua milltir a hanner o'r briffordd. O fan hyn rhedai lôn arall yn gyfochrog â phrif lein y rheilffordd i Newcastle. Ar hyd y lôn honno ymestynnai ffens weiren bigog uchel oedd wedi'i bylchu yn ymyl lle'r oedden nhw wedi parcio gan giât ddur sbigog. Pwrpas hon oedd atal rhywrai fel nhw rhag mynd at y cledrau lle safai'r blwch a'i geblau gwerthfawr.

Ar y daith roedd Ozi wedi tynnu'i ffôn ac wedi penderfynu rhoi cynnig arall eto byth ar gysylltu â Hayley, ond methai â chael signal cyson. Cipiodd Constantin yn ôl o'r sêt flaen gan ffromi:

'Pwy ffwc wyt ti'n ffonio?'

'Sdim signal,' mwmiodd Ozi gan stwffio'r ffôn yn frysiog i'w boced.

Daliai Constantin i syllu arno yn y tywyllwch.

'Dwi'n watsio chdi,' sgyrnygodd o'r diwedd. 'Ti'n rhy ffycin dawel!'

A dyna fo. Dim ymhelaethu, dim ychwaneg o esboniad. Dim ond distawrwydd anghynnes yn trybowndio oddi ar ochrau'r fan nes cyrraedd y llecyn ger y lein.

Eistedd wedyn am ddeng munud hirfaith mewn tawelwch llethol…

O nunlle fflachiodd trên heibio fel roced, wyth cerbyd yn gwibio heibio mewn chwinciad, eu goleuadau fel rhuban o dân yn y nos, taran yr olwynion yn pellhau mor sydyn ag y daethai.

'Iawn,' meddai Constantin. 'Mae deuddeg munud cyn yr un nesa.'

Ac allan ag o ac Ozi, bagiaid o offer yr un ganddyn nhw, gan adael y gyrrwr wrth y llyw. Yn ddi-sŵn o'r cysgodion gerllaw, daeth dyn arall i'r fei, pwtyn o foi mewn hwdi anferth a guddiai

ei wyneb yn llwyr – fel rhyw fynach canoloesol. Cofleidiodd y
dieithryn Constantin heb gymryd unrhyw sylw o Ozi. Cariai
dorrwr dur diwydiannol fel gwn ar ei ysgwydd gan ei dynnu
wrth gyrraedd y giât.

Sgleisiodd yr arf yma drwy'r clobyn o glo fel cyllell boeth
drwy fenyn.

'Watsiwch lle dach chi'n rhoi'ch ffycin traed,' hisiodd
Constantin gan ychwanegu rhywbeth yn y Rwmaneg roedd ei
ddau gydwladwr yn ei weld yn ddoniol, gan bwffian chwerthin
dan eu gwynt.

Erbyn hyn roedd awdurdodau'r rheilffyrdd yn dechrau
mynd yn fwy ystrywgar yn eu hymdrechion i fynd i'r afael
â'r lladrata parhaus a pheryglus ar hyd y rhwydwaith. Bellach
roedd yna synwyryddion yng nghyffiniau'r blychau signal a
mannau eraill a chamerâu wedi'u cuddio mewn rhywbeth a
edrychai yn ôl pob golwg fel carreg neu dywarchen ddiniwed
fel y byddai ganddyn nhw dystiolaeth i'r llysoedd.

Yn sydyn wrth gropian dros y ddaear fwdlyd yn nes at
y blwch, cydiodd y dieithryn ym mraich Constantin. Yn y
coed yr ochr draw i'r lein, roedd rhywbeth yn symud. Neu'r
llwyni'n dowcio yn yr awel efallai? Gorweddodd y tri yn
llonydd am sbel. Dychymyg y nerfau'n chwarae rhyw gastiau
o bosib?

Wrth orwedd yno, a'r oerni'n treiddio drwy'i ddillad,
cynyddu wnâi'r pryder ym mol Ozi. Nid yn unig ynghylch ei
sefyllfa ei hun ond arswyd pur wrth feddwl am ganlyniadau
posibl eu gweithred. Beth pe bai colli'r signalau'n achosi
damwain? Roedd yr hogiau wastad yn dweud bod rhyw
systemau argyfwng yn cicio i mewn oedd yn rhewi popeth ar
y trac... ond pe bai, petai, petasai...

Edrychai Constantin o'i gwmpas a rhoi nòd bach iddyn

nhw ond wrth baratoi wedyn i symud ymlaen, daeth y lleuad
o'r tu ôl i'r cymylau gan strempio ei golau claearwyn llachar
dros yr olygfa o'u blaenau a dal fflach ddigamsyniol o felyn
siaced *high-viz* yn ei phelydrau.

'Cops!'

'O 'ma!'

Slywennodd y tri'n ôl at y giât. Wrth fynd drwyddi,
gafaelodd Constantin fatha cranc ym mraich Ozi.

'Dyna pwy oeddach chdi'n ffonio?'

Sgydwodd Ozi ei ben a cheisio rhyddhau ei fraich o'r grafanc
ddi-ildio ger ei benelin, yn methu'n lân ag ynganu'r un gair.

'Ti'n gelain, ti'n dallt? Yn farw, reit. Fydd dy fam dy hun
ddim dy nabod di ar ôl i ni orffen hefo chdi.'

Ac aeth drwy'r giât. Daliodd Ozi'n ôl heb wybod beth i'w
wneud am y gorau.

Taniodd injan gerllaw a daeth car y Rwmaniad diarth yn
ei flaen o'i guddfan dan y coed heb gynnau'r golau. Roedd yr
heddlu'r ochr draw i'r lein wedi clocio'r sŵn ac yn dechrau
sylweddoli eu bod ar yr ochr anghywir i'r lein ac wrth y blwch
signalau anghywir. Roedd goleuadau cryf yn trywanu'r nos
draw atynt ac yn sgubo'n ôl ac ymlaen o'u cwmpas ac ambell
lais i'w glywed yn arthio gorchmynion.

Gwaeddodd Constantin rywbeth yn y Rwmaneg a neidiodd
y gyrrwr o'r fan ac ymuno â'r ddau arall yn y car. Camodd
Ozi tuag at y cerbyd ond roedd hwnnw eisoes yn tynnu
ymaith o gysgod y coed ac yn mynd ar hyd y lôn drol yn ôl at y
briffordd. Cafodd gip ar wyneb Constantin yn ffenest teithiwr
y sêt flaen. Cwrddodd ei lygaid a thynnodd Constantin ei
fys yn ddiamwys ar draws ei wddw. Sleifiodd y car i ffwrdd
i'r tywyllwch gan adael Ozi mewn tipyn o gyfyng gyngor.
Daliai'r lleisiau i weiddi'r ochr draw i'r lein a'r golau cryf i

dreiddio'r düwch gyda'r lleuad unwaith eto wedi'i chladdu yn amdo'r cymylau.

Roedd yn amlwg bod yr heddlu'n disgwyl amdanyn nhw, ond eu bod wedi cawlio o ran yr wybodaeth roedden nhw wedi'i chael.

Pwy oedd wedi sbragio arnyn nhw, tybed? Yn sicr, roedd tipyn o bobol yn cymryd rhan yn y cyrchoedd hyn. Prin y gwelai'r un wyneb fwy na dwy noson yn olynol. Digon o gyfle i ryw gynnen deuluol Rwmanaidd godi'i phen ac i'r awydd am ddial ddechrau cyniwair ymysg y trŵps. Hwyrach mai Constantin ei hun oedd y cwisling, yn gweithredu ar ran penaethiaid y Maffia yn Rwmania. Fyddai Ozi byth yn gwybod nac yn poeni ryw lawer.

Yr hyn oedd yn ei boeni oedd dianc o'r lle. Buan iawn byddai'r Glas yn cael hyd i bont neu'n anfon neges at eu cymheiriaid yr ochr yma i anelu at y man lle safai. Roedd o hefyd eisiau rhoi cymaint o bellter ag y gallai rhyngddo a'r giang rhag ofn y deuai rhyw ffatwa ar ei ben ymysg cymuned troseddwyr canol Ewrop yng ngogledd-ddwyrain Lloegr.

Doedd ganddo fawr o ddewis ond rhoi cynnig ar y fan. Roedd yr agoriad yn ei le ac fe daniodd yr injan yn ufudd. I ffwrdd ag o heb oleuadau mor bell ag a fentrai, ysgub goleuadau'r heddlu'n fflicio drosto nes i'r clawdd guddio'r fan o'r golwg.

Gan deimlo'r tywyllwch yn cau ei freichiau'n warchodol amdano, mentrodd gynnau'i oleuadau yntau a dechrau dilyn rhyw lwybr wysg ei drwyn ar hyd y cefnffyrdd gan gadw ei lygaid ar y sêr a llewyrch y lleuad i wneud yn siŵr nad oedd yn gyrru mewn cylchoedd.

Unrhyw funud disgwyliai weld hofrennydd yr heddlu yn yr awyr uwch ei ben ond rhaid bod hwnnw'n cael ei ddefnyddio rywle arall neu fod y Glas wedi'i cholli hi'n llwyr ar ôl gwneud y fath smonach ohoni wrth y rheilffordd.

Yn sydyn, fe'i cafodd ei hun ar lôn agored ar ganol rhyw rostir yn coedio mynd tua'r gorllewin yn meddwl am Hayley a Chymru ac am ychydig, roedd pwysau'r byd yn dechrau codi oddi ar ei sgwyddau a theimlai'n well nag a deimlai ers misoedd.

49

Gwyliai Skye bob dynes a âi heibio iddi, ei nerfusrwydd yn cynyddu bob eiliad. A fyddai'n ei nabod? A fyddai hi'n gallu siarad yn iawn efo hi?

Roedd yn syndod faint o bobol oedd ar grwydr yn y parc yr adeg yma o'r bore yng nghanol yr wythnos a hithau mor oer. Rhyfeddai at nifer a lliw a llun anhygoel yr holl gŵn a duthiai heibio ar dennyn.

Roedd hi'n eitha ffyddiog y byddai Hayley yn cael hyd iddi heb ormod o ffwdan. Roedd wedi rhoi cyfarwyddyd digon diamwys iddi ar y ffôn: y sêt bren ar ben y bonc ger y mynegbost llwybr cyhoeddus cynta wrth ddod i mewn i'r parc drwy'r brif fynedfa lle'r oedd y maes parcio.

Roedd Skye mewn tipyn o gyfyng gyngor serch hynny pan gyrhaeddodd hi'r man penodedig hanner awr yn ôl gan fod dyn a dynes eisoes yn eistedd ar y sêt yn cael hymdingar o ffrae am ddyfodol eu perthynas, yn hollol ddi-hid o bennau'r cerddwyr yn cipio draw i'w cyfeiriad a'r ffaith bod eu lleisiau i'w clywed yn glir tua chanllath i ffwrdd yn y maes parcio.

Aeth Skye draw a loetran mor ddigywilydd o agos ag y meiddiai i'r fainc, nes i'r pâr o'r diwedd sylwi arni'n sydyn gan gynghreirio o'r newydd er gwaetha'r ffrae drwy edrych yn flin arni cyn codi fel un i chwilio am dalwrn addas arall i barhau'r cynhenna.

Braf oedd cael bore heb y plant, meddyliodd Skye wrth setlo

ar y fainc. Diolch byth roedd rhyw santes ffeind o gymdoges wedi cynnig ei helpu funud ola neu wyddai hi ddim sut y basai wedi cadw'r oed yma. Dyma'r tro cynta ers amser maith iddi gael hoe a chyfle i ddianc o'r tŷ. Teimlai'r awel fain a chwipiai ar draws y parcdir eang a'i frithwaith o goed a llwyni fel dracht o ryw elicsir nefolaidd yn ei sgyfaint ac am y tro roedd hi'n mwynhau brath y gwynt a theimlo'i thrwyn yn oeri.

Ar ôl sawl blwyddyn yn y dre roedd Skye yn hiraethu'n arw am ei hen ffordd o fyw. Y ffordd o fyw y'i ganed iddi mewn gwirionedd – ar y lôn gyda Niall a Tiggy a'i brawd a'i chwaer fel rhan o'r gymuned deithiol liwgar a symudai'n hamddenol o naill ben y wlad i'r llall gyda'r tymhorau.

Yn y pen draw roedd amgylchiadau wedi'i dwyn oddi ar ei ffyrdd amgen a hithau'n ddigon balch o gefnu arnynt am sbel. Ar y dechrau roedd wedi cael blas ar fywyd y maestrefi. Y cyfan y gallai ei wneud heb orfod meddwl amdano, fel golchi dillad, cynhesu dŵr, gwresogi'r tŷ, sychu ei gwallt, gloddesta ar gynhyrchion parod Tesco ac Aldi – ond gyda'i phartner i ffwrdd o hyd a hithau'n gorfod gofalu am y plant ar ei phen ei hun, buan iawn y trodd y tŷ a'i holl gysuron cyfoes yn dipyn o garchar iddi.

Caeodd ei llygaid a meddwl yn ôl i ddyddiau dedwydd ei magwraeth ar yr ynys. Sŵn diderfyn y môr, cân y gog yn atseinio yn y clogwyni, ubain iasol y morloi, y tywod sidan dan ei thraed noeth ar noson loergan, oglau'r mawn yn llosgi a'r gwymon yn pydru ar y patshyn tatws, patrwm y gwynt yn crychu dyfroedd y *loch*, blodau'r *machair* yn y gwanwyn a'r cornchwiglod yn mynd drwy'u pethau oddi fry.

Cofiai lefydd eraill ar ei theithiau hefyd. Cofiai'r chwarel a'r oll a fu yno…

'Heia.'

O'i blaen safai dynes dwt mewn côt ddu laes a sgarff amryliw am ei sgwyddau, ei gwallt tywyll yn fflapian yn rhydd am ei hwyneb yn y gwynt.

'Skye, ife?'

Edrychodd Skye arni, ei threm lonydd arferol yn peri peth ansicrwydd i Hayley. Wrth iddi ddygymod â'r llygaid gwyrdd diwyro, dilewyrch, meddyliodd am y ffordd roedd Dylan, ei nai, wedi syllu arni y noson o'r blaen a lliw trawiadol ei lygaid yntau. Llyncodd cyn dechrau parablu'n nerfus:

'Sori bo' fi bach yn hwyr. O'dd lot o draffig ar y draffordd.'

'Tisio cerdded?' gofynnodd Skye. 'Mae hi braidd yn oer yn ista 'ma.'

'Ma 'na gaffi draw fan'na…' awgrymodd Hayley'n betrus. Roedd hi ar dagu eisiau paned.

Bum munud yn ddiweddarach roedden nhw'n wynebu ei gilydd dros un o'r byrddau pren. Am ei bod yn gynnar, doedd neb heblaw amdanyn nhw ill dwy ac ambell aelod o'r staff o gwmpas y lle. Roedd y stafell yn glyd ac yn eang gyda lle i ryw ddeg ar hugain a rhagor wrth y byrddau. Drwy'r ffenestri yn y to a'r rhai enfawr a edrychai draw dros y parcdir ei hun llifai golau dydd i bob twll a chornel.

Hayley oedd wedi prynu'r siocled poeth i Skye a'r coffi drwy lefrith iddi'i hun – heb air o ddiolch gan Skye. Rhaid mai ei fam oedd wedi dysgu'r dull diddiolch i Dylan, meddyliodd Hayley.

'Wel, ble ma dechre?' gofynnodd Hayley yn cynhesu ei dwylo o gwmpas y gwpan. 'Shwt nest ti gwrdd â…'

'Ti'n edrych yn debyg iddo fo, sti,' torrodd Skye ar ei thraws. 'Mi oedd o lot yn dalach wrth gwrs ond mae 'na rywbeth am y talcen…'

Cododd Hayley ei llaw tuag at ei phen yn drwsgwl.

'Sneb wedi gweud 'ny wrtho i o'r bla'n,' meddai dan chwerthin yn swil.

'A'r acen,' meddai Skye, ei llygad yn ymlusgo'n ara o'r dde i'r chwith ac i fyny ac i lawr wrth ddarllen wyneb Hayley. 'O'n i'n licio acen Dylan. Mi oedd yn hapus iawn pan ddeudais i hynna wrtho fo.'

''Na fe,' chwarddodd Hayley eto. 'Ti'n iawn. O'dd e'n browd o'i acen.'

'Ma'n llawn mynegiant, fel 'sat ti'n canu. Deudais i hynna wrth Dylan hefyd.'

'O'dd e'n gallu canu. Llais lyfli 'dag e...'

Yn sydyn, roedd y geiriau'n pallu dod. Teimlai Hayley y dagrau'n pigo'n boeth yn ei llygaid. Dyma'r tro cynta bron iddi gael cyfle i siarad am Dylan fel hyn, i sôn amdano'n iawn gyda rhywun arall – rhywun oedd yn ei nabod go iawn. Digon arwynebol oedd cysylltiad ei brawd â phobol y dre erstalwm, ei ffrindiau agos yn brin ac yntau'n ei gadw ei hun ato'i hun shwt gymaint. Roedd wedi siarad ag Aneirin wrth gwrs, ond digon anodd oedd y sgyrsiau hynny. Yn sicr, doedd hi ddim wedi cael cyfle i gymharu nodiadau fel chwaer â menyw fu'n gariad iddo ac oedd wedi cario'i blentyn.

Gostyngodd Hayley ei phen ychydig mewn ymgais i guddio'r dagrau ond wrth godi'i llygaid eto gwelai fod Skye hithau o dan deimlad a'r dagrau'n goferu'n stribedi i lawr ei gruddiau gan sgleinio yn yr heulwen wan a ddeuai drwy ffenestri'r caffi.

Estynnodd Hayley ei llaw a chydio yn llaw fechan Skye a'i gwasgu'n dyner. I ddechrau, arhosai'n llonydd a llipa o dan ei chyffyrddiad. Yna, yn raddol fel creadur bach yn deffro o aeafgwsg neu flodyn yn blaguro, teimlai Hayley'r bysedd yn ymateb gan afael yn dynnach, dynnach yn ei llaw hithau.

50

Diwedd Awst 1999

DIWRNOD YR YMOSODIAD ar y gwersyll yn y chwarel oedd y diwrnod roedd Skye wedi penderfynu dweud wrth Dylan ei bod yn disgwyl ei fabi.

Roedd hi eisoes wedi gwneud ei phenderfyniad cyn mynd am dro wedyn gyda'i mam er mwyn torri'r newyddion iddi hithau.

'Rhaid i ti ddeud wrtho fo,' ategodd Tiggy wrth iddynt ymlwybro'n ara bach i ben yr inclên a redai i lawr o ymyl y bonc uchaf i grombil glaswelltog y chwarel tua dau gan troedfedd islaw. 'A gora po gynta,' ychwanegodd.

Swniai traw ei llais yn gadarn ond mewn ffordd ymarferol ddi-lol a heb na beirniadaeth na choegni. Serch hynny roedd Skye yn nabod y traw yma a gwyddai'n iawn mai ofer fyddai ceisio mynd yn groes i'r hyn a ddywedai ei mam, hyd yn oed pe bai'n dymuno gwneud.

Mewn tipyn o banig edrychodd Tiggy ar ei merch a gerddai'n benisel ychydig o'i blaen, ei gwallt yn cuddio ei hwyneb.

'Ti am ei gadw fo... neu hi... dwi'n cym'yd?' gofynnodd yn betrus.

Amneidiodd Skye yn gadarnhaol ac yn bendant iawn. Gollyngodd Tiggy ryw ochenaid fewnol o ryddhad.

Bu tawelwch am ychydig wrth iddyn nhw gamu ymlaen ac i fyny'r llwybr defaid igam-ogam o'r bonc at grimell y clogwyni, gan gadw digon o bellter rhyngddyn nhw a'r dibyn di-ffens wrth droedio'r brig. Roedd yr haul yn machlud yn gyflym drwy haenau o darth amryliw a'r awyr yn llonydd ac ychydig yn fwll o'u cwmpas. Yr unig sŵn oedd crensian eu traed ar y cerrig mân.

'Dwi ddim yn synnu dy fod ti'n disgwyl, cofia – y ffordd dach chi'ch dau wedi bod wrthi bob gafael,' meddai Tiggy dan wenu mewn ymgais i sgafnu pethau a chodi hwyliau ei merch.

'A be am yr holl gyngor gest ti gen i am yr adar a'r gwenyn a be 'di be fel'na?' profociodd yn dyner wedyn. 'Ond dyna ni. Mae eisio deryn glân i ganu, yn does? Roeddet ti'n dipyn o syrpréis i Niall a fi ar ddiwedd ein "haf o gariad" ninna erstalwm.'

Ddywedodd Skye ddim byd. Sylwodd Tiggy ar y rhychau dyfnion oedd wedi'u sgythru ar draws ei thalcen a'r wawr welw dros ei hwyneb er gwaetha'r lliw haul.

Stopiodd Tiggy a rhoi ei braich amdani a'i thynnu'n agos.

'Paid â phoeni. Bydd popeth yn iawn. Mae digon o ddwylo i dy ddal di.'

Claddodd Skye ei hwyneb ym mynwes ei mam. Doedd dim sôn am ddagrau. Doedd hynny ddim yn syndod. Yn bur anaml y collai Skye yr un deigryn er pan oedd hi'n ferch fach a phan fyddai hi'n gwneud, doedd yr achos ddim bob amser yn amlwg. Fel pe bai'n wylo dros rywbeth anweledig y tu hwnt i ddirnadaeth y pum synnwyr arferol.

Rhoes Tiggy ei bys o dan ên ei merch a phwyso'n dringar. Cododd y llygaid gwyrddion cyfareddol ond yn lle'r pyllau llonydd arferol na fyddai'n datgelu bron dim o'r hyn a ddigwyddai tu mewn, y tro yma gallai weld y straen a rhyw ymbil tawel os nad panig yn llechu yno.

O rywle i lawr yn nyfnderoedd y chwarel deuai sŵn eu ci bach yn cyfarth.

'Be sy'n dy boeni di fwya? Wyt ti'n ei garu?'

'Ydw.'

'Ac ydi o'n dy garu di?'

Saib.

'Falla.'

'Be? 'Di o heb ddeud?'

Trodd Skye ei phen i edrych yn ôl dros y dibyn oedd bellach yn llenwi â chysgodion tywyll ac o le daliai coethi gwyllt y ci i godi i'w clustiau. Edrychai am ennyd fel pe bai'n ystyried yn ddwys cyn ateb cwestiwn ei mam ond yna tynhaodd ei chorff drwyddo.

'Be sy'n digwydd? Pwy ydi'r dynion 'na?' sgrechiodd.

Craffodd Tiggy dros y dibyn i bair tywyll y cysgod cynyddol a gweld bod 4x4 gwyn diarth yn y chwarel ger y gwersyll a bod pedwar o ddynion yn dod ohono. Daliai'r ci i gyfarth ac roedd llais Niall i'w glywed yn bloeddio'n aneglur ac wedyn yn cnewian mewn poen. Yna, fel chwip drwy'r awyr, daeth sŵn ergyd gwn a pheidiodd y cyfarth yn ddisymwth.

Dechreuodd y ddwy redeg nerth eu traed yn eu holau ar hyd y llwybr. Drwy'r adeg cafodd Skye ei hun yn meddwl am y babi'n tyfu yn ei chroth. A fyddai o neu hi'n synhwyro bod rhywbeth o'i le wrth gael ei siglo fel hyn yn ei nythfa glyd?

Ar eu pennau, sgrialon nhw i lawr yr inclên. Teimlai'n andros o serth ac roedd yr wyneb wedi'i chwalu yma ac acw lle'r oedd y cwbl wedi dymchwel a chulhau, gyda chwymp o dri deg troedfedd a rhagor mewn ambell fan. Roedd hi'n beryg bywyd ceisio disgyn ar garlam ond sgathron nhw yn eu blaenau tua'r gwaelod mor gyflym ag y meiddient, yn baglu strim-stram-strellach dros y cerrig anwastad, yn hercio pob cymal a chyhyr yn lletchwith yn eu rhuthr i gyrraedd y gwersyll, eu coesau noeth yn grafiadau byw wrth dasgu drwy'r drain a'r drysni a orchuddiai rannau helaeth o'r llethr.

Wrth gyrraedd y gwaelod dyma nhw'n rhedeg at ddau o'r dynion oedd yn rhoi cweir hegar i Niall. Gerllaw safai Abel yn syllu'n gegrwth ar yr hyn oedd yn digwydd wrth ymyl sypyn gwaedlyd corff y ci. Doedd dim sôn am Tyrone, y babi.

Roedd dyn arall wrthi'n tywallt petrol ar y tipi cyn symud ymlaen i roi'r un driniaeth i'r garafán. Yn goruchwylio'r cyfan ar dwmpath o dir a phistol bach yn ei law roedd Dai Hodges, oedd eisoes yn adnabyddus i deulu bach y chwarel ac yntau wedi ymweld â nhw sawl tro yn bygwth a brygawthian ac yn dweud wrthyn nhw am hel eu tinau oddi yno neu wynebu canlyniadau ysgeler.

'Wnaiff o ddim byd,' oedd ymateb Niall bob tro. 'Feiddiai o fyth.'

Ond roedd wedi meiddio mewn ffordd fwy ffyrnig na fuasai neb wedi'i ddisgwyl.

'A dyma'r hwrod yn cyrradd o'r diwedd,' bloeddiodd Dai nerth esgyrn ei ben wrth i Tiggy a Skye geisio ymrafael â'r dihirod oedd yn hambygio Niall. Swniai Hodges yn feddw fawr ac roedd golwg loerig ar ei wyneb.

'Lwc owt fydd hi nawr, bois. *Handbags at dawn* myn uffern i,' mwydrodd dan frefu chwerthin wrth wylio'r sbri.

Roedd Tiggy erbyn hyn wedi gafael fel gelan yng nghoes un o'r blagardiaid oedd wrthi'n rhoi stid i Niall. Mynydd o ddyn, nad oedd bron yn sylwi ar y chwannen fach yn cosi'i goes wrth iddo blamio ei ddwrn unwaith eto yn erbyn asennau Niall druan oedd wedi cael ei wthio yn erbyn y fan a'i ddal yno gan neanderthal arall.

Lluchiodd Skye garreg go fawr tuag at hwnnw a fyddai wedi gwneud tipyn o niwed iddo pe bai wedi cyrraedd y nod, ond methodd y targed o drwch blewyn a tharo'r Transit gydag uffarn o glec. O weld pwy oedd wedi lluchio'r garreg ato, collodd y dyn ddiddordeb yn Niall a'i ollwng fel sachaid o datws i'r llawr a rhuthro am ei ferch yn lle. Trodd hithau i ffoi ond doedd hi ddim yn ddigon chwim ac ar unwaith roedd braich y dyn am ei gwddw ac roedd hi'n methu anadlu. Rywsut llwyddodd i wingo drwy'i afael a glanio'n swp wrth ei draed.

Caeodd ei llygaid a thrio'i thynnu ei hun yn belen fach dynn ar y llawr. Ond ddaeth yr ergydion disgwyliedig ddim. Yn lle hynny rhuodd ei hymosodwr mewn braw a phoen wrth i'w brawd bach Abel ei waldio ddwywaith ar ei ben â hen farryn metel oedd yn gorwedd ger y garafán.

Wwwwmmmff!

Roedd fflamau'n llamu hyd ochrau'r tipi wrth i'r dyn â'r petrol daflu ffagl o bapur ato.

'Tyrone!' sgrechiodd Tiggy gan ollwng ei gafael ar goes y llabwst oedd yn rhoi cweir i Niall gan faglu'n wyllt ar draws y tir agored ac i mewn i'r tipi.

Bustachodd Skye ar ei thraed gan sathru ar law'r dyn fu'n ceisio ei llindagu oedd bellach ar ei bedwar yn chwydu, a gwaed yn diferu o anaf ar ei dalcen.

'Ma-a-a-m!' gwichiodd a dechrau hanner rhedeg hanner llithro ar draws y glaswellt tua'r tipi. Ac yna gwelodd ei mam a'r un bach yn ei breichiau a hwnnw'n sgegian crio.

Roedd y tipi'n prysur droi'n goelcerth a mwg trwchus yn tasgu o'r garafán, y gwres yn peri i bawb gilio'n ôl wrth i ambell ffrwydrad byddarol rewi pob un yng nghanol yr holl sgarmesu.

''Na ddigon, bois,' gorchmynnodd Dai Hodges, ei lais

cras yn ddigon cryf i godi uwchben gweddill y sŵn drwg o'i gwmpas.

Roedd y dyn ar ei bedwar a loriwyd gan Abel wedi codi ar ei draed, y gwaed yn ffrydio o'i ben ac erbyn hyn roedd wedi cael gafael yn y bachgen ac yn barod i ddial.

Martsiodd Dai draw ato a gafael yn ei fraich.

'Dyna ddigon, wedes i.'

Yn anfoddog gadawodd o Abel yn rhydd a rhedodd hwnnw draw at ei fam a'i chwaer dan wylo'n hidl.

'Reit! Pawb i'r fan. C'mon! Tsiop-tsiop!'

Corlannwyd y teulu bach i'r fan. Roedd Tiggy, oedd wedi trosglwyddo Tyrone i freichiau Skye, yn ei chwrcwd yn ceisio helpu Niall oedd prin yn gallu symud, a gwaed yn tasgu o'i drwyn.

Roedd Abel yn dal i gydio yn y barryn metel a phan oedd cefn yr horwth fu'n colbio'i dad wedi'i droi tuag ato, gwibiodd fel gwas y neidr a'i fwrw â'i holl nerth ar y croen noeth rhwng ei fest a'i jîns.

Gan wneud sŵn rhywle rhwng rhochian mochyn a sgrechian eliffant, suddodd i'w bengliniau, ei geg yn agor a chau fel sgodyn wrth ymladd am ei wynt.

'Mi ladda i ti'r pwrsyn bach,' hisiodd rhwng ei ddannedd a cheisio codi i fynd i'r afael â'r bachgen ond roedd yr ergyd wedi cracio rhai o'r mân esgyrn pwysig yng ngwaelod y meingefn a chafodd na fedrai symud heb fod gwayw iasol o boen yn saethu drwyddo o'i gefn i wadn ei droed.

Daliai Hodges i chwifio'r pistol yn ddramatig yn yr awyr wrth orfodi'r teulu cyfan i fynd i'r fan. Gyda thipyn o strach, ac Abel yn magu Tyrone erbyn hyn, llwyddodd Tiggy a Skye i lusgo Niall i'r cefn a'i sodro yn un o'r seddau. Aethon nhw ag Abel a Tyrone i eistedd ym mlaen y fan. Crynai Tiggy fel deilen wrth danio'r injan a rhoi'r cerbyd mewn gêr a'i gyfeirio at y ffordd allan o'r chwarel. Dawnsiai ei thraed yn llipa a diamcan ar y pedalau ond rywsut llwyddodd i gadw i fynd.

'Cerwch reit o 'ma, y sgymun afiach. Mor bell â gallwch chi, chi'n deall? Mi wna i'n siŵr 'ych bod chi'n difaru'ch eneidie os dewch chi'n agos i fan hyn 'to!' taranodd Dai â'i wyneb yn ymwthio drwy ffenest agored y fan reit yn ymyl lle eisteddai Skye â'i braich yn ceisio creu ymgeledd i'w brodyr bach. Clywai oglau wisgi'n golchi am ei thrwyn.

Teimlodd ei dwrn yn cau; byddai mor hawdd… ond efallai byddai Tyrone yn cael niwed rywsut yn y cythrwfl. Edrychodd arno yn ei ffordd ddiwyro arferol wrth i'r fan ddechrau symud yn gynt a dyma Dai'n tynnu'i dafod a gwneud rhyw stumiau dwl arni gan chwifio'r pistol yn ei hwyneb cyn troi i ffwrdd dan regi a sgyrnygu wrth i'r fan hercian yn sydyn yn ei blaen.

Gwasgodd Tiggy y sbardun a dyma'r fan yn codi sbid. Bu'n rhaid i'r dyn gafodd ei daro gan Abel sleifio'n boenus o'r ffordd rhag cael ei fwrw. Aethon nhw ar wib drwy dwnnel tywyll y coed tuag at y giât. Crafodd ochr y fan sawl gwaith yn erbyn wal cerrig sychion ar yr ochr chwith i'r lôn.

'Goleuada!' sgrechiodd Skye.

Ymbalfalodd Tiggy o'i blaen.

'Dwi'n methu ffycin ffeindio nhw! Dwi heb yrru'r ffycin siandri thing 'ma yn y nos o'r blaen!'

O'r diwedd cafodd hyd i'r switsh a dyma'r lampau'n lluchio eu golau o'u blaenau.

Ac yno, yng nghanol cysgodion y lôn gul, fel rhith yn y golau llachar, roedd Dylan ar ei feic…

51

Caerliwelydd, Mawrth 2016

R OEDD SKYE HEB gymryd mwy na rhyw ddau lymaid o'i siocled poeth.

Wrth ddweud ei stori, bu'n syllu i wyneb Hayley heb dynnu'i llygaid oddi arni am eiliad a Hayley wir yn teimlo ei bod yn cael ei mesmereiddio ganddi. Ond wrth gyrraedd y rhan yma o'r hanes, edrychodd i lawr ac yna codi'i phen a thremio drwy un o ffenestri panoramig y caffi fel pe bai'r digwyddiadau'n cael eu taflunio fel rhith o'r gorffennol yn yr awyr lwydaidd y tu hwnt i'r coed.

Gorffennodd Hayley weddillion llugoer ei diod hithau.

'Be wedyn? Wnaethoch chi stopio?' gofynnodd, yn gorfod ffrwyno ei hun rhag swnio'n ddiamynedd.

Trodd Skye ei phen i edrych arni unwaith eto.

'Naddo,' meddai mewn llais bach pell. 'Mi welson ni o'n woblo yng ngolau'r fan wrth i ni ddynesu, ac yna mi wnaeth o ryw hanner disgyn oddi ar ei feic a symud o'r neilltu wrth i ni fynd heibio.'

Dechreuodd ei llais grynu ychydig wrth adrodd yr hanes, a dagrau'n sgleinio o'r newydd yn ei llygaid.

'Ro'n i'n gweiddi ar Mam i stopio, ond roedd hi yn y fath stad erbyn hynny, doedd hi ddim am stopio i neb am bris yn y byd – jyst mynd, mynd, mynd.'

'Be? Aethoch chi'n syth heibo heb weld o'dd e'n iawn na heb weud dim byd wrtho fe?' gofynnodd Hayley yn syn. Yn sydyn, roedd y ddelwedd o Dylan yn dod yn ôl i Dŷ Tyrpeg â briw gwaedlyd ar ei dalcen yn fyw unwaith eto yn ei chof a theimlodd ei gwrychyn yn codi ychydig a'r holl reddfau amddiffynnol tuag at Dylan a deimlai pan oedd hi'n iau'n cael eu hailgynnau.

'Mi wnaethon ni arafu wrth i ni ddreifio heibio a gallen ni weld ei fod o'n iawn... mi wnes i weiddi "Greynant! Greynant Farm!" wrtho drwy'r ffenest wrth basio – achos dyna'r unig le y gallen ni fynd lle byddai 'na bobol yn fodlon helpu a lle gallen ni aros heb fod rhyw fastads fatha Dai Hodges yn ein harasio ni.'

'Lle ma fan'ny?' torrodd Hayley ar ei thraws, yr enw'n ddiarth iddi ymysg ffermydd ardal y Fenni.

'Ddim yn bell o Lanllieni – yn swydd Henffordd. Roedden ni wedi sôn wrth Dylan o'r blaen lle mor wych oedd Greynant,' atebodd Skye. 'Buodd Gez, y ffermwr, yn andros o garedig wrth deithwyr erstalwm, yn trin pawb yr un fath ac mi roedd wastad pobol yno y gallen ni drystio – ffrindiau, teithwyr eraill, pobol oedd â llwyth o sgiliau.'

Edrychodd Skye draw dros y caffi a bu distawrwydd am sbel. Roedd Hayley ar fin siarad pan ailgydiodd Skye yn y stori:

'Ac roedd wir angen help arnon ni erbyn hyn. Roedden ni wedi colli popeth yn y chwarel ac roedd golwg y diawl ar Dad. Ei wyneb yn fwgwd o waed a chwpwl o asennau wedi'u cracio a dyn a ŵyr be arall oedd wedi'i chael hi y tu mewn. Mi oedd o mewn poen ofnadwy bob tro y byddai'n ceisio symud, neu'r fan yn mynd dros ryw dwll yn y lôn.'

'Wnaethoch chi ddim meddwl mynd ag e i'r sbyty... neu gysylltu â'r heddlu?'

'Dyna oedd Mam a fi eisio neud ond roedd Dad yn mynnu y basa fo'n iawn tan Greynant. Mi oedd 'na feddyg yn byw gerllaw oedd hefyd yn glên wrthon ni deithwyr. Doedd Dad jyst ddim eisio bod yr awdurdodau yn ymyrryd mewn unrhyw ffordd. Un fel'na fuodd o erioed – wastad yn amheus o'r sefydliad a'r "elît" ac ohonyn "nhw" – ac yn styfnig fatha mul.'

'A ddim yn fo'lon mynd at yr heddlu?'

Chwarddodd Skye ychydig yn nawddoglyd gan ysgwyd ei phen a throi eto i syllu'n hirbell drwy'r ffenest.

Tynnodd Hayley ei dwylo dros ei hwyneb a thrwy ei gwallt. Teimlai ei brest yn anarferol o dynn a llosgai'r rhwystredigaeth yn ei chorn gwddw fel cyfog. Ble'r oedd hyn i gyd yn ei gadael – dros bymtheng mlynedd lawr y lein; wedi cymryd un cam bach, bach tuag at y gwirionedd ond faint elwach oedd hi yn y bôn?

Beth oedd y cam nesa? Oedd yna gam nesa? Allai hi ddim mynd at Dai Hodges, roedd hwnnw wedi'i gladdu ers blynyddoedd. Falle fod rhai o'i ddynion yn dal i fod yn yr ardal ond doedd a wnelon nhw ddim byd â hanes diflaniad Dylan. Mae'n bosib bod Dylan wedi mentro i mewn i'r chwarel ar ôl i'r fan fynd heibio y noson honno a siarad â'r giang neu gael ei weld ganddyn nhw. Os do, wel roedd bai arnyn nhw am beidio â dod yn eu blaenau adeg y diflaniad, pan oedd cymaint o sôn yn yr ardal. Wrth gwrs, petaen nhw wedi mynd at yr heddlu, byddai hanes yr ymosodiad yn y chwarel wedi dod i'r amlwg a go brin y bydden nhw am i'r heddlu ddechrau ymchwilio i hwnnw.

Os naddo... wel, yr un fyddai pen draw ei hymholiadau a byddai'r hanes yn dal i ddarfod yn yr un lle ag y darfu'r trywydd ar y pryd – dan drem y camera teledu cylch cyfyng yng ngorsaf drenau Amwythig.

Doedd hi ddim yn siŵr sut yn union y dylai deimlo bellach. Er iddi geisio ei pherswadio ei hun wrth gychwyn ar ei thaith y bore hwnnw mai hollol seithug fyddai ei siwrnai fwy na thebyg, dim ond dwysáu ei rhwystredigaeth a'i siom a phylu pob awydd i ddyfalbarhau a wnaethai'r wybodaeth newydd yma.

Hwyrach gallai fynd i weld a oedd Dylan erioed wedi cyrraedd Greynant Farm. Roedd pob dim yn awgrymu mai dilyn trywydd Skye a'r lleill oedd ei fwriad wrth hel ei bac.

'Shwt ma cyrraedd y lle 'ma? Greynant ife? Fydde'r ffermwr yn cofio rhywbeth?'

'Mae Gez wedi hen fynd,' meddai Skye gan godi'r siocled nad oedd bellach yn boeth at ei gwefusau bach twt.

'Ti moyn un arall?' gofynnodd Hayley'n reddfol wrth weld yr ystum fach ddiflas ar wyneb Skye wrth iddi gael bod y ddiod wedi oeri.

'Na.'

Diolch i ti yr un fath! meddyliodd Hayley.

'Mi wna'th o farw tua deng mlynedd yn ôl mae'n debyg,' ychwanegodd Skye. 'Mi es i lawr yno gwpwl o weithie, i holi am Dylan...' Cipiodd ar wyneb Hayley â rhyw rithyn o euogrwydd yn fflachio drwy'i llygaid. 'Ond y tro diwetha roedd y fferm yn wag, styllod dros y ffenestri, tylla yn y to, graffiti cas yn erbyn teithwyr ym mhobman ac roedd llond y caeau lle byddan ni'n aros erstalwm o baneli solar – erwau ohonyn nhw. Mi oedd golwg ddigon diflas ar y lle a deud y gwir. Jyst i mi dorri 'nghalon.'

'Beth am deithwyr eraill bryd 'ny? Fydden nhw wedi gweld Dylan?'

'Does dim hanner cymaint ag y buodd ugain mlynedd yn ôl. Mae'r gyfraith yn llym iawn erbyn hyn. Dwi wedi holi pawb jyst ar hyd y blynyddoedd ond does neb fel 'sen nhw'n gwbod dim byd amdano. Mi ges i achlust ei fod o wedi bod mewn sgwat yn Amwythig am ryw hyd ond dim smic ar ôl hynny. Mae fel 'sa fo wedi diflannu oddi ar wyneb y ddaear. Mi fasa Dylan siŵr o fod wedi beio rhyw fodau o fyd arall erbyn hyn!'

Gwenodd Skye ryw seren wib o wên cyn crychu talcen a gwgu o'r newydd.

Distawrwydd – heblaw hisian y peiriant coffi yn y cefndir ac un o'r staff yn y gegin yn siarad fel pwll y môr am ffrog briodas ei merch.

Roedd Skye fel pe bai wedi chwythu'i phlwc o ran cyfathrebu. Ochneidiodd Hayley. Roedd pob drws yn cau a dim mwy i'w gael o aros yma. Y peth gorau fyddai ei throi hi a dilyn ei chynllun gwreiddiol.

Parodd y distawrwydd yn hir. Roedd mwy o bobol yn dod i mewn i'r caffi erbyn hyn. Daliai Skye i syllu drwy'r ffenest gan mwya, a chraffai Hayley'n gynyddol ddiamynedd ar staeniau'r coffi yng ngwaelod ei chwpan wrth grafu ei meddwl am ffordd o aildanio'r sgwrs... neu ymadael yn ddidramgwydd. Esgyrn Dafydd, do'dd y Skye 'ma ddim yn hawdd, nag o'dd? Tybed sut hwyl roedd Dyl wedi'i chael â hi? Un digon diwedwst y gallai hwnnw fod ar brydiau hefyd.

Iawn, MOM, meddai Hayley wrthi ei hun – ond dyma Skye yn dechrau siarad eto:

'Sori,' meddai, fel pe bai'n darllen meddwl Hayley, gan gydio yn ei braich.

'Sori? Am be?' meddai Hayley'n ansicr.

'Bo' fi ddim yn gwbod mwy am be ddigwyddodd i Dylan.'

Ysgydwodd Hayley ei phen.

'Na. Diolch am gytuno i 'ngweld i. Falle'i bod hi'n bryd

gadael llonydd i bethe. O, sawl gwaith dwi wedi gweud hynny, gwed? Sai moyn i'r holl fusnes 'ma sbwylo gweddill 'y mywyd. Dwi wedi neud be alla i. A thithe 'fyd, ma'n siŵr.'

'Roedd Dylan yn siarad lot amdanat ti. Dyna pam o'n i eisio cwarfod efo chdi... ar ôl i'r mab sôn...'

'Siarad lot amdana i?'chwarddodd Hayley – ei thro hi rŵan i droi'i phen a syllu'n atgofus drwy'r ffenest. 'Do'n i ddim wastad yn ystyriol iawn ohono fe pan o'dd e'n tyfu lan,' meddai o'r diwedd. 'Nes i anghofio amdano pan ddechreues i fynd mas 'da ffrindie pan o'n i'n *teenager*. Dwi'n difaru erbyn hyn, sbo. Falle fydde fe wedi ymddiried yn fwy yndda i – aboiti ti a phopeth... Do'dd e ddim yn gwbod dim byd am y babi wrth gwrs?'

'Nag oedd.'

'Ma hynny mor drist. Ma'n siŵr bydde Dyl wedi dwli mynd ar yr hewl gyda chi a bod yn dad i grwydryn bach o fab.'

Roedd yr olwg ar wyneb Skye yn hollol ddigalon. Edrychai mor agored i niwed erbyn hyn a rywsut roedd hyn yn gwneud i Hayley deimlo'n gryfach. Cydiodd yn llaw Skye.

'Ma rhaid bod hyn yn anodd i ti... siarad amdano fe.'

Yn ei phoced dechreuodd ei ffôn ganu ei diwn fach siriol. Roedd hi'n mynd i'w anwybyddu. Fe'i tynnodd o'i phoced i'w ddiffodd, ond wedyn petrusodd... efallai mai Bragi oedd yno. Roedd yr Islandwr i fod i adael Amwythig tua amser cinio i ddechrau ar ei daith hir a fyddai'n mynd ag o dros y misoedd nesa i'r Alban ac yn ôl yn y pen draw i'w fam-ynys. Roedd Hayley wedi trefnu cwrdd ag o ar ei noson gynta ychydig i'r dwyrain o Gaerliwelydd mewn lle o'r enw Birdoswald – safle treftadaeth y byd ar fur Hadrian.

Druan â Bragi. Buodd o dan gryn deimlad wrth ffarwelio ag Amwythig â'i holl atgofion am ei annwyl Mitch yn cyniwair ar hyd strydoedd y dre. Roedd Hayley wedi gwrando tan oriau mân y bore echnos wrth iddo alarnadu byrhoedledd oes dyn ar y ddaear o'i chymharu â'r gwrthrychau a gloddiai o'r ddaear honno fel archaeolegydd.

Roedd Hayley yn poeni amdano braidd wrth adael Amwythig y bore hwnnw. Doedd dim ateb pan ffoniodd toc cyn cychwyn ond mae'n ddigon posib ei fod yn brysur wrthi'n clirio'r trugareddau olaf o'r fflat. Roedd wedi bwriadu rhoi cynnig arall ar ffonio ond ar ôl cael ei dal yn y traffig roedd y bwriad hwnnw wedi mynd i'r gwellt.

A ddylai gymryd yr alwad wrth y bwrdd? Cipiodd ar y sgrin. Doedd hi ddim yn nabod y rhif. Tybed ai...?

'Esgusoda fi,' meddai gan godi'n lletchwith ar ei thraed. 'Rhaid i fi gym'yd hon.'

Cerddodd draw i ben pella'r caffi, ei chefn tuag at y bwrdd lle bu'n eistedd.

'Ble wyt ti?' meddai llais Ozi.

Fel arfer, wrth glywed ei lais, teimlai Hayley ryw gymysgedd o ansicrwydd, anniddigrwydd a chyffro.

'O, Ozi... alla i ddim siarad nawr!'

'Plis, Hayley. Dwi ar y ffordd yn ôl i Groesoswallt. Rhaid i fi siarad hefo ti. Dwi wedi bod mor wirion ond dwi eisiau gwneud iawn, 'sti. Ma 'na betha dwi eisiau esbonio, petha dwi'n gor'od eu deud. Dwi 'di bod yn wirion...'

'Dwi ar y ffordd i'r Alban,' torrodd Hayley ar ei draws, rhyw dwtsh o banig yn ei llais. Doedd hi ddim eisio iddo gawlio ei chynlluniau... roedd hi wedi penderfynu. Doedd e ddim yn rhan o'i chynlluniau. Fuodd e erioed yn rhan ohonyn nhw, ddim go iawn.

Distawrwydd. Roedd fel pe bai rhyw wynt cry'n amharu ar y lein.

'Dwi ddim yn bell o'r ffin. Mi fedra i ddod atat ti. Ble wyt ti?'

Roedd y llais wedi mynd yn wan, wan a sŵn y gwynt neu beth bynnag oedd o wedi cynyddu.

O, mam bach, be ddywedai hi wrtho? Pa les ddelai i'w rhan o'i weld e eto?

Mewn gwewyr meddwl hyll, trodd i edrych yn ôl at y bwrdd ym mhen draw'r stafell. Doedd dim sôn am Skye.

O na! Lle ddiawl ma honna wedi mynd? Y tŷ bach? Ond na, roedd y tŷ bach gyferbyn â hi – byddai wedi'i gweld hi'n mynd heibio.

'Ffonia i ti'n ôl, ocê? Ma rhywbeth wedi codi.'

'Hayley...'

Cadwodd y ffôn a cherdded yn gyflym ar draws y caffi tua'r tŷ bach jyst rhag ofn gan sbecian draw drwy'r ffenest wrth fynd a gweld ffigwr bach cyfarwydd yn hanner rhedeg i gyfeiriad y maes parcio. Rhuthrodd Hayley am y cyntedd ac allan i'r awyr agored. Roedd brath yr oerni'n sioc ar ôl clydwch yr awr ddiwetha.

'Skye! Skye! Dere 'nôl!'

Daliai'r ffigwr i anelu'n ddi-droi-nôl at yr allanfa. Rhyw lipidi-lopian fel sgwarnoges fach.

'Skye,' meddai, ond erbyn hyn doedd hi ddim yn gweiddi.

Ddylai hi redeg ar ei hôl hi? Roedd y ferch yn amlwg wedi'i hypsetio. Tybed a gawsai erioed gyfle i alaru? Yn aml, roedd Hayley'n amau mai hi oedd yr unig un oedd wir yn gweld eisiau Dylan. Ond roedd hon wedi colli tad ei phlentyn. Pa mor hir mae galaru am beth felly'n para? Ond heb wybod lle mae o, does dim modd dechrau galaru. A dweud y gwir, does neb wedi dechrau galaru go iawn. Aeth ei thad i'w fedd heb wybod dim.

Roedd y meddyliau hyn yn chwyrlïo drwy'i phen gan godi pwys mawr arni wrth iddi wylio Skye yn diflannu y tu ôl i gaban pren yn y maes parcio. Ni welodd Hayley hi wedyn.

Ochneidiodd, a bron heb iddi sylweddoli beth roedd yn ei wneud, roedd ei bys ar fotwm ailddeialu'i ffôn.

52

RWMANIAID. WEL, DASIAID – brodorion Dasia, a bod yn fanwl gywir. Dyna fasan nhw'n cael eu galw yr adeg honno mae'n siŵr, rhesymodd Bragi wrth dynnu oddi ar y ffordd gefn i faes parcio'r gaer Rufeinig yn Birdoswald – neu *Buarth* Oswald, atgoffodd ei hun, wrth ddiffodd injan y Landstar. Wedi'r cwbl, roedd o yn yr Hen Ogledd bellach.

O Rwmania ein hoes ni y daeth y milwyr a wasanaethodd yn y gaer yma ar Fur Hadrian fil a saith cant o flynyddoedd yn ôl ar yr un pryd ag y byddai llengfilwyr Brythonig ym myddin Rhufain yn cymryd rhan mewn cyrchoedd draw yn Rwmania. Roedd Bragi wrth ei fodd â rhyw gwinciau bach gogleisiol fel hyn.

Agorodd y drws a llifodd rhyferthwy o aer oer i'r cab ac fe'i caeodd yn ddigon handi. Roedd yr awel rynllyd yn drech hyd yn oed nag awydd yr arth fawr i ddechrau prowlan o gwmpas y safle ar ei union. Ond byddai'n rhaid iddo ei mentro hi'n hwyr neu'n hwyrach. Berwai'r cyffro yn ei wythiennau – roedd yna gymaint i'w weld a'i brofi.

Dros y blynyddoedd, roedd Bragi wedi ymweld â rhai o safleoedd archaeolegol pwysicaf a mwyaf trawiadol y byd ond dyma'r tro cynta iddo gael cyfle i ymweld â'r safle godidog hwn ar hen ffin ogleddol yr Ymerodraeth Rufeinig. Yn ôl y sôn, roedd gan neb llai na San Padraig, nawddsant Brythonig Iwerddon, gysylltiad â Buarth Oswald.

Roedd y cyffro a deimlai yn wrthgyffur perffaith iddo rhag y diflastod cynyddol a'i llethai yn ystod y misoedd diwethaf yn Amwythig. Ers methiant y cloddio yn y cae ger yr afon a marwolaeth drasig Nahom druan, roedd y felan wedi treiddio i fêr ei esgyrn a'i enaid. Teimlai pob cam mor ddiamcan a phob cynllun mor ddibwrpas.

Roedd ymadael â'i hiraeth am Mitch hefyd yn drech nag o. Fe'i collai'n fwy eleni nag ers sawl blwyddyn. Ychydig yn ôl, credai ei fod wedi llwyddo i symud ymlaen rhywfaint ond roedd y llanw du wedi dylifo'n ei ôl ac yntau'n bell o fod mewn cyflwr i'w wrthsefyll.

Mor falch oedd o bod Hayley wedi dod yn ôl i'w fywyd. Doedd dim modd rhoi pris ar ddylanwad llesol ei hagweddau di-lol a'i hynawsedd twymgalon ar ei hwyliau yntau. Pan gydsyniodd Hayley i gyd-deithio ag o am ran o'i amser yn yr Alban, synhwyrai fod rhyw glip ar yr haul yn ei ffurfafen wedi clirio a'r golau'n dechrau dychwelyd.

Bu bron i'r wawr newydd yma gael ei difetha'n lân gyda sôn yr wythnos diwetha y gallai'r lob o nai 'na oedd gan Hayley ddod hefo nhw – yn gyd-deithiwr yn ei fan yntau, *if you please*! Roedd Hayley'n frwd iawn am y cynllun ond gallai Bragi deimlo ei obaith newydd yn crebachu'n grimp wrth geisio cael ei ben o gwmpas yr holl syniad diflas, er na ddywedodd yr un gair wrth Hayley, rhag ei siomi.

Diolch i'r drefn, doedd Dylan yr ieuengaf ddim fel pe bai ganddo ryw lawer o olwg ar y syniad chwaith a daeth yr holl drafod i ben.

Ac yn awr roedd yr antur ar gychwyn. O'r diwedd teimlai Bragi fod ganddo rywbeth o sylwedd i edrych ymlaen ato a lle gwell i roi cychwyn go iawn arni nag yn y safle godidog yma?

Gwrandawodd ar y synau y tu allan i'r Landstar a siglai'n awr ac yn y man yn hyrddiadau'r gwynt. Yr un sŵn, meddyliai, ag a glywai'r llengwyr o Rwmania yr holl ganrifoedd yn ôl wrth graffu i'r diffeithwch peryglus y tu hwnt i'r mur. Aeth ias fach drwyddo. Oedd, roedd ei ddychymyg yn tanio o'r newydd; y dychymyg oedd wedi'i arwain at fyd hanes ac archaeoleg, yr ysfa i atgyfodi pethau diflanedig, anghofiedig… a'u dehongli.

Estynnodd am ei gôt o'r sêt wrth ei ochr a chydio yn nolen y drws am yr eildro.

Amdani, meddyliodd.

A chanodd y ffôn. Hayley oedd yno.

'Helô. Lle wyt ti? Mae'n ffantastig yma!' bloeddiodd Bragi yn frwd. 'Brysia. Dwi'n methu aros. Dwi jyst yn gadael y fan rŵan.'

'Dwi'n ddigon agos ond fydda i ddim 'da ti am sbel, dwi'n ofni.'

'O.' Roedd y siom yn hollol amlwg.

'Ma'n ddrwg 'da fi, Bragi. Ma rhywbeth wedi codi. Dwi'n gorfod cwrdd â rhywun arall.'

'O, o'r gore.'

'Cer di yn dy fla'n. Ma'n siŵr bydd yna rywbeth ar ôl i mi ei weld wedyn.'

'Bydd, bydd. Mae llond gwlad o stwff i'w weld yma. Mae olion i lawr yn y dyffryn ar lannau afon Irthon. Enw Cymraeg arall, yntê? Mae'r lluniau dwi 'di gweld yn anhygoel. Ac ar ôl i'r Rhufeiniaid fynd, ddaru'r Brythoniaid ailfeddiannu'r lle a —'

'Bragi! Rhaid i fi fynd, iawn? Nawr! Heddi!'

'O… wel paid â bod yn rhy hir.'

'Na, paid becso. Joia.'

Stwffiodd Bragi'r ffôn i'w boced. Trueni, meddyliodd, ond

dyna fo, falle y câi fwy o hwyl ar ei ben ei hun i ddechrau, rhag ofn nad oedd Hayley yn gwirioni'r un fath. Ond pwy na fasa?

53

Erbyn hyn doedd Ozi ddim yn poeni pwy oedd yn ei weld o. Roedd ei galon yn rhy lawn a rhyw orfoledd meddwol wedi chwythu unrhyw arlliw o fod yn ochelgar o'i ben. Bron nad oedd yn gwenu a chanu wrth y llyw.

Swm a sylwedd ei gyflwr llesmeiriol a'i ddihidrwydd oedd bod Hayley wedi cytuno i'w weld. Ac ni fu'n rhaid iddo ymbil arni chwaith fel yr oedd wedi'i ddisgwyl; hi oedd wedi ei ffonio fo'n ôl gan awgrymu eu bod yn cwrdd mor fuan â phosibl – mewn rhyw barc ar gyrion Caerliwelydd, meddai. Swniai dan deimlad braidd ond pan ddywedodd Ozi y gallai fod hefo hi ymhen yr awr, clywsai oslef ei llais yn sioncio.

Y tro hwn roedd o am ddweud popeth wrthi. Am y gofid a'r edifeirwch a deimlai am ei ran yn y busnes cludo pobol; am ei ymwneud â'r Rwmaniaid a sut roedd wedi penderfynu canu'n iach â'r holl sin er mwyn bod hefo hi... a naw wfft i unrhyw fygythiadau ar eu rhan. Fyddai o ddim yn celu dim byd, byddai'n agor ei galon iddi ac wedyn gallai hi benderfynu eu tynged a'u dyfodol gyda'i gilydd. Rywsut roedd yn ffyddiog y byddai hi'n ymateb yn ffafriol i'w gyffes ac yn maddau iddo. Ond, wrth gwrs, doedd o ddim yn nabod Hayley cystal â hynny.

Eisoes teimlai'n well amdano fo ei hun ac roedd rhywfaint o hyder yn dechrau dychwelyd. Roedd yr holl baranoia oedd wedi'i blagio dros y misoedd diwethaf y byddai'r awdurdodau ar ei drywydd wedi cilio am y tro – er doedd dim rheswm mewn gwirionedd pam na fydden nhw'r un mor awyddus i gael gafael ynddo i'w holi. Ar ôl ei dröedigaeth, roedd fel petai wedi anghofio ei fod, yn llygaid y gyfraith – a'r rhan fwyaf o bobol siŵr o fod – yn dal i fod yn droseddwr ar sawl cownt.

Ond yn ei feddwl, ac yntau wedi'i ddrysu braidd oherwydd diffyg cwsg a lluniaeth a straen cynyddol, roedd fel petai'r penderfyniad i ddod yn ôl i ardal ei febyd yn mynd i sychu'r llechen yn lân rywsut. Yng nghwmni Hayley gallai agor cwys newydd a chwalu olion cwysi cyfeiliornus yr hen dalar unwaith ac am byth.

Gadawodd y cefnffyrdd, a gynigiai rywfaint o ddiogelwch iddo rhag y camerâu, ger Penrith ac ymuno â thraffordd yr M6 i gyfeiriad Caerliwelydd. Wrth wneud, dechreuodd yr haenen denau o niwl a fu'n ymrithio yma ac acw ar hyd ei daith tua'r gorllewin dewychu'n arw a glynu'n nes i'r ddaear. Daeth cysgod o atgof tywyll i'w feddwl am farwolaeth ddisymwth ei chwaer Veronica. Niwlog oedd hi y diwrnod y digwyddodd y ddamwain honno. Doedd dim sicrwydd mai dyna'r unig ffactor a barodd iddi wyro oddi ar ffordd oedd mor gyfarwydd iddi, ond pwy a ŵyr? Neu a oedd rhywun arall yno, fel y tybiai rhai, yn enwedig ei dad? Rhywun oedd yn gyrru'n flêr gan orfodi car Vera i adael y lôn drwy'r clawdd a glanio ben i waered yn y cae islaw?

Oherwydd y niwl roedd y rhybuddion ar y pontydd dros y draffordd yn dangos cyfyngiadau cyflymder erbyn hyn. Arafodd Ozi i hanner can milltir yr awr. Yn sicr, doedd o ddim eisiau cael ei ddal am oryrru, yn enwedig mewn cerbyd nad oedd yn eiddo iddo.

Pam bod Hayley yn sôn am fynd i'r Alban o bob man? Doedd o ddim wedi cael cyfle i ofyn iddi ar y ffôn a doedd hi ddim wedi cynnig unrhyw wybodaeth bellach am ei chynlluniau. Ai jyst am wyliau oedd hi'n bwriadu mynd, neu oedd hi'n gobeithio symud i fyw yno? Aeth y syniad yn sownd ym mhen Ozi mai symud i fyw yno roedd hi.

Gallai ddygymod â'r Alban, a setlo yno os mai dyna oedd hi'n pasa'i wneud. Yn sicr roedd pobol yr Alban yn atebol, a byddai digon o bosibiliadau o ran cael hyd i dyddyn bach yn yr ucheldiroedd rywle. Roedd 'na nifer wedi mynd yno o ardal Croesoswallt ac yn llwyddo'n iawn.

Drifftiai cadwyn o ffantasïau drwy ei ben wrth i'r milltiroedd lithro heibio. Onid yn Glasgow roedd ei chwaer arall, Lisa, bellach? Rhyfedd cyn lleied y meddyliai amdani, ac am ei blant o ran hynny. Weithiau teimlai fel pe bai'n sefyll y tu allan i'w fywyd, gan wylio ei hun a'i holl antics dwl...

Yn sydyn chwalwyd y teimlad yma o arwahanrwydd wrth i'w sylw gael ei ddal gan olau glas yn y drych. Car heddlu'n dynesu fel roced. Trodd perfedd Ozi'n ddŵr ac wedyn sylweddolodd fod y car yn trafaelio fel bwled ac nad ei stopio oedd ei fwriad. Tynnodd Ozi i'r lôn ganol i hwyluso hynt y taflegryn amryliw wrth iddo saethu heibio iddo a'r seiren yn sgrechian.

Gollyngodd anadl hir a theimlo cyhyrau ei sgwyddau'n llacio.

Doedd dim rhybuddion ynghynn bellach, er ei bod yn anodd eu gweld gan mor ludiog oedd y niwl. Efallai ei bod yn dechrau clirio ychydig ymhellach ymlaen. Siawns na fedrai godi'i sbid ychydig – roedd y dyheu am weld Hayley fel cyffur... 'Caerliwelydd 15 milltir'. Doedd dim cymaint a chymaint o draffig chwaith. Oedd, mi oedd pethau'n dechrau clirio ryw ychydig.

Gwasgodd ar y sbardun – chwe deg, saith deg... a mwy.

Yr hyn na wyddai Ozi oedd yn oriau mân y bore hwnnw roedd criw o fechgyn lleol wedi bod wrthi'n anrheithio ceblau o flwch rheoli ar fin y llain galed. Roedd y ceblau eisoes yn cael eu prosesu'n dawdd ar gyfer y farchnad gopr.

Heb geblau doedd dim arwyddion. Dim byd i'w rybuddio mai ar ei ffordd i ymchwilio i ddamwain oedd newydd ddigwydd oedd y car heddlu – lori goed wedi gollwng ei llwyth gan gau dwy lôn o'r draffordd tua chwarter milltir ymhellach ymlaen... lle'r oedd y niwl wedi cronni'n wal anhydraidd mewn pant yn y tir...

54

Teimlai Hayley gosfa chwareus gwelltyn hir yn erbyn ei phen ôl wrth iddi gyrcydu yng ngolau'r wawr i wneud pi-pi yn y coed ar gyrion y gilfan lle'r oedd y Landstar a'r Bongo wedi'u parcio am y nos.

Un o brofiadau amheuthun ei ffordd o fyw oedd hyn, penderfynodd wrth ymsythu a'i gwneud ei hun yn drwsiadus unwaith eto – piso ben bore yn yr awyr agored – pan fyddai'r tywydd yn weddol ffafriol wrth reswm.

Roedd hi'n fore bendigedig. Cerddodd ymlaen ar garped o olion dail yr hydref cynt rhwng bonion praff y derw digoes a'r ynn nes cyrraedd y man lle lapiai llanw'r mawndir ar hyd ymyl y goedlan. O'r fan hon edrychai Hayley tua'r gogledd lle'r oedd popeth wedi'i guddio dan ryw darth euraidd. Tawelwch disgwylgar a deyrnasai dros bob man heblaw honcian hirbell haid o wyddau yn hedfan yn uchel rywle o'i blaen. Craffai'n ofer i'w gweld yn erbyn y niwl.

'Yr Alban,' sibrydodd wrthi'i hun. 'Yr Alban,' meddai eilwaith yn uchel. Dyma'r tro cynta iddi grwydro y tu allan i Gymru a Lloegr yn y Bongo. Roedd hi wedi bod dramor erstalwm wrth gwrs – cwpwl o dripiau rygbi meddw, gwyliau yn Kos gydag Eddie – ond a hithau bron yn 36 oed, prin y gallai honni ei bod wedi teithio go iawn lle mai hi oedd yn penderfynu hyd a hynt y daith.

Man a man iddi ddechrau fan hyn, yntefe? Ac ymlaen wedyn

i Lychlyn falle, Gwlad yr Iâ, Rwsia, Japan... er, dyn a ŵyr sut gâi'r Bongo i'r holl lefydd 'ma.

Roedd rhipyn go hir o Fur Hadrian i'w weld yn rhychio'r dirwedd ryw hanner canllath o'i blaen. Roedd hi'n cofio clywed am Fur Hadrian yn yr ysgol a darllen stori unwaith am leng o filwyr Rhufeinig aeth i ddifancoll y tu hwnt iddo. Hawdd oedd dychmygu eu hysbrydion yn ymddangos o darth y bore ar eu ffordd yn ôl i loches y gaer yn Birdoswald.

Yn sefyll ar ffin arall fel hyn, yn anochel dyma ei meddwl yn suddo'n ôl i'r prynhawn ar Glawdd Offa a theimlodd ryw bigyn bach annifyr yn ei bol.

Ond 'na fe, meddyliodd. Roedd Mr Ozi Bryce wedi piso ar ei tsips unwaith ac am byth a 'na'r cwbwl oedd ganddi i'w ddweud am y peth.

Roedd Hayley wedi aros yn y maes parcio ger y caffi yn y Bongo tan chwarter i bedwar brynhawn ddoe, yn gwrando ar gerddoriaeth a hel meddyliau gan geisio gwrando ar yr hyn a ddywedai ei phen yn hytrach na'i chalon ynglŷn â'r oed arfaethedig ag Ozi. Roedd hi wedi penderfynu y byddai'n rhoi gwrandawiad teg i'r hyn roedd ganddo i'w ddweud ac ar sail hynny yn hytrach nag unrhyw deimladau eraill a ddeuai i'r fei, byddai hi falle'n fodlon rhoi un cyfle arall iddo.

Ond ddaeth y diawl bach ddim, naddo? Yn ddigon rhyfedd, doedd hi erioed wedi profi cael ei siomi wrth aros am ddêt. Ceisiodd ffonio Ozi sawl gwaith ond dim ond neges ateb gafodd hi. Gadawodd dair neges i gyd, ei llais yn swnio'n fwyfwy diamynedd gyda phob galwad.

Croesodd ei meddwl efallai fod rhywbeth wedi digwydd i'w rwystro a gwrandawodd am gyhoeddiadau ar y radio am ddamweiniau ond doedd dim sôn am unrhyw ddigwyddiad mawr, heblaw am lorri'n gollwng llwyth o goed ar draws y draffordd i gyfeiriad y gogledd ychydig i'r de o Gaerliwelydd, ond cyn pen hanner awr clywodd fod y ffordd wedi'i chlirio eto a'r traffig yn llifo fel arfer.

Wrth i'r golau ddechrau pylu, teimlai Hayley'n fwyfwy crac – yn grac gydag Ozi a'i gemau gwirion, yn grac gyda'r ffordd roedd ei bywyd wedi'i ddal mewn limbo ar hyd y blynyddoedd yn sgil diflaniad Dylan, yn grac gyda Skye am redeg i ffwrdd. Ac yn grac gyda hi'i hun am fod yn gymaint o wlanen. Roedd fel pe na bai dim pen draw i'w chracrwydd a phan, o'r diwedd, y gyrrodd o'r maes parcio, bron nad oedd stêm yn gollwng o'i chlustiau.

55

CAEL A CHAEL fuodd hi.

Trawodd Ozi'r brêcs ar y funud ola wrth weld goleuadau gleision yn crychu'r môr llwydwyn a ruthrai heibio bob ochr iddo. Sgrechiodd y teiars a daeth oglau rwber llosg i'w ffroenau. Dechreuodd y fan wyro gan lithro'n osgeiddig wysg ei hochr ar draws y ffordd a bron â mynd drosodd. Ond drwy fynd ar draws y lôn ganol llwyddwyd i osgoi'r cerbyd olaf oedd wedi stopio â'i drwyn yn y ddrysfa o logiau a orweddai ar chwâl ar draws y draffordd. Y tu ôl iddo daeth rhagor o sŵn brecio gwyllt a daliodd ei hun yn barod am yr hergwd... ond drwy ryfedd wyrth llwyddodd y cerbydau y tu ôl iddo stopio mewn pryd hefyd.

Erbyn hyn roedd llif y traffig o'r de wedi'i atal gan arwyddion rhybuddio ymhellach yn ôl na'r rhai oedd wedi'u diffodd oherwydd anfadwaith ciwed y ceblau ac ni chafwyd y pentyrru erchyll a allai fod wedi digwydd fel arall a'r gyflafan a ddeuai yn ei sgil.

Eisteddodd Ozi wrth y llyw, ei ddwylo'n gwrthod symud, ei goesau'n crynu fel jeli, ei wefusau'n symud mewn rhyw fath o weddi. Caeodd ei lygaid a cheisio rheoli'i anadl.

Daeth cnocio taer wrth y ffenest.

'Ti'n iawn, mêt?'

Plismon yn blastr o felyn *high-viz* a golwg ddigon consernol ar ei wyneb ifanc.

Nodiodd Ozi heb ddweud gair.

'Gwell i ti ddod o'r cerbyd, os gweli di'n dda. Rhag ofn bydd yna rywbeth arall ar ei ffordd. Cer at y llain galed a down ni atat ti mewn munud, iawn?'

Roedd yr heddwas yn glên a'i lais yn gysurus o awdurdodol – ond, yn anffodus, plismon craff ar y naw oedd o a phan agorodd gefn y fan wrth i Ozi ymlwybro'n sigledig at y llain galed, sylwodd y swyddog ar nifer o eitemau diddorol o eiddo criw'r Rwmaniaid oedd yn canu clychau larwm proffesiynol yn syth. Pan aeth draw at Ozi ar y llain galed ychydig funudau'n ddiweddarach ar ôl gwneud yr ymholiad priodol dros y radio, roedd ei ymarweddiad a chywair ei lais yn dra gwahanol:

'Iawn, syr. Jyst cwpwl o gwestiynau rhaid i mi'u gofyn yn gynta a chei di fynd ar dy ffordd wedyn...' meddai a rhyw befrio maleisus yn ei lygaid.

*

Erbyn i Hayley dynnu i mewn i faes parcio Birdoswald lle arhosai'r bythol amyneddgar Bragi gyda'r wybren bron wedi tywyllu'n llwyr, roedd y croesholi ffurfiol ar fin dechrau o ddifrif yng ngorsaf heddlu Caerliwelydd a chyffes Ozi a baratowyd yn wreiddiol i adennill calon Hayley bellach yn llonni calonnau dau dditectif awchus.

56

E DRYCHAI'N UNION FEL ynys mewn llyfr plant, yn batrwm
o ryw Dir na n-Og llawn hud a lledrith yn gorwedd tua
dwy filltir a hanner o'r lan, yn edrych fel pe bai newydd godi
o ddyfnderoedd y môr. Arnofiai'n dawel braf yn yr haul ar y
crychdonnau, yn ddarn gwastad o dir hirgul gyda rhyw gnwc
creigiog dramatig ac arni adfail rhyw hen gastell yn ymgodi
tua'r canol.

A dweud y gwir codai'r syniad o ynys dipyn o fraw ar
Hayley, yn enwedig rhai bach fel hon. Ofnai bob amser y
byddent rywsut yn cael eu llyncu'n ddirybudd gan yr eigion o'u
cwmpas gan ddiflannu fel llong danfor i ryw fyd anhygyrch
dan y tonnau. Merch y tir oedd Hayley a'i theimladau tuag at
y môr yn ddigon cymysg, a dweud y lleia.

Ond y bore 'ma ni fedrai wadu harddwch a golwg wahoddgar
yr em fach dywyll yma ar y gorwel yn erbyn wybren las lachar
mis Mai. Roedd y gwanwyn wedi gwenu'n ffafriol iawn ar
ucheldiroedd yr Alban eleni.

Roedd Hayley wedi'i siomi ar yr ochr orau gan y modd
roedd ei hantur fawr wedi datblygu hyd yma. Roedd Bragi
yn gyd-deithiwr perffaith. Doedd o byth yn mynnu'i chwmni
na chwaith yn ymyrryd â'i chynlluniau ac roedd i'w weld yn
ddigon hapus iddi ddilyn ei hynt ei hun am ryw ychydig cyn
ailymuno â'i gilydd rywle ymhen wythnos neu ddwy.

Dyn â chysylltiadau ym mhob man oedd Bragi, a bu Hayley

yn ddigon balch o fedru derbyn gwahoddiad gan ffrind iddo yn Stirling pan oedd y tywydd wedi troi'n aeafol iawn i ddod o dan yr unto'n ddi-dâl nes bod yr hin yn gwella.

Hefyd roedd wedi achub ar y cyfle i ailgysylltu â Sarah, ei hen ffrind o'r Fenni, a'i gwadd am benwythnos yn Glasgow lle, drwy ddewiniaeth Sarah ar y we, cawsant dipyn o fargen am ddwy noson mewn rhyw glamp o westy oedd yn rhan o'r brif orsaf ac yn teimlo fel rhyw balas o oes y Tsariaid yn Rwsia. Roedd lletya mewn rhywle mor wirion o swanc yn groes graen i Hayley ond doedd hi ddim eisiau i'w ffrind sorri'n fwy byth â hi. Trwsio pontydd hen berthynas oedd nod yr ymweliad ac i'r perwyl hwnnw bu'r penwythnos yn llwyddiant o'r eiliadau cynta.

Atseiniai gwichial afieithus eu haduniad o gwmpas yr orsaf gan droi pennau'r dorf ar sawl platfform.

Erbyn diwedd y penwythnos roedd yr hen rwymau wedi ailgydio, a Sarah wedi mopio ar ddinas Glasgow a'i phobol, a'r gerddoriaeth wych a dasgai o bob man yr adeg honno o'r flwyddyn ym miri ei gŵyl i ddathlu'r cysylltiadau cerddorol Celtaidd.

'So, be nesa, Hayls?' gofynnodd i Hayley ar eu noson ola wrth ymlacio o flaen tanllwyth o dân mewn tafarn dawelach na'i gilydd, dau wydraid mawr o wisgi ar y bwrdd pren o'u blaenau.

'Mwy o'r un peth, sbo,' atebodd Hayley, gan sylweddoli'n sydyn nad oedd wedi meddwl ymhellach na dydd Llun a dweud y gwir, pan fyddai'n gyrru yn ôl i Stirling. O edrych ymlaen wedyn cofiodd fod Bragi'n sôn am ryw gloddfa archaeolegol ar ynys Harris, cyn symud draw i'r Orkneys yn yr haf. Ac ar ôl hynny? Wel, roedd boi bach clên o Norwy roedd hi wedi cwrdd ag o yn Stirling yn sôn am ymweliad draw i'r wlad honno i weld y gweithdy lle adeiladai gychod yn null y Llychlynwyr gynt. Digon ar y gweill ac eto doedd hi ddim yn meddwl y byddai Sarah yn gwirioni'r un fath.

Serch hynny, roedd eu ffarwelio ar Blatfform Un yng ngorsaf Glasgow ben bore Llun yn brofiad teimladwy, gydag addewidion pendant iawn yn hedfan o'r ddwy ochr na fydden nhw'n gadael i gymaint o amser fynd heibio cyn y tro nesa.

Wrth fynd dywedodd Sarah:

'Ti'n wahanol ti'mod. Y tro 'ma o'dd y tro cynta i ti siarad am Dylan heb ypseto.'

Doedd Hayley ddim wedi sylwi ond ers hynny roedd wedi cnoi tipyn o gil ar sylw ei ffrind. Ac roedd hi'n dal i gnoi cil ar y peth y noson o'r blaen, pan gyrhaeddodd y tecst annisgwyl:

Os wyt ti yn dod i fyny ffor hyn cofia ddod i ddweud helô. Rydyn ni ar yr ynys eto. Skye.

Edrychodd ar y neges yn syn, heb ddeall yn iawn i ddechrau oddi wrth bwy y daethai. Yna llamodd ei chalon. Am sioc hyfryd, penderfynodd. Roedd hi wedi meddwl yn aml am y fenyw fach drist yn y parc a'r rafin anystywallt o fab oedd ganddi'n byw bywyd dihiryn ar ryw stad ddrwg-enwog yng nghyffiniau Telford erbyn hyn. Ond doedd ganddi ddim syniad lle'r oedd y blincin ynys fondigrybwyll 'ma.

Felly dyma anfon tecst yn ôl:

Iawn. Ond lle mae'r ynys?

A dyma hi heddiw yn edrych arni ac yn barod i groesi'r swnt. Roedd hi wedi gadael y Bongo ar y safle lle'r oedd Bragi wrthi'n cloddio olion rhyw gaer hynafol gyda chriw o'i hen fyfyrwyr o Stirling, gan deithio am awr a rhagor ar y bws bach retro fel yr unig deithiwr bron, cyn cerdded y ddwy filltir olaf at gei'r hyn a elwid yn 'fferi' – gwasanaeth nad oedd yn nodedig am fod yn ddibynadwy iawn.

Roedd yn llawn cyffro. Yn ôl Skye roedd Dylan, ei mab, wedi dychwelyd o'i wirfodd i ddilyn hen ffordd o fyw ei blentyndod a byddai ar yr ynys yn barod i'w chroesawu.

Doedd Hayley ddim yn rhy siŵr pa fath o groeso fyddai'n ei haros o gofio ei phrofiad ar stad Harlescott Grange gwpwl o flynyddoedd yn ôl gyda'i Carling llugoer a thaflenni BNP ar y soffa. Ond gwyddai ym mêr ei hesgyrn fod ei bresenoldeb yn golygu efallai y byddai siawns i feithrin rhyw fath o berthynas ag o a bod hyn yn bwysicach iddi nag roedd wedi'i sylweddoli na chyfaddef iddi ei hun cyn hyn.

Doedd neb arall yn aros am y fferi. Roedd golwg ddigon smart ar y jeti bach, yn ddur sgleiniog a phaent glân glas a gwyn, ac arwydd yn dangos mai drwy un o gronfeydd yr Undeb Ewropeaidd y daethai'r arian i dalu am y cwbl.

Islaw'r arwydd a ddangosai logo'r UE roedd plac bach pren yn coffáu Murdo MacLennan, 30 oed, yn dad i ddau fab a merch, a foddodd yn y cyffiniau yn y flwyddyn 2000. Roedd llinell yn yr iaith Aeleg wedyn. Byddai'n rhaid iddi dynnu llun ohoni a byddai Bragi neu un o'r bobol yn ôl ar y safle efallai'n gallu ei chyfieithu iddi.

Tynnodd lun â'i ffôn a llun wedyn o'r ynys ar y gorwel.

Roedd amser yn mynd yn ei flaen a dim sôn am y fferi. Doedd dim modd iddi ffonio neb, doedd dim signal ar gyfyl y lle nes dy fod yn cyrraedd rhywle gweddol uchel, a hynny os oeddet ti'n lwcus. Tybed ble'r oedd Skye pan oedd hi'n tecstio?

Torrodd morlo wyneb y dŵr yn syth o'i blaen a chlamp o bysgodyn yn ei enau, yn union fel cartŵn, y gynffon a'r pen yn hongian yn llipa o boptu'r geg bwerus.

Roedd Hayley wedi'i chyfareddu i'r fath raddau gan yr olygfa yma, bron nad oedd wedi sylwi bod y fferi yn cyrraedd

– hen gwch glanio milwrol a'r rhwd i'w weld mewn sawl man uwchben y dŵr. Byddai'n rhaid iddi ymddiried nad oedd y rhwd wedi bwyta'i ffordd o dan y fferi hefyd.

'Heia,' meddai'r cychwr yn ddigon clên. 'Dim ond ti sy 'ma, ia?' Acen Lundeinig oedd ganddo – acen oedd i'w chlywed yn eitha cyffredin ffordd yma erbyn hyn. Roedd 'na fachgen ifanc yn y cwch yn ei helpu ond er i Hayley wenu arno, roedd yn canolbwyntio'n ddiwyro ar y dasg mewn llaw.

'Ie, dim ond fi,' atebodd Hayley gan sgathru o'r ffordd wrth i'r bachgen ifanc neidio'n ddeheuig i'r lanfa gyda rhaff.

'Ti sy'n dod i weld Skye a'i theulu?' gofynnodd y cychwr wrth symud y fferi'n nes i'r lan tra rhuthrai'r bachgen ati i dynnu ar wahanol raffau i'w dal yn dynn wrth y cei.

'Ffiw! Dwi wedi ffindo'r ynys iawn 'te.'

Chwarddodd y dyn. Roedd yn andros o olygus, meddyliodd Hayley, dannedd gwyn, gwyn a wyneb brown fel cneuen a gwallt cyrliog tyn a awgrymai ei fod o dras hil gymysg.

Bum munud yn ddiweddarach roedd y cwch yn ôl ar y bae gan deithio ar dipyn o sbid ar draws y môr sgleiniog a siâp yr ynys yn tyfu'n fwy ac yn fwy bob gafael. Roedd Hayley yn ei seithfed nef, yn anadlu awyr iach, y morllwch yn taro ei hwyneb, y mynyddoedd i'r dwyrain yn gefnlen oesol, gadarn.

Dylan bach, meddyliodd, piti o't ti ddim yn galler profi hyn.

Ac yn sydyn teimlai fel pe bai ei brawd yn agos…

EPILOG

Mawrth 2000

DIGON I'R DIWRNOD, meddyliodd Murdo MacLennan wrth tsiecio'r mwrins am y tro ola cyn ei throi. Ond ei throi i ble, doedd o ddim yn gwybod. I beth oedd o wedi trafferthu i ddod i lawr i'r lanfa ar ddiwrnod fel hyn beth bynnag? Dim ond oherwydd ei fod yn methu fforddio mynd i'r dafarn.

Roedd golau prin y prynhawn eisoes yn dechrau darfod, y gwynt yn codi gan ffustio dyfroedd y bae; doedd dim gobaith mynd i edrych ar y cewyll na physgota, a go brin y byddai'n gweld neb fyddai am fynd draw i'r ynys erbyn hyn na chael ei gludo oddi yno tan ddydd Sadwrn. Roedd pawb fel petaen nhw'n swatio rhag y tywydd mawr oedd ar ddod.

Doedd Murdo ddim ar frys i fynd adre chwaith. Fawr o groeso gâi gan Mairi, dim ond cwyno diddiwedd am sut nad oedd yn helpu digon gyda'r plant nac yn gwneud unrhyw jobsys yn y tŷ. Roedd ei wraig fel pe bai heb rithyn o gydymdeimlad â'i gŵr na'r un gair da i'w ddweud amdano nac wrtho ers iddo golli'r drwydded tacsi dri mis ynghynt.

Ac nid ei fai o oedd hynny chwaith. Doedd uffar o ddim byd yn bod hefo'i dacsi na'r ffordd roedd o'n ei yrru. Y bastad Macdonalds 'na'n gwneud yn siŵr ei fod o'n cael ei ddal am gario plant heb y seti iawn yn y cefn. Fel arfer byddai trosedd felly'n cael rhyw rybudd clên ar y mwya, ond nid hefo cwnstabl

Macdonald ar ei rawd. Ocê, roedd yna ambell beth arall o'i le hefyd, ond... Argol fawr! Oedd rhaid bod mor blydi llawdrwm am y peth?

Doedd o byth yn gyrru'n gyflym p'un bynnag. Bob amser yn ara deg ac yn gyson fel asyn ar garlam, chwedl ei nain. Bu'r Macdonalds yn hogi eu cyllyll am ei waed byth ers iddo ddechrau ar y busnes tacsis ddwy flynedd yn ôl – yn her i'w monopoli nhw yn y cylch. Maffia go iawn o deulu os bu un erioed. Pawb dros ei dylwyth ei hun. Popeth yn iawn, gallai Murdo ddeall hynny wrth reswm, ond roedd y Macdonalds eisiau rheoli pob diawl o bob dim ffordd hyn.

Hyrddiai chwythwm cry' arall ar draws y bae a chododd Murdo gwfl ei gôt am ei glustiau wrth wylio'r gwylanod yn cael eu chwythu am yn ôl dros y tir.

Rhoddodd ei law yn ei boced a throi'r pres mân â bysedd rhynllyd. Gwyddai fod yna bapur pumpunt yn ei waled a gallai deimlo pedwar darn punt, darn hanner can ceiniog a dau ddarn pum ceiniog yno hefyd. Châi o fawr o sesh ar hynna a doedd dim lle i ricyn arall ar y llechen yn Nhŷ Fraser, y dafarn yn y prif borthladd.

Be ffwc wnâi o, wir?

Ac wedyn dyma Dylan yn rowndio'r tro ar ben yr allt a arweiniai i lawr at y lanfa.

*

Roedd y byd yn dechrau teimlo'n lle unig iawn i Dylan wrth iddo ymlafnio i fyny'r allt o orsaf Amwythig y noson honno y daliwyd y ddelwedd ohono ar y camera TCC. Roedd wedi oeri ac effaith gynhesol y wisgi a gafodd ar y trên yn prysur droi'n gur pigfain yng nghefn ei ben. Heb fwyta'n iawn ers cyhyd, corddai pangfeydd annifyr drwy ei berfedd. Roedd y temtasiwn i roi'r gorau iddi a'i throi am adre'n dechrau mynd yn drech.

Camodd wysg ei drwyn i fyny'r allt tua chanol y dre ac wedyn i lawr Pride Hill heb unrhyw amcan penodol ynglŷn â beth ddylai ei wneud nesa. Roedd trimins Dolig ffenestri'r siopau'n dal yn eu lle a'u myrdd goleuadau'n wincio arno'n wawdlyd gan gynnig cysur a chynhesrwydd rhag yr unigrwydd cynyddol.

Synnai Dylan fod cynifer o bobol yn dal i lifo o siop i siop er ei bod yn eitha hwyr a phrin wythnos wedi mynd heibio ers holl syrffed y Nadolig. Yn simsan ei gam a golwg ddigon bethma arno, synhwyrodd Dylan fod y siopwyr â'u holl fagiau plastig yn gwyro ychydig o'r neilltu i gadw draw oddi wrtho ar y stryd.

O'r tu allan i Ganolfan Siopa Darwin codai nodau rhythmig *bouzouki* yn gyfeiliant i lais tenor pwerus. Nabyddodd Dylan y gân, y 'Raggle Taggle Gypsy'. Hoff gân ganddo fo, a'i hatgoffai bob amser o'i dras Roma.

Wrth ddynesu at y sŵn, gwelodd Dylan y cantor ym mhorth y pasej a arweiniai i grombil y ganolfan siopa. Dyn tal hirwalltog a wisgai ryw siercyn eitha canoloesol yr olwg.

Safai Dylan yng nghysgod siop wag gyferbyn â'r bysgar. Teimlodd bang o edifeirwch nad oedd wedi dod â'i gitâr na'i fandolin hefo fo, ond mor sydyn fu ei benderfyniad i hel ei bac a chefnu ar Dŷ Tyrpeg a'i deulu gan wybod ym mêr ei esgyrn, pe bai'n tindroi'n rhy hir dros y pacio y byddai wedi newid ei feddwl ac wedi aros. Felly, nid oedd wedi rhoi rhyw lawer o feddwl i ba eitemau i'w cynnwys neu'u gadael wrth fynd.

Cywilyddiai am y canfed tro wrth feddwl am sut roedd wedi dwyn celc cudd ei dad, ac wrth wneud daeth llun i'w feddwl o'i dad a'i chwaer yn poeni eu heneidiau ac yn hiraethu amdano. Caeodd lun ei feddwl i'r delweddau poenus hyn a chroesi draw i sefyll yn nes at y cerddor oedd erbyn hyn wedi dechrau ledio 'Nancy Spain', cân arall roedd Dylan yn bur hoff ohoni.

Gadawodd i'r miwsig yrru'r hiraeth o'i system a'i lenwi ag ysfa i fwrw ymlaen â'i antur ac i gael hyd i'w gariad, lle bynnag roedd hi.

Roedd ambell un arall ar y stryd wedi'i swyno gan y canu ysbrydoledig ac ar y diwedd bownsiodd sawl darn arian ar leinin felfed casyn y *bouzouki*. Teimlodd Dylan yn ei boced a dod o hyd i bapur pumpunt. Camodd yn ei flaen a'i osod yn y cas.

'Iesu!' meddai'r bysgar oedd wrthi'n tynnu strap ei offeryn dros ei ben, yn barod i'w throi am y noson. 'Diolch, mêt. Blydi hel! Ti'n siŵr?'

Nodiodd Dylan gan deimlo ychydig yn hurt.

'Ie, wel, diolch,' ychwanegodd y boi gan hel y pres a orweddai ar y defnydd coch tywyll cyn gosod yr offeryn yn ei le, mor dringar a chariadus â phe bai'n fabi.

Daliai Dylan i wylio'n fud.

'Tisio rhywbeth?' gofynnodd y llall yn ansicr, wrth ymsythu o'i gwrcwd.

'Cerddoriaeth grêt,' baglodd Dylan.

'Ti'n chwarae?'

'Odw.'

'Dylet ti ddod draw i gael sesiwn rywbryd.'

'Dyw'r gitâr ddim 'da fi.'

'Smots, ma digon o gêr gynnon ni, o bob math.'

Rhoes y dieithryn strap y cês dros ei ysgwydd a pharatoi i adael. Estynnodd ei law.

'Wel, hwyl 'ti, boi.'

Edrychodd Dylan ar y llaw a gynigiwyd iddo heb ei chymryd.

'O, iawn 'te,' meddai'r llall gan godi'i sgwyddau'n ddi-hid a dechrau cerdded i lawr yr allt.

Rywsut llwyddodd Dylan i ddatod y clymau ar ei dafod.

'Wyt ti'n gwbod lle ma Greynant Farm?' gofynnodd.

Trodd y cerddor i edrych arno am ennyd cyn ateb.

'Yndw, tad. Pam bo' chdi am wybod?'

A dyma Dylan yn dweud fersiwn o'i hanes ac yn lle mynd i Greynant Farm aeth yng nghwmni'r chwaraewr *bouzouki*, Colin – slaffyn o Sgotyn yn ei bumdegau hwyr o ardal Montrose – i ryw dŷ mawr gwag ar gyrion Amwythig, gwag hynny yw nes i aelodau o griw'r Dingo Tribe ei feddiannu fel sgwat a'i droi'n gymuned at amryfal ddibenion dros y gaeaf. Yno cwrddodd â sawl un ymhlith y trigolion oedd yn nabod teulu Skye ac un oedd wedi clywed iddynt gyrraedd Greynant ychydig fisoedd ynghynt mewn tipyn o helynt a'u bod bellach wedi symud...

Ryw noson, daeth Colin i mewn â thaflen oedd wedi'i gadael yng nghasyn ei *bouzouki* tra oedd yn bysgio ar Bont y Saeson oedd yn dangos y llun TCC o Dylan yng ngorsaf y dre. O weld Dylan yn ypsetio braidd wrth edrych ar y ddelwedd ar y daflen a'i hanes – disgrifiad corfforol ohono a sôn am ei ddiddordebau a bod ei deulu'n awyddus iddo gysylltu drwy alw rhyw rifau ffôn – rhoes ei fraich yn dadol am ysgwydd y bachgen.

Ceisiai Dylan guddio ei anesmwythyd ond yn ofer, a dechreuodd feichio crio. Gadawodd Colin i Dylan wylo am dipyn, â'i ben yn pwyso yn erbyn defnydd garw ei siercyn.

'Mi gei di gadw dy ben i lawr fan hyn am sbel. Fydd neb yn

sbragio arna chdi fa'ma. Mae'r llwyth yn driw i'w gilydd ac yn dryst bob amser – a beth bynnag, ma isio rhyw ddewin ar y mandolin fel ti yn y band!'

A bu'r llwyth yn driw a chafodd Dylan lonydd a chyfle gwerthfawr i ymarfer ei ddoniau cerddorol. Am y tro roedd yn ddigon bodlon swatio rhag y byd, gan aeafgysgu ac ymgynefino â'i realiti newydd. Roedd to uwch ei ben, bwyd yn ei fola a chwmni diddan i gadw ei feddwl oddi ar unrhyw deimladau hiraethus. Penderfynodd efallai y byddai'n ddoethach ailgydio yn nhrywydd ei gariad coll yn y gwanwyn pan fyddai'r tywydd yn gynhesach.

Tua diwedd mis Chwefror, daeth dynes i'r sgwat oedd wedi bod yn Greynant dros fisoedd y gaeaf. Roedd hi wedi clywed bod Niall a Tiggy a'r teulu wedi dychwelyd i'r ynys yn yr Alban.

'Isio i ti fynd ar ei hôl hi, does?' anogodd Colin.

'Ond ma fe mor bell,' cwynodd Dylan, y syniad o gefnu ar y tŷ a'i holl fiwsig yn codi arswyd arno'n sydyn.

'Roedd Skye yn sôn amdanat ti,' meddai'r ddynes ddiarth, menyw yn tynnu at ei thrigain oed efallai, ei gwallt ariannaidd wedi'i droelli am ei phen, ei hwyneb yn rhychau byw fel cneuen Ffrengig. Bedwen oedd ei henw. Roedd Dylan yn gwybod mai gair Cymraeg oedd hwnnw ond heb syniad beth roedd yn ei feddwl. Doedd hi ddim yn swnio'n Gymreig, serch hynny – acen Seisnig eitha posh oedd ganddi. Ta waeth, roedd pethau pwysicach na gwybod ystyr ei henw neu'i thras. Er mor gysurlon iddo oedd ei fyd ar y funud, roedd clywed enw Skye wedi deffro'r cyneddfau ynddo oedd wedi ei gymell ar ei daith yn y lle cyntaf. Yn sydyn roedd gwrthrych ei serch yn fyw iawn yn ei gof unwaith eto.

'Yn sôn amdana i? Ydi hi'n ocê?'

'Ydi. Roedd pawb yn iawn, yn ôl be ddywedodd fy ffrind wrtha i.'

Doedd Dylan ddim yn siŵr nad oedd hi'n dal rhywbeth yn ôl.

'Shwt ydw i'n mynd i gyrraedd y blincin ynys 'ma?' ochneidiodd. 'Weden i bo' fi'n well off fan hyn.'

Rhoes y ddynes ei llaw fodrwyog ar ei fraich.

''Swn i'n mynd, 'swn i'n ti,' meddai'n dawel gan syllu arno â'i llygaid mawr llonydd, llygaid a godai ychydig o anesmwythyd ar Dylan, er mor dyner eu trem.

'Mae 'na griw dwi'n nabod yn mynd i'r gogledd ddiwedd yr wsnos,' meddai Colin pan soniodd Dylan am be ddywedodd Bedwen. 'Maen nhw'n dod i fyny o Totnes ar ôl miri'r flwyddyn newydd i lawr fan'na. Gei di fynd efo nhw. Bydd rhywun yn siŵr o fedru dweud wrthot ti lle ma'r ynys.'

'O, dwi'n gwbod lle ma hi,' meddai Dylan gyda rhyw sicrwydd tawel yn ei lais.

Yn ystod yr haf y llynedd, roedd wedi dwyn map OS o'r llyfrgell yn y Fenni ac roedd Skye ac yntau wedi pori drosto am yn hir yn yr haul ar garreg wastad ger pistyll y chwarel. Roedd Dylan wrth ei fodd â mapiau o bob math ac roedd amlinelliad ysgithrog yr arfordir a'r gwahanol ynysoedd, yr enwau diarth a'r cyfuchliniau tyn wedi'i gyffroi'n lân gan godi blys mawr ynddo i ymweld â'r lle ryw ddydd. Wedyn dechreuodd Skye sôn am yr eryrod a'r hyddod, y traethau gwynion hir, hir, y moroedd crisial, gwyrddlas. Gwrandawai Dylan â'i ddychymyg ar dân.

'Mi ges i 'ngeni ar Ynys Skye... fan hyn,' meddai Skye gan bwyntio bys pwt at le o'r enw Uig. 'Mi oedd Mam ar ei ffordd adra i 'nghael i ond mi ddes i tua wythnos yn gynnar. I gyrraedd yr ynys lle roedden ni'n byw ma'n rhaid i ti groesi o

Uig fel hyn,' symudodd ei bys ar draws y môr at ynys arall lai o faint. 'Yna, ti un ai'n dilyn y ffordd yma reit rownd neu'n croesi traws gwlad ar y llwybr yma... ac wedyn mae 'na fferi fach fan hyn draw i'n hynys ni.' Pwyntiodd at ynys hirgul, ddienw yng ngenau bae llydan oddi ar arfordir gorllewinol y llall.

Roedd y map yn dal gan Dylan yn ei fag.

Yng ngwâl ei wely ar lawr y sgwat yn Amwythig y noson honno, deuai'r atgof yma'n ôl ato o hyd ac o hyd, gan droi'n rhyw ddrysfa feddwol o ddelweddau rhwng cwsg ac effro.

Tua thri o'r gloch y bore, fe'i cafodd ei hun yn hollol ar ddi-hun mewn laddar o chwys, ei galon yn curo yn ei glustiau, ond ei feddwl yn gliriach nag y bu ers sbel.

Am y tro cynta erstalwm hefyd, bu'n hel meddyliau am ei deulu a'i gartre yn y Fenni. Llyncodd yn galed yn y tywyllwch. Doedd o ddim eisiau meddwl amdanyn nhw chwaith, achos roedd unrhyw 'sôn amdanyn nhw'n peri chwithdod mawr iddo. Wedi'r cwbwl, doedd ganddo fawr o gŵyn yn eu herbyn – ei dad, ei chwaer, ei fodryb a'i gefndryd. Pobol neis oedden nhw ac ar brydiau roedd yn eu colli – ond y gwir amdani oedd nad oedd mo'u hangen nhw arno erbyn hyn a doedd ganddyn nhw, fel petai, ddim cymaint o ots amdano yntau chwaith. Allai Dylan ddim gwneud sens o'r byd pan oedden nhw o gwmpas ac yn gorfod byw dan yr unto â nhw.

Roedd cwrdd â Skye a'i theulu wedi rhoi cipolwg iddo ar ffordd arall o fyw y tu allan i gyfyngiadau aelwyd Tŷ Tyrpeg. Ffordd o fyw oedd yn fwy lliwgar ac iddi fwy o ystyr na'r hyn a gynigiai ardal ei febyd iddo. Ffordd o fyw debycach i fel y byddai hen dylwyth ei fam wedi byw yn ôl yn Hwngari slawer dydd.

A fyddai'n gweld Hayley ac Aneirin a'r lleill eto? Doedd o

wir ddim yn gwybod yr ateb. Siŵr o fod y gwnâi ryw ddydd, ond ddim am y tro.

★

Cyn diwedd yr wythnos honno, heliodd Dylan ei bethau at ei gilydd a sleifio o'r sgwat a'i hanelu hi am y gogledd pell, yn awyddus i wneud y daith ar ei ben ei hun. Cyn diflannu i smwclaw'r bore bach a chau'r drws ar chwyrnu dibryder ei gyd-sgwatwyr unwaith ac am byth, sgriblodd bwt o nodyn i ddiolch i Colin am bob cymwynas, gan fynegi'r gobaith y bydden nhw'n gweld ei gilydd eto yn y dyfodol i chwarae mwy byth o gerddoriaeth.

Cymerodd bythefnos bron i Dylan wneud y siwrnai, gyda rhew ac eira mawr yn rhwystro ei hynt ar sawl achlysur. Bellach roedd wedi tyfu locsyn tywyll trwchus ac roedd ei wallt yn nyth blêr at ei sgwyddau a olygai fod golwg bur wahanol arno i'r ddelwedd ar y camera TCC ar droad y flwyddyn. Mi fentrodd fodio a bu'n ddigon ffodus i gael sawl lifft hir a'i glaniodd dros y ffin yn yr Alban. Pobol hŷn a gynigiai bàs iddo fynycha – pobol a gofiai'r oes aur pan fedret ti ffawdheglu rownd y byd petai'r awydd gen ti.

Cafodd loches a bwyd a dillad cynnes gan amryw o eneidiau cytûn ar ei ffordd. Doedd neb fel pe bai wedi clywed nac yn poeni am ddiflaniad llanc o'r Fenni yn y rhan yma o'r byd.

Pan oedd y tywydd yn braf, fe gerddai, gan ddilyn y cefnffyrdd ac ambell lôn drol neu geffylau, ac ar yr adegau hynny teimlai ei galon yn mynd yn sgafnach gyda phob cam tuag at y gogledd.

Cyhyd ag y gallai, ceisiodd osgoi defnyddio systemau trafnidiaeth gyhoeddus lle gallai ei lun gael ei dynnu, cwestiynau gael eu gofyn neu ryw gofnod arall ohono gael ei wneud. Ond er mwyn croesi o Skye i'r ynysoedd allanol doedd ganddo fawr o ddewis. Ar gyrraedd porthladd Uig wrth iddi dywyllu ar ôl cerdded am oriau maith, llwyddodd i lechwra yng nghefn un o'r lorïau oedd wedi'u parcio dros nos ar y cei wrth ddisgwyl am y cwch y bore canlynol. Roedd wedi blino'n lân a chysgodd yn drwm nes iddo gael ei ddeffro wrth i'r lori gael ei gyrru ar fwrdd y fferi yn y bore.

Toc cyn glanio'r ochr draw, sleifiodd Dylan o'i guddfan a llithro o'r dec cerbydau i gymysgu â'r teithwyr troed, cwfl ei gôt yn dynn am ei ben.

Ar ôl gadael y llong, tynnodd y map OS o'i fag ac atgoffa ei hun o'r llwybr i lanfa'r fferi fach. Cafodd hyd iddo'n ddigon didrafferth a cherdded wedyn tua saith milltir o'r porthladd ar draws y lloerwedd o greigiau noeth, grug a llynnoedd bach tywyll, nes cyrraedd y lanfa anghysbell.

Roedd Skye wedi sôn am hen sgubor ryw hanner milltir i'r de o'r lanfa lle bydden nhw'n aros weithiau os oedden nhw'n rhy hwyr i ddal y fferi neu'r tywydd yn rhy egr. Roedd yr adeilad yn hollol ddiddos yn ôl Skye, a gallai aros y nos heb i neb ymyrryd â'i gwsg.

A'r nos yn ymestyn ei bysedd tywyll o'r dwyrain a rhyw storm annisgwyl fel pe bai'n macsu allan ar y cefnfor y tu hwnt i'r ynys, roedd Dylan wedi derbyn mai aros yn y sgubor tan y bore fyddai raid cyn croesi, ond wrth gyrraedd pen y clip i lawr at y lanfa, gwelodd fod rhywun, drwy ryw ragluniaeth ryfedd, yn aros wrth y cei.

'Heia. Ydw i mewn pryd?'

Ystyriodd Murdo ffigwr y llanc tal o'i flaen. Hipi arall, mae raid. Roedd tua dwsin ohonyn nhw draw ar yr ynys erbyn hyn, ynghyd â rhyw bump o dyddynwyr brodorol â'u teuluoedd a staff y ganolfan astudio morloi yn yr haf. Roedd yr hipis yn bobol iawn ym marn Murdo ar ôl cyfnod cynefino go hir. Yn cadw eu hunain iddyn nhw eu hunain braidd a heb ddangos fawr o ddiddordeb fel arall ym mhobol a chymuned yr ynysoedd, ond byddai'n cael pwt o sgwrs gyda nhw weithiau. Duw a ŵyr sut roedden nhw'n cadw deupen ynghyd. Budd-daliadau siŵr o fod, neu bres eu rhieni o farnu wrth acen ambell un. Roedd cwpwl ohonyn nhw'n rhedeg cyrsiau plethu helyg yn yr haf oedd fel pe bai'n denu tipyn o bobol o bedwar ban ond fel arall roedd fel pe baen nhw'n gallu byw ar y gwynt rywsut – rhywbeth roedd Murdo'n ddigon cenfigennus ohono ar brydiau.

'Fydda i ddim yn croesi eto heno,' meddai'n gadarn wrth Dylan. 'Ddim efo'r gwyntoedd cryfion 'ma. Ma'r tywydd wedi bod yn anwadal ar y naw heddiw a does wybod be wneith honna,' meddai gan amneidio tua'r patshyn duach na'i gilydd ar y gorwel.

Edrychodd Dylan o'i gwmpas. Er iddo roi'i fryd ar gysgu yn y sgubor, yn sydyn dyma lun o wyneb llonydd Skye ynghwsg wrth ei ochr yn y tipi yn ystod yr haf yn llenwi ei feddwl fel hen win yn llenwi costrel wag.

Agorodd ei gôt ac ymestyn y tu mewn i'w siwmper cnu lle hongiai pecyn bach diddos yn cynnwys rhywfaint o'r pedwar can punt roedd wedi'i ddwyn oddi ar ei dad. Gwyliodd Murdo'n syn wrth i'r bachgen agor y pecyn a chyfri nifer o bapurau o'r swp a ddaliai yn ei law gan eu cynnig i'r cychwr.

'Hanner canpunt?' meddai.

Edrychodd Murdo ar yr arian yn siffrwd rhwng bys a bawd y bachgen yn y gwynt o'r môr.

'Argol!' meddai yntau gan ysgwyd ei ben, nid i wrthod y cynnig ond mewn anghrediniaeth lwyr.

'Saith deg punt,' meddai Dylan yn syth gan blicio rhagor o bapurau oddi ar y pentwr.

'Ti'm yn gall...'

'Wyth deg?'

Chwarddodd Murdo'n nerfus. Edrychodd ar y môr a'r awyr, ar ei wats ac ar y cwch.

'Mae fel petai'n gostegu rhywfaint. Dyro'r pres i mi.'

Stwffiodd Dylan y papurau i'w law a rhuthro at ymyl y lanfa.

'Woooa! Neu byddwn ni tu isa ucha cyn cychwyn.'

Dringodd yn ofalus i grombil y cwch.

'Dy fagiau di gynta.'

Trosglwyddodd Dylan bedwar o wahanol fagiau i afael Murdo.

'A titha rŵan.'

A dyma Dylan yn camu ychydig yn ffwndrus i mewn i'r llestr bach.

Bum munud yn ddiweddarach roedden nhw'n bobian draw tua'r ynys a honno'n llenwi'r gorwel o'u blaenau. Doedd yr un golau i'w weld ond roedd Murdo fel pe bai'n gwybod yn iawn i ba gyfeiriad roedd o am fynd.

Roedd y cychwr wedi bod yn iawn wrth sylwi bod y gwynt wedi gostegu dros dro ac roedd y cwch yn croesi'r swnt yn ddigon del. Noson i'w chofio yn Nhŷ Fraser heno, meddyliodd Murdo, a ddim yn gorfod wynebu Mairi am y tro.

'Pwy ti'n nabod ar yr ynys?' gofynnodd i'r hogyn dros ru'r injan.

'Teulu o deithwyr. Niall, Tiggy, Skye.'

Nodiodd Murdo.

'Ti'n nabod nhw?' gofynnodd Dylan yn eiddgar.

'Yndw. Ma un bach newydd gyda nhw erbyn hyn 'fyd.'

'Oes 'na?' gofynnodd Dylan mewn syndod. Doedd o ddim yn cofio bod Tiggy yn disgwyl yn ôl ym mis Medi ond dyna fo, dywedodd Skye fod ei mam yn licio bod yn feichiog ac wrth ei bodd efo plant.

Am sbel bu'r ddau'n dawel. Dechreuodd y cwch fownsio ychydig ar y tonnau oedd wedi chwyddo eto a daeth ewyn mewn hyrddiau cyson dros yr ochr gan wlychu bagiau Dylan.

'Ma'r gwynt wedi codi o'r newydd,' meddai Murdo, rhyw dinc pryderus yn ei lais. 'Dylen ni fod yn iawn, cofia. Dim ond rhyw hanner milltir sydd i fynd.'

Ac yna aeth ysgryd drwy'r cwch a newidiodd traw'r injan gan sgrechian yn anfodlon am ychydig eiliadau cyn pesychu a darfod yn llwyr.

Rhegodd Murdo mewn Gaeleg.

'Be sy 'di digwydd?' gofynnodd Dylan wrth geisio codi ar ei draed ond yn cael ei fwrw i waelod y cwch yn syth wrth i'r tonnau daro'r starn yn galed a ffrydio drosodd nes bod gwaelod y cwch yn morio.

'Ma rhywbeth wedi dal y propelor. Rhwyd sgota falle...'

Rhoddodd sawl cynnig ar aildanio'r injan ond yn ofer.

'Be wnawn ni nawr?'

'Dechrau gweddïo, hogyn. Dechrau gweddïo.'

Roedd y cwch yng ngafael y llanw a chyn pen dim roedden nhw'n cael eu sgubo ymhell oddi ar eu cwrs am y lanfa ar yr ynys. Roedd cymylau'r nos yn dechrau tynnu amdo dudew dros y môr a phrin gallai Dylan weld y lan i'r naill ochr na'r llall erbyn hyn.

'Oes fflêrs 'da ni ne rywbeth?' gofynnodd, ei lais yn cracio.

Atebodd Murdo ddim – doedd dim cyfarpar achub bywyd o unrhyw fath ar y cwch.

Tegan bregus oedd y fferi bellach yng ngafael y môr a mater o amser yn unig oedd hi...

*

Cafwyd hyd i'r gweddillion drylliedig dridiau'n ddiweddarach.

Golchwyd corff Murdo i'r lan bythefnos yn ddiweddarach.

Doedd neb wedi gweld Dylan ar ei daith unig draw i'r fferi a wyddai neb ei fod ar fwrdd y cwch pan gafodd ei ddryllio. Y môr a gadwodd ei gorff.

Holwch am bris argraffu!
www.ylolfa.com